QUAND LE DANGER RÔDE

Du même auteur

Série Sookie Stackhouse
la communauté du sud

1. Quand le danger rôde

À paraître:
2. Disparition à Dallas
3. Mortel corps à corps
4. Les sorcières de Shreveport
5. La morsure de la panthère
6. La reine des vampires
7. La conspiration
8. La mort et bien pire

CHARLAINE HARRIS

SÉRIE SOOKIE STACKHOUSE
LA COMMUNAUTÉ DU SUD - 1

QUAND LE DANGER RÔDE

Traduit de l'anglais (États-Unis)
par Cécile Legrand-Ferronnière

Flammarion

Catalogage avant publication de Bibliothèque et Archives nationales du Québec et Bibliothèque et Archives Canada

Harris, Charlaine
Quand le danger rôde
(Série Sookie Stackhouse)
(La communauté du Sud ; 1)
Traduction de : Dead until dark.
ISBN 978-2-89077-357-8
I. Legrand-Ferronnière, Cécile. II. Titre.
PS3558.A77D4214 2009 813'.54 C2009-940967-4

COUVERTURE
Photo : © 2009, Home Box Office, Inc. Tous droits réservés. HBO®
et les marques qui lui sont liées sont une propriété de Home Box Office, Inc.
Conception graphique : Annick Désormeaux
INTÉRIEUR
Composition : Chesteroc

Titre original : DEAD UNTIL DARK
Ace Book publié par The Berkley Publishing Group, une filiale de Penguin Group (USA) Inc.

ISBN 978-2-89077-357-8
Dépôt légal BAnQ : 2e trimestre 2009

Imprimé au Canada
www.flammarion.qc.ca

1

Le soir où le vampire a poussé la porte de *Chez Merlotte*, le bar où je travaillais, j'ai tout de suite su que c'était lui.

Depuis que ses congénères avaient commencé leur *coming out*, quelques années auparavant, j'espérais que l'un d'entre eux aurait la bonne idée de faire un tour chez nous, à Bon Temps. Dans ce coin perdu, on avait déjà des représentants de toutes les minorités, ou presque. Il ne manquait plus que la dernière à avoir été officiellement reconnue : les morts vivants.

D'accord, le nord de la Louisiane ne possédait guère d'attraits pour les vampires. Trop rural, je suppose. Mais La Nouvelle-Orléans n'était pas loin et, s'il faut en croire les romans d'Ann Rice, c'est bien la patrie des vampires, n'est-ce pas ?

Je ne compte plus le nombre de clients qui affirmaient qu'on croisait des morts vivants à tous les coins de rue et qu'il suffisait de lancer un caillou en l'air pour en toucher un. En espérant ne pas lui faire trop de mal, bien sûr : mieux vaut éviter de contrarier un vampire qu'on ne connaît pas. On ne sait jamais.

Du reste, je n'avais pas envie de rencontrer n'importe quel vampire. Je voulais le mien.

Le problème, c'est que je ne sortais pas beaucoup. Attendez ! N'allez pas en déduire que j'étais un laideron. Avec mes vingt-cinq ans, mes cheveux blonds et mes yeux bleus, mes jambes longues, ma taille fine et ma poitrine généreuse, je n'avais pas le droit de me plaindre. D'autant que l'uniforme que Sam avait choisi pour ses serveuses – short noir, chemisier blanc et tennis noires – mettait plutôt ma silhouette en valeur.

Seulement, je souffrais d'un… léger handicap. Enfin, c'était ma façon de voir les choses. Les clients, eux, disaient que j'étais cinglée. Question de point de vue. Résultat, je n'étais pratiquement jamais sortie avec un garçon.

Et voilà qu'un soir, *il* est entré dans le bar et s'est assis à l'une de mes tables – je parle de mon vampire. J'ai tout de suite compris à qui j'avais affaire. Étrangement, personne autour de moi ne semblait avoir remarqué quoi que ce soit d'inhabituel. Pourtant, avec sa peau opalescente et ses yeux perçants…

Sur le moment, j'ai eu envie de sauter de joie. Ce que j'ai fait, d'ailleurs. Quelques entrechats derrière le comptoir, ni vu ni connu – sauf de Sam Merlotte, mon patron, qui m'a jeté un drôle de regard pardessus le cocktail qu'il était en train de préparer.

J'ai pris mon bloc-notes et je me suis dirigée vers ce client si original, en regrettant de ne pas avoir remis de rouge à lèvres. Je souriais tellement que j'en avais mal aux zygomatiques.

Lui, en revanche, paraissait perdu dans ses pensées, ce qui m'a laissé un bon moment pour l'observer avant qu'il ne s'aperçoive de ma présence. Un mètre quatre-vingt-dix environ, des cheveux bruns peignés en arrière, le visage encadré par de longues pattes qui lui donnaient un air délicieusement rétro.

Sa peau était très pâle, bien sûr. N'oublions pas qu'il était mort... du moins, si l'on en croit les vieux contes de fées. D'après la théorie politiquement correcte, celle que défendaient les lobbys de vampires eux-mêmes, l'homme que j'avais sous les yeux était victime d'un virus qui l'avait plongé dans un état de mort apparente pendant quarante-huit heures avant de le laisser, à son réveil, frappé d'une très grave allergie à l'argent, à la lumière du soleil et aux gousses d'ail.

Mon vampire avait des lèvres au modelé sensuel, des sourcils fièrement arqués et un nez de prince byzantin. Quand il a levé les yeux vers moi, j'ai vu qu'ils étaient d'un noir de velours, en accord parfait avec la nuance de ses cheveux. Il était encore plus beau que dans mes rêves !

Je lui ai demandé, dans un état proche de l'euphorie :

— Et pour monsieur, ce sera ?

— Vous avez du sang de synthèse à la pression ?

— Désolée, on ne sera livrés que la semaine prochaine.

— Alors, apportez-moi un verre de vin rouge, s'il vous plaît.

Sa voix était limpide, comme... comme l'eau d'un torrent glissant sur des galets ronds. C'était merveilleux ! J'éclatai de rire, incapable de contenir ma joie.

— Faites pas attention à Sookie, m'sieur ! Elle est un peu siphonnée, voyez ? dit une voix familière qui provenait du box voisin.

Aussitôt, mon bonheur tout neuf se dégonfla, tel un pneu crevé. Je continuai à sourire, mais le cœur n'y était plus. Un peu mal à l'aise, je détournai les yeux.

— Je vous apporte votre commande tout de suite.

Je m'éclipsai, sans un regard pour le vilain museau de Mack Rattray, assis comme chaque soir avec sa femme Denise dans le box près du mur. Les deux rats, comme je les appelais. Depuis qu'ils avaient emménagé dans le mobile home de location installé à Four Tracks Corner, ces deux affreux mettaient un point d'honneur à me gâcher la vie. À croire qu'ils n'avaient pas d'autre occupation dans l'existence.

La première fois qu'ils étaient venus *Chez Merlotte*, j'avais – très impoliment, je le reconnais – écouté leurs pensées. Je sais, ce sont des choses qui ne se font pas. Mais je m'ennuyais ferme, ce soir-là. Et puis, je suis comme tout le monde, il m'arrive parfois de céder à la tentation. Bien que, en général, je bloque les pensées des autres pour ne pas les percevoir, je les laisse quelquefois passer, juste pour me distraire.

C'est comme ça que j'avais appris sur les Rattray deux ou trois « détails » que la plupart des gens ignoraient. D'abord, ils avaient fait de la prison. Ensuite, Denise avait abandonné deux ans auparavant un bébé qui n'était pas de Mack. Quant à ce dernier, il fantasmait sur moi. De plus, ils ne laissaient jamais de pourboire, mais ce n'était un secret pour personne.

Sam remplit un verre de vin rouge, pratiquement sans quitter des yeux mon vampire. En croisant son regard, je compris qu'il savait, lui aussi.

J'ai pour principe de ne jamais lire dans les pensées de mes patrons. Ce n'est pas bon pour le travail. J'ai déjà quitté pas mal de places parce que j'avais appris sur mes chefs des choses qui auraient dû rester secrètes. Dans le cas présent, je n'eus pas besoin de lire dans ses pensées : elles se reflétaient dans ses iris bleus.

Sam avait les yeux de Paul Newman, les cheveux de Woody Allen et les biceps de Stallone (je le savais car plus d'une fois, j'avais vu mon patron décharger le camion de livraison torse nu).

Sans le moindre commentaire, il déposa le vin sur mon plateau, et j'apportai sa consommation à mon client.

— Votre commande, monsieur, dis-je d'un ton cérémonieux en posant le verre bien en face de lui. Bonne soirée.

Je plongeai de nouveau les yeux dans son beau regard d'encre, mais Mack Rattray me héla au même instant.

— Hé, Sookie ! Ressers-nous de la bière !

En réprimant un soupir de contrariété, je m'approchai de la table des deux rats pour y prendre le pichet vide. Denise portait ce soir-là un tee-shirt dos nu et un short court, et elle avait laissé ses cheveux bouclés retomber sur ses épaules. Elle n'était pas très jolie, mais avec ses tenues voyantes et son air assuré, il fallait un moment pour s'en apercevoir.

Lorsque je revins, un nouveau pichet de bière à la main, les deux rats avaient quitté leur box pour s'installer à la table voisine, celle du beau ténébreux. Je me rassurai en me disant qu'il ne pouvait s'agir que d'une initiative de leur part – mon vampire ne les aurait certainement pas invités à le rejoindre !

Tout de même, il ne les priait pas non plus de s'en aller. Je me tournai vers Arlène, déçue.

— Non, mais regarde-moi ça!

Arlène était ma collègue de travail préférée, presque ma meilleure amie. C'était une belle femme rousse de dix ans mon aînée, au visage couvert de taches de rousseur. Elle avait été mariée quatre fois, élevait seule ses deux enfants, et j'avais parfois l'impression qu'elle me considérait comme le troisième.

— Tiens, un nouveau, dit-elle en observant mon beau brun sans le moindre émoi.

Arlène sortait avec René Lenier, et elle semblait en être heureuse, ce qui était un mystère pour moi. Je crois qu'il avait été son deuxième ou troisième mari.

Je me penchai vers elle et murmurai :

— Tu ne vois donc pas que c'est un vampire?

Il fallait que je partage mon excitation avec quelqu'un.

— Ah, oui? Eh bien, il ne doit pas être très futé, s'il fraternise avec ces deux affreux. Mais il faut dire que Denise a sorti le grand jeu.

Arlène était plus douée que moi pour percevoir ce genre de choses. Ce qui était assez normal, étant donné ma totale absence d'expérience en la matière...

En revanche, j'avais compris toute seule que le vampire était affamé. Le sang de synthèse que les Japonais avaient récemment lancé sur le marché apportait à ses consommateurs un réel équilibre nutritionnel, mais non la sensation de satiété. D'où les «déplorables incidents» – euphémisme employé par les vampires pour désigner le meurtre d'un être humain – qui survenaient de temps à autre.

Sans un mot, je regardai cette garce de Denise rire à gorge déployée sur sa chaise… Avait-elle conscience de jouer avec le feu ?

C'est à ce moment que mon frère, Jason, entra dans le bar. Après avoir traversé la salle d'un pas souple, il se pencha par-dessus le comptoir pour m'embrasser – il sait que les femmes sont sensibles au charme des hommes qui aiment leur famille et se montrent gentils avec les handicapés. En m'embrassant, il se montrait sous un bon jour. Non qu'il ait besoin de telles ruses : il est si beau qu'il lui suffit d'apparaître pour séduire tout le monde. Il peut aussi se montrer franchement odieux, mais j'ai remarqué que bien des femmes avaient tendance à négliger ce point.

— Salut, petite sœur. Comment va Granny ?

— Plutôt bien. Passe nous voir un de ces jours.

— Promis. Qui est libre, ce soir ?

— Regarde toi-même.

Comme d'habitude, quand Jason parcourut la salle du regard, je vis ces dames redresser le dos avec grâce, passer la main dans leurs cheveux, lisser leur chemisier d'un geste nerveux…

— Tiens, DeeAnn est ici ?

— Oui, mais elle sort avec un routier de Hammond. Il sera là dans un instant, ne fais pas l'idiot.

Jason me décocha son plus beau sourire, et une fois de plus, je me demandai comment les femmes pouvaient ne pas remarquer son air vaniteux. Même Arlène redressait les épaules et rentrait le ventre quand Jason la regardait. Quant à Dawn, mon autre collègue, je l'avais vue retoucher furtivement son rouge à lèvres à l'arrivée de mon frère. Dawn était un peu sur la touche avec lui, mais cela ne l'empêchait pas de soigner son apparence. Au cas où, je suppose.

Ensuite, de nombreux clients arrivèrent en même temps, comme c'est souvent le cas le samedi soir *Chez Merlotte*. C'était l'heure du coup de feu, comme on dit dans le métier. Quand j'eus de nouveau le temps de jeter un coup d'œil au vampire, je le trouvai en grande conversation avec Denise. Quant à Mack, il le couvait d'un regard si avide que c'en était presque inquiétant.

Je fis quelques pas vers leur table sans quitter Mack des yeux. Ce fut plus fort que moi, j'écoutai ses pensées.

Et je compris pourquoi Mack et Denise avaient fait de la prison : ils avaient saigné des vampires.

Très inquiète, je m'approchai. Que voulaient les deux rats à mon client ? Je savais que le sang de vampire, censé soulager la douleur et accroître le potentiel sexuel, était considéré comme une sorte de deux en un cumulant les avantages de l'aspirine et du Viagra. J'avais également entendu parler du lucratif marché noir où l'on écoulait, sans mauvais jeu de mots, du sang de vampire authentique et non dilué. Un marché qu'il fallait bien approvisionner…

Je frissonnai, mal à l'aise. Je commençais à comprendre le petit jeu des deux rats. Plus d'une fois, ils avaient piégé des vampires pour les vider de leur sang, qu'ils avaient ensuite revendu. Deux cents dollars le flacon miniature, de quoi mener la belle vie un certain temps… avant de recommencer. On était assuré de trouver des clients : depuis deux ans, le sang de vampire était la drogue à la mode. Le fait que certains malheureux aient perdu la raison après en avoir consommé ne semblait pas décourager les amateurs.

En général, un vampire ainsi saigné ne survivait pas à l'opération. Ses bourreaux l'abandonnaient en plein air, attaché ou non, et au lever du soleil, il était trop tard. Il périssait dans d'atroces souffrances. En revanche, lorsque, par miracle, un vampire s'en sortait, ses « saigneurs » n'avaient plus longtemps à vivre…

Mon vampire s'était levé. Alarmée, je le vis jeter quelques pièces sur la table et suivre les Rattray, qui eux aussi s'en allaient. Mack me lança un regard mauvais par-dessus son épaule. Cela ne me plaisait pas du tout… mais je les regardai passer la porte du bar sans réagir.

Le vampire m'écouterait-il si j'essayais de le mettre en garde ? En général, personne n'accordait le moindre intérêt à mes propos – ou alors, c'était pour se moquer de moi. Quant aux rares personnes qui me croyaient capable de lire dans les pensées, soit elles me haïssaient, soit elles me craignaient. Voire les deux à la fois.

Je regardai la porte se refermer, paralysée par l'indécision. Puis le regard que Mack m'avait jeté me revint à l'esprit – méprisant, haineux, triomphant. Aussitôt, une bouffée de révolte et de colère monta en moi, accompagnée de visions de cauchemar. Mack et Denise, transformés en prédateurs. Mon vampire pris au piège. Et du sang, des flots de sang… Je ne pouvais pas laisser faire cela !

D'un bond, je rejoignis Jason, très occupé à déployer son grand numéro de charme devant DeeAnn. Il aurait pu en faire l'économie : d'après ce qu'on disait, la belle n'était pas la fille la plus farouche de la région. À son côté, le routier couvait Jason d'un regard meurtrier.

— Jason, tu avais une chaîne dans ton pick-up…

— Elle y est toujours, répondit-il sans se retourner.

Puis il pivota vers moi et me demanda d'un ton inquiet :

— Que veux-tu en faire ?

— Eh bien…

— Tu as un problème ? Je peux t'aider ?

Je me composai un air désinvolte. Avec le temps, dissimuler mes sentiments était devenu une seconde nature chez moi.

— Non, merci.

Sur ce, je rejoignis Arlène.

— Je dois m'absenter un moment. Mes tables sont presque vides, ça ne t'ennuie pas de les prendre ?

C'était bien la première fois que je demandais un tel service à ma collègue, qui, elle, ne s'en était pas privée par le passé. Comme Jason, elle me décocha un coup d'œil inquiet et me proposa son aide, que je déclinai.

— Je reviens dès que possible. Merci pour le coup de main, je te revaudrai ça.

Je me ruai vers la porte du fond. Une fois sur le petit parking des employés, où se trouvaient ma voiture, celles du cuisinier, d'Arlène et de Dawn, ainsi que la camionnette et le mobile home de Sam, je partis en direction du parking des clients, bien plus grand et recouvert de bitume.

Le bar de Sam était installé dans une clairière, au beau milieu des bois. Dans la lueur des réverbères, les troncs des premiers arbres alentour prenaient d'étranges silhouettes.

La voiture rouge toute cabossée des deux rats était là. Ses propriétaires ne devaient donc pas être loin. Je localisai rapidement le pick-up de Jason, aisément reconnaissable à sa carrosserie noire ornée de flammes bleues et roses. Jason a toujours eu horreur de l'anonymat.

Je me glissai dans le pick-up par le hayon et cherchai à tâtons la chaîne de Jason, qu'il gardait toujours à bord, en cas de bagarre. Enfin, je la trouvai. Après l'avoir enroulée sur elle-même, je la calai contre moi pour l'empêcher de faire du bruit et descendis du véhicule.

Je réfléchis rapidement. Le seul endroit discret où les Rattray étaient susceptibles d'avoir emmené leur proie était le fond du parking, là où les branches les plus basses des arbres touchaient presque les voitures. Aussi vite que possible, je traversai le parking en essayant de ne pas me faire voir.

Je m'immobilisais tous les dix pas, à l'affût du moindre bruit. Enfin, je distinguai un gémissement, puis l'écho de chuchotements. Je m'approchai à pas prudents, en me faufilant entre les véhicules.

Ils étaient là. Le vampire était étendu sur le sol, le visage crispé par la douleur. Un éclat attira mon attention sur ses poignets et ses chevilles : il était ligoté par des chaînes en argent. Les deux rats avaient déjà eu le temps de remplir deux flacons, posés à même le sol, aux pieds de Denise. Je vis celle-ci fixer un nouveau réservoir à l'aiguille plantée à la saignée du coude du vampire.

Les deux prédateurs me tournaient le dos. Quant à leur victime, elle ne m'avait pas encore remarquée. En silence, je libérai ma chaîne. Qui attaquer d'abord ? Mack et Denise étaient tous deux fluets, mais nerveux et rapides. Je me méfiais de leurs réactions.

De nouveau, le regard de haine que Mack m'avait jeté me revint en mémoire. À lui l'honneur!

Jamais je n'avais eu l'occasion de me battre. Pourtant, je brûlais d'en découdre. Les deux rats méritaient une correction.

Je bondis hors de ma cachette et abattis mon arme sur le dos de Mack, agenouillé devant le vampire. Il se redressa dans un hurlement de douleur. Denise leva le visage vers nous, mais continua froidement d'adapter le réservoir à l'aiguille. Puis je vis Mack plonger la main dans sa botte. L'éclair d'une lame m'aveugla.

— Espèce de garce! s'écria Mack en brandissant son couteau.

Il n'allait manifestement pas se contenter de m'effrayer. Incapable de maintenir le blocage de ses pensées, j'eus soudain la vision des horreurs qu'il se promettait de m'infliger. Le monstre! Galvanisée par la rage et par la peur, je m'élançai vers lui. J'avais envie de le tuer.

Pas le moins du monde impressionné, Mack sauta vers moi en poussant un cri de guerre, son couteau en avant. Je n'avais plus le temps de parer. J'avais déjà levé le bras et, emportée par l'élan de ma chaîne, je ne pouvais plus reculer. La lame frôla mon épaule.

Presque en même temps, ma chaîne s'enroula avec force autour de son cou décharné. Mack émit un hurlement, qui s'acheva dans un gargouillis étouffé. Il lâcha son couteau et prit à deux mains la chaîne qui l'étranglait pour tenter de se libérer. Je le vis rougir, suffoquer, tomber à genoux, sans cesser de secouer la chaîne, qui s'échappa de ma main.

Il me fallait une autre arme, de toute urgence. Je me jetai au sol pour ramasser le couteau. Du coin de l'œil, je distinguai la silhouette de Denise, qui tournait autour de nous, cherchant une faille pour porter secours à son complice. Lorsqu'elle comprit que j'étais de nouveau armée, elle se figea.

— Fiche le camp ! ordonnai-je.

Denise posa un regard désespéré sur les deux flacons de sang, mais je levai le bras d'un air menaçant.

— Fichez le camp tous les deux ! répétai-je, hors de moi.

Après une dernière hésitation, elle se pencha vers Mack pour dérouler la chaîne de son cou et l'aider à se relever. Celui-ci porta les mains à sa gorge, avant d'être secoué par une quinte de toux. Denise l'entraîna vers leur voiture et l'assit de force sur le siège du passager. Puis elle tira une clé de sa poche et prit place derrière le volant.

Ce n'est qu'alors que je m'aperçus que Mack avait gardé la chaîne de Jason. Trop tard pour tenter de la récupérer. D'ailleurs, j'avais d'autres priorités. Je me précipitai vers le vampire. Il avait l'air inconscient, mais il respirait.

— Vite ! murmurai-je à son oreille. Essayez de vous lever.

Comme il ne réagissait pas, je le pris par les bras pour l'aider à se redresser. Il poussa un soupir d'épuisement. Enfin, il revenait à lui ! Je réussis à le remettre sur ses pieds et, un bras glissé autour de sa taille, je l'entraînai vers le centre du parking.

Nous venions d'entrer dans le cercle de lumière du réverbère le plus proche lorsque j'entendis le bruit d'une voiture qui se rapprochait à vive allure. Je me retournai. Denise fonçait sur nous. Elle n'était déjà plus qu'à quelques mètres. J'eus tout juste le temps de me jeter sur le côté, entraînant mon protégé avec moi, et de rouler avec lui sur le sol, au risque de le blesser.

Par chance, Denise avait mal visé. Elle passa à moins d'un mètre de nous et donna un violent coup de frein pour éviter un arbre, qu'elle contourna avant de se diriger vers la sortie du parking.

— Va au diable ! murmurai-je avant de me tourner vers le vampire, étendu à mon côté sur l'asphalte.

Je m'agenouillai près de lui avec inquiétude. La pauvre créature paraissait mal en point. Je la parcourus du regard… et laissai échapper un cri. Horreur ! Au contact de ses liens d'argent, des volutes de fumée s'élevaient de la peau de ses poignets.

— Oh, pardon ! Pardon ! m'écriai-je, honteuse de ne pas avoir vu cela plus tôt.

D'une main tremblante d'émotion, j'entrepris de dérouler la mince bande d'argent qui liait encore ses poignets l'un à l'autre.

— Mon pauvre chéri… ne pus-je m'empêcher de murmurer, sans prendre garde au ridicule de mes paroles.

Quelques secondes plus tard, j'avais réussi à le libérer. Ce que je ne m'expliquais pas, c'était la façon dont les deux rats s'y étaient pris pour le distraire et le ligoter ainsi. Puis je songeai à Denise, à son décolleté plongeant et à ses lèvres trop fardées. L'image très crue qui s'imposa alors à mon esprit me fit rougir. Une pensée du vampire ? C'était vraisemblable, bien que je n'en eusse pas juré.

Tandis que je me baissais pour dénouer les bandes d'argent qui enserraient ses chevilles, épargnées grâce à l'épaisseur de son jean qui avait protégé sa peau du contact de l'argent, le vampire croisa les bras sur sa poitrine.

— Je suis désolée de ne pas être arrivée plus tôt, dis-je. Vous irez mieux dans quelques minutes. Si vous voulez, je peux vous laisser seul.

— Non.

Ce mot pourtant tout simple eut le don de me réjouir au-delà de toute expression. Jusqu'à ce que le vampire ajoute :

— Ils peuvent revenir, et je suis encore trop faible pour me battre.

Il avait parlé d'une voix tendue mais calme, et sans le moindre accent de panique. Je lui tournai le dos, m'assis sur une bande herbeuse qui séparait deux allées et feignis d'inspecter le parking avec attention. En réalité, je voulais surtout masquer ma déception et laisser un peu d'intimité à mon protégé. Je sais à quel point il est désagréable d'être observé lorsqu'on souffre. Quelques instants plus tard, je l'entendis s'asseoir derrière moi.

En tournant légèrement la tête, je vis qu'il était plus proche de moi que je ne l'avais cru et que ses yeux étaient posés sur moi avec curiosité. Il souriait. Je cherchai à apercevoir ses canines, en vain. J'en fus presque déçue, ce qui était parfaitement idiot.

— Merci, dit-il d'un ton un peu vexé.

Il ne paraissait pas apprécier d'avoir été sauvé par une femme. Sur ce point, en tout cas, il était exactement comme les autres hommes ! Blessée par son ingratitude, je m'autorisai à me montrer incorrecte à mon tour et décidai d'écouter ses pensées. J'ouvris tout grand mon esprit... et ne perçus rien du tout.

— Mais... je ne vous entends pas ! m'exclamai-je – assez étourdiment, je l'avoue.

— Je disais, merci ! répéta-t-il d'une voix plus forte, en articulant exagérément.

— Non, ce n'est pas ce que je voulais dire. Je vous entends très bien, seulement...

Seulement, pourquoi ne pouvais-je capter ses pensées ? J'étais tellement déconcertée que j'en oubliai mes bonnes manières. Je posai mes mains sur ses tempes, le fixai droit dans les yeux et fis appel à toute ma concentration.

Rien. Le silence total. La sérénité parfaite. Une oasis de paix dans un monde de brutalité !

Le vampire demeura parfaitement immobile, mais ses yeux s'étaient plissés. Bien sûr, j'avais dû le froisser ! Je retirai mes mains aussi vite que si je m'étais brûlée.

— Excusez-moi, murmurai-je, à la fois gênée et perplexe.

Que m'arrivait-il ? De nouveau, je fis mine de m'absorber dans l'observation du parking et des alentours. Puis, pour dissimuler mon embarras, je me mis à parler à tort et à travers – de Mack et de Denise, de Sam, de mon travail au bar... Tout en babillant, je songeai à l'expérience extraordinaire que je venais de vivre, à ce silence merveilleux, si apaisant, qui m'avait envahie lorsque j'avais tenté d'écouter les pensées du vampire. Comme ce serait agréable d'avoir à mes côtés un compagnon tel que lui !

— … alors je me suis dit que je ferais mieux de sortir voir si tout allait bien pour vous, dis-je en conclusion d'une longue tirade dont j'avais déjà oublié le début.

— Vous êtes venue pour me sauver, dit-il d'une voix aux intonations suaves. Vous êtes une jeune femme très courageuse.

— N'exagérons rien !

Pourquoi se montrait-il si obséquieux, à présent ? Je le préférais quand il se taisait… Il parut surpris par mon éclat, mais retrouva vite son expression impassible.

— Vous n'avez pas peur de rester seule avec un vampire affamé ?

— Non.

— Donc, vous supposez que parce que vous avez volé à mon secours, vous êtes en sécurité ? Qu'après toutes ces années, je suis capable de sentiments ou d'affection envers autrui ?

Il marqua une pause, avant de poursuivre d'un ton à la fois espiègle et inquiétant :

— N'oubliez pas que les vampires s'en prennent souvent à ceux qui leur font confiance. Nous n'avons plus guère de valeurs humaines, vous savez.

— Vous n'avez pas le monopole de la cruauté. Je connais beaucoup d'humains qui ne valent pas mieux que les vampires. Et je suis peut-être un peu bizarre, mais pas complètement naïve.

Tout en parlant, j'avais enroulé les liens d'argent des deux rats autour de mon cou et de mes bras. Ainsi protégée, je jetai un regard de défi au vampire… qui, loin de se laisser décourager, m'examina de la tête aux pieds.

— Il reste une artère bien juteuse en haut de votre cuisse, murmura-t-il d'une voix gourmande.

— Ne dites pas de bêtises.

Nous nous dévisageâmes en silence un long moment. J'avais peur de ne jamais le revoir. Après tout, sa première soirée *Chez Merlotte* n'avait pas vraiment été réussie, n'est-ce pas ? J'essayai d'enregistrer chaque détail – l'éclat de son regard, le grain de sa peau, la courbe de ses lèvres... J'avais conscience de vivre un moment rare, précieux. J'avais envie de porter de nouveau les mains à son visage, mais je n'osai pas. Cela n'aurait guère été convenable... ni prudent.

À ma surprise, je l'entendis me proposer :

— Vous voulez boire le sang qu'ils m'ont pris ? Je vous l'offre avec plaisir. En remerciement pour votre aide.

D'un geste, il désigna les deux flacons, toujours sur le sol à quelques mètres derrière nous.

— Vous savez que le sang de vampire est un excellent stimulant pour votre santé et votre vie sexuelle ?

— J'ai une santé de cheval, et je n'ai pas de vie sexuelle. Gardez vos flacons.

— Vous pourriez les vendre, suggéra-t-il.

J'eus la nette impression qu'il ne m'avait tendu cette perche que pour voir ma réaction. Je secouai la tête, indignée.

— Je ne mange pas de ce pain-là.

Il me regarda quelques instants sans rien dire. Puis il me demanda d'un ton intrigué :

— Vous n'êtes pas comme les autres... Qui êtes-vous ?

Je lui tendis la main.

— Sookie Stackhouse, serveuse de bar.

— Enchanté, dit-il. Moi, c'est Bill.

Ce fut plus fort que moi, j'éclatai de rire.

— Bill le Vampire ? Ce n'est pas sérieux ! Vous pourriez au moins vous appeler… je ne sais pas, Anton, Terence ou Langford. Mais Bill !

C'était si drôle que j'en avais les larmes aux yeux. Une fois mon hilarité passée, je repris :

— Eh bien, Bill le Vampire, ce n'est pas tout, mais je dois retourner travailler. Mon boss va se demander ce que je fabrique.

Je m'essuyai les yeux.

— Ravie d'avoir fait votre connaissance, ajoutai-je en posant la main sur son épaule pour me lever.

Il était plus musclé que je ne m'y étais attendue. Tout en m'efforçant d'oublier le frisson sensuel qui m'avait parcourue à son contact, je lissai mon tee-shirt, le rentrai dans mon short et époussetai le derrière de mon short. Pas question de reprendre mon service débraillée. Puis, sur un geste de la main, je quittai Bill et me dirigeai vers le bar. Maintenant, le plus dur était à venir.

Expliquer à Jason où était passée sa chaîne.

2

Une fois mon service terminé, je rentrai chez moi, à un quart d'heure en voiture de *Chez Merlotte*. Lorsque j'étais retournée au bar, Jason était parti, ainsi que DeeAnn, ce qui me libérait provisoirement d'une désagréable épreuve. Jason, qui entretenait ses affaires avec un soin jaloux, risquait d'entrer dans une colère noire en apprenant que j'avais abandonné sa chaîne à Mack.

J'ai dit que je rentrais chez moi, mais en réalité, c'était chez ma grand-mère, Granny, qui m'avait recueillie à la mort de mes parents. Sa maison avait été bâtie par son propre arrière-grand-père, lequel, ayant des idées très arrêtées sur sa tranquillité, l'avait érigée dans une clairière perdue, où personne ne viendrait l'ennuyer.

Pour s'y rendre, il fallait tourner juste avant le cimetière, emprunter une route de campagne si étroite que deux voitures pouvaient à peine s'y croiser, puis traverser un bois sur une bonne distance. La maison se trouvait au bout d'une allée à peine carrossable, ce qui nous préservait des colporteurs et autres nuisances.

La maison n'avait pas une apparence très ancienne car, au fil des années, toutes les parties qui la composaient au départ avaient été remplacées par de plus récentes. Elle était bien sûr équipée de tout le confort moderne – plomberie, électricité, chauffage, etc. En revanche, elle était couverte d'un toit en tôle si brillant qu'il en devenait aveuglant les jours de grand soleil. Quand il avait fallu réparer la toiture, j'avais envisagé d'acheter des tuiles, mais Granny n'avait pas voulu en entendre parler. Je payais, certes, mais c'était sa maison. J'avais donc racheté de la tôle.

Je vivais dans cette maison depuis l'âge de dix ans, et je l'adorais. Elle était peut-être un peu trop grande pour Granny et moi, mais on y était bien. Granny ayant des goûts très traditionnels en matière architecturale, la façade était peinte en blanc et bordée sur toute sa longueur par une véranda.

Je garai ma voiture dans la cour et gravis les trois marches qui menaient à la véranda. Après avoir poussé la porte d'entrée, je traversai l'immense salle de séjour et remontai le couloir jusqu'à la première chambre sur la gauche, la plus grande.

Adèle Hale Stackhouse était assise dans son grand lit, sa frêle silhouette calée contre une dizaine de petits oreillers ornés de volants en broderie anglaise. Malgré la chaleur de cette nuit de début d'été, elle portait une de ses éternelles chemises de nuit en coton blanc à manches longues. Elle n'avait pas encore éteint sa lampe de chevet et tenait un livre entre ses mains.

— Bonsoir, Gran.

— Te voilà, ma chérie ?

Elle ferma son ouvrage et le posa sur ses genoux.

— Encore un Danielle Steele ? Tu ne les as pas déjà tous lus ?

— Voilà quelqu'un qui sait raconter des histoires, dit Granny en rajustant une mèche de cheveux d'un blanc de neige.

Les trois grands plaisirs de Granny dans la vie étaient les romans de Danielle Steele, le gin-rummy et les réunions de la dizaine de clubs auxquels elle appartenait (parmi lesquels figuraient le Cercle des héritiers des glorieux défunts, les Amis du bayou et la Société des jardiniers d'antan, ses préférés).

— Devine ce qui s'est passé ce soir, au bar ?

— Je ne sais pas… Tu as trouvé un fiancé ?

— Mieux que ça. Un vampire est venu boire un verre !

— Magnifique ! Il avait de jolis crocs ?

Il me semblait les avoir aperçus, à la lueur des réverbères, lorsqu'il tentait de se libérer de la seringue de Denise. Mais Granny n'avait pas besoin de connaître de tels détails.

— Sûrement, mais il les avait rentrés.

— Un vampire à Bon Temps… c'est extraordinaire !

Granny semblait aux anges.

— Il n'a mordu personne ?

— Voyons, Gran ! Il s'est sagement assis à l'une de mes tables et a commandé un verre de vin. Qu'il n'a pas bu, d'ailleurs. Je pense qu'il avait surtout besoin d'un peu de compagnie.

— Tu crois qu'il vit ici ?

— Aucune idée. Tu penses bien qu'il ne va pas crier son adresse sur les toits.

— Évidemment… Il t'a paru sympathique ?

Granny avait beau avoir soufflé ses soixante-douze bougies cette année-là, elle possédait toujours l'art de poser des questions qui faisaient mouche. Je pris le temps de réfléchir. Bill le Vampire m'avait-il paru sympathique ?

— Je ne sais pas, répondis-je prudemment. Je dirais plutôt qu'il avait l'air... intéressant.

— Il faut absolument que je le rencontre.

Ça, c'était Granny tout craché. Rien ne l'effrayait. Quelques minutes plus tard, après lui avoir souhaité bonne nuit, je retournai au salon enlever Tina, la chatte de la maison, de son fauteuil favori – celui dont l'assise était couverte de poils et les accoudoirs griffés jusqu'à la trame –, et la mis dehors pour la nuit. Puis je verrouillai la porte d'entrée. Il était 2 heures du matin, mes yeux se fermaient tout seuls.

Ma chambre se trouvait juste en face de celle de Granny et était encore garnie des meubles qui y avaient été transportés à la mort de mes parents, lorsque j'avais quitté la maison familiale : un petit lit peint en blanc, une coiffeuse et une commode assorties, des rideaux en cretonne bleue.

J'étais trop épuisée pour prendre une douche. En une minute, je me lavai les dents, me démaquillai et dénouai mes cheveux, avant de remplacer ma tenue de serveuse par un grand tee-shirt sur lequel était imprimé « *I love New Orleans* ». Puis je me couchai, soulagée de ne plus avoir de pensées parasites autour de moi à bloquer. J'entrevis brièvement les grands yeux noirs de mon vampire et sombrai dans le sommeil.

Le lendemain, en fin de matinée, j'étais assise sur une chaise de jardin devant la maison, très occupée à peaufiner mon bronzage, lorsque j'entendis le bruit d'un véhicule dans l'allée. Quelques secondes plus tard, un pick-up noir orné de flammes roses et bleues pilait à trois pas de moi. Jason en descendit et se dirigea vers moi à grandes enjambées. Il portait son habituelle tenue de travail : pantalon et chemise kaki, couteau glissé dans un étui fixé à son ceinturon, chaussures montantes.

Et il était d'une humeur massacrante.

Je remis mes lunettes de soleil, que j'avais baissées à son arrivée.

— Tu aurais pu me dire que tu t'étais battue avec les Rattray hier soir, maugréa-t-il en se laissant tomber sur la chaise voisine de la mienne.

Puis, sans transition, il demanda :

— Où est Granny ?

— Derrière la maison. Elle étend le linge.

J'avais offert à Granny un sèche-linge de compétition l'hiver précédent, mais elle persistait à étendre son linge au soleil – méthode bien plus saine, d'après elle, que ces machines modernes qui consomment de l'électricité – et n'aurait laissé à personne le soin de s'en charger à sa place.

— Elle a préparé un ragoût aux pommes de terre et aux haricots verts du jardin pour midi, ajoutai-je pour dérider mon frère. Et parle plus bas, je ne veux pas qu'elle nous entende.

— René Lenier est passé me voir ce matin, dit Jason à mi-voix. C'est lui qui m'a tout raconté. Il était très agité. Il venait de débarquer hier soir chez les Rattray pour leur acheter de l'herbe quand Denise est arrivée en conduisant à toute allure. Il paraît qu'elle était si nerveuse qu'elle a failli le renverser. Mack était blessé. René et Denise ont dû s'y mettre à deux pour le sortir de son siège et le porter jusque dans le mobile home.

Finalement, il était si mal en point qu'ils ont décidé de l'emmener à l'hôpital de Monroe. Tu aurais pu me le dire!

Jason me décocha un regard accusateur. Que me reprochait-il exactement? De m'être battue, d'avoir perdu sa chaîne ou de ne pas lui avoir parlé de la bagarre moi-même? Un peu des trois, peut-être. La meilleure défense étant l'attaque, je ripostai aussitôt :

— D'abord, tu n'étais plus au bar quand j'y suis retournée. Ensuite, est-ce que René a pensé à préciser que Mack s'était jeté sur moi, un couteau à la main?

À l'expression de Jason, je compris que j'avais visé juste.

— Denise ne le lui a peut-être pas dit, murmura-t-il, surpris. C'est Mack qui t'a agressée?

— Oui, et j'ai dû me défendre toute seule. Il m'a volé ta chaîne.

C'était la pure vérité, non? Voyant que mon frère ne réagissait pas, je poussai mon avantage.

— Si tu avais suivi mon conseil et que tu n'étais pas parti avec DeeAnn, tu l'aurais appris tout de suite. Je sais que tu n'aurais pas hésité à aller trouver Mack pour régler cette histoire entre hommes, ajoutai-je avec diplomatie.

Jason n'avait jamais su résister au plaisir d'une bonne bagarre.

— Ce que j'aimerais que tu m'expliques, bougonna-t-il sans que je puisse savoir s'il était en colère contre moi ou contre Mack, c'est ce que tu fabriquais sur le parking des clients à une heure pareille.

Je regardai Jason du coin de l'œil. Manifestement, il ne soupçonnait rien de la véritable « activité professionnelle » des deux rats. Je dis, savourant à l'avance ma petite victoire :

— Savais-tu qu'en plus d'être des dealers, les Rattray chassaient le vampire à leurs heures perdues ?

— Non ?

— Si. Et il se trouve que l'un de mes clients hier soir était un vampire. Ils l'ont attiré dans un coin sombre du parking. Quand je les ai rejoints, ils étaient occupés à le saigner dans les règles de l'art.

— Il y a un vampire ici, à Bon Temps ?

— En tout cas, il y en avait un hier soir *Chez Merlotte*. Je comprends qu'on se méfie de ces créatures, mais tout de même... Saigner un vampire, ce n'est pas la même chose que siphonner un réservoir d'essence ! Si je n'étais pas intervenue, les Rattray l'auraient laissé mourir dans le bois.

En effet, même si, protégé de la lumière du jour, un vampire survivait à la saignée, il lui fallait une bonne vingtaine d'années pour s'en remettre. Du moins, c'est ce que j'avais entendu l'un d'eux expliquer à la télévision, dans l'émission d'Oprah Winfrey.

— Le vampire était au bar hier soir en même temps que moi ? demanda Jason, incrédule.

— Oui. Le grand type brun, à la même table que les rats.

— Comment as-tu su que c'en était un ?

— Je l'ai compris, c'est tout.

— D'accord, marmonna Jason.

Il me lança un regard contrarié, avant de tourner son visage vers le soleil et de reprendre d'un ton satisfait :

— Il n'y a pas de vampire à Homulka.

— Exact, acquiesçai-je, soulagée de quitter les sujets qui fâchent.

Homulka était la ville que Bon Temps se plaisait à considérer comme sa rivale depuis des générations.

— A Roedale non plus, dit Granny derrière nous, nous faisant sursauter.

— Est-ce que je peux rester déjeuner, Granny ? demanda Jason après l'avoir embrassée.

— Evidemment. Ai-je l'habitude de te laisser repartir le ventre vide ? Au fait, je viens d'avoir Everlee Mason au téléphone. Il paraît que tu as passé la nuit avec DeeAnn ?

Jason leva les yeux au ciel.

— Pas moyen d'avoir un peu d'intimité, dans ce fichu bled ! maugréa-t-il d'un ton faussement énervé.

— Méfie-toi de cette fille, lui dit Granny en nous entraînant dans la maison. Elle est capable de te faire un enfant dans le dos et de t'envoyer la note ensuite. Tu risques de payer une pension alimentaire toute ta vie ! Quoique ce soit peut-être ma seule chance d'avoir un jour des arrière-petits-enfants...

A peine assis à table, Jason et Granny commencèrent à échanger des ragots (ils appelaient cela « se tenir informés de l'actualité ») sur les gens du village et de la paroisse. Mon frère était fonctionnaire, affecté à la surveillance des équipes chargées de l'entretien des routes. J'avais parfois l'impression que ses journées consistaient à arpenter la région au volant d'un pick-up prêté par l'État, et ses nuits à arpenter la région au volant de son propre pick-up. René travaillait dans l'une des équipes qu'il supervisait, et avec Hoyt Fortenberry, c'était son meilleur ami.

— Tiens, dit-il soudain, j'ai changé le chauffe-eau de la maison.

Jason vivait dans la maison de nos parents, qui nous appartenait à tous les deux.

— Tu as besoin d'argent ? demandai-je.

— Non.

Jason et moi touchions chacun un salaire, et nous avions un peu d'argent qui nous venait d'un puits de pétrole situé sur une propriété ayant appartenu à nos parents – argent qui avait aidé Granny à nous élever. Avec sa maigre retraite, je me demande comment elle se serait débrouillée sans ce providentiel revenu ! C'était d'ailleurs pour cette raison que je n'avais pas pris d'appartement. Si je faisais des courses pour nous deux, elle les acceptait de bon cœur. En revanche, si j'avais fait des courses pour elle et que je les lui avais apportées avant de rentrer chez moi, elle ne l'aurait pas supporté.

— Quel modèle as-tu choisi ? demandai-je à Jason.

Entre nous, je me moquais bien d'un tel détail. Seulement, Jason a une passion pour le bricolage, aussi écoutai-je avec toute la patience possible le récit de ses expéditions en ville et sur Internet en quête du chauffe-eau idéal. Tout à coup, il s'interrompit.

— Au fait, Sookie, tu te souviens de Maudette Pickens ?

— Bien sûr, on était dans la même classe.

— On l'a trouvée ce matin dans son appartement. Assassinée.

— Vraiment ? demanda Granny, qui avait surtout l'air choquée de ne pas avoir appris plus tôt la nouvelle par son réseau d'informatrices.

— C'est son patron qui a découvert son corps en venant chez elle. Elle ne s'était pas rendue à son travail le jour précédent et n'avait pas donné de nouvelles.

Je me souvins que la jeune femme était vendeuse à Grabbit Kwik, une station-service où l'on trouvait aussi une petite supérette.

— On l'a tuée ? Chez elle ?

Je ne parvenais pas à croire que Maudette, cette fille si gentille et si insignifiante, ait connu une fin aussi dramatique.

— Que lui est-il arrivé ? demanda Granny.

Jason plongea le nez dans son assiette, l'air gêné.

— On a trouvé une morsure de vampire à... à l'intérieur de sa cuisse. Mais ce n'est pas ça qui l'a tuée. Elle a été étranglée. D'après DeeAnn, qui habite juste en face de chez elle, elle fréquentait un bar de vampires à Shreveport. C'est peut-être là qu'elle s'est fait mordre.

— Maudette fréquentait ce genre d'endroit ?

J'essayai sans succès d'imaginer la fade Maudette habillée de la tunique noire qu'affectionnaient les « mordus », ces femmes et ces hommes qui prenaient du plaisir à se faire mordre par des vampires.

— Oui, répondit Jason, mais comme je te le disais, ce n'est pas de cette morsure qu'elle est morte.

— C'est bien à Grabbit Kwik que tu fais le plein, d'habitude ?

— Comme beaucoup de monde par ici.

— Et tu n'es jamais sorti avec Maudette Pickens ? demanda Granny d'un ton intrigué.

— Si, en quelque sorte, admit Jason, prudent.

En clair, cela signifiait : « Si, faute de mieux. »

— J'espère que le shérif ne te convoquera pas, dit Granny en secouant la tête, comme pour conjurer cette effarante éventualité.

— Je ne vois pas pourquoi il le ferait ! protesta Jason.

À ces mots, j'éclatai de rire.

— Enfin, Jason, tu la voyais tous les jours ou presque, tu sortais à l'occasion avec elle et tu as passé la nuit dans un appartement situé en face de chez elle. Que veux-tu de plus ?

— S'il fallait arrêter tous les clients de Grabbit Kwik qui connaissaient Maudette… maugréa Jason en regardant sa montre. Flûte, déjà si tard ? Il faut que je me sauve.

À temps pour éviter de faire la vaisselle, comme d'habitude. Cette fois-ci, pourtant, Granny ne se fâcha pas. Visiblement, elle était préoccupée par l'assassinat de Maudette.

— Quel âge donnerais-tu au vampire de *Chez Merlotte* ? demanda-t-elle en me rejoignant dans ma chambre, quelques instants plus tard, alors que je finissais de m'habiller pour partir au travail.

— Aucune idée, Gran.

— Tu penses qu'il pourrait se souvenir de la Guerre ?

Elle parlait de la guerre de Sécession, bien entendu. N'était-elle pas membre fondateur du Cercle des héritiers des glorieux défunts ?

— Possible, dis-je en vérifiant mon maquillage dans la glace.

— Crois-tu qu'il accepterait de venir au Cercle donner une conférence sur cette époque ?

— Un soir, alors.

— Oh, oui, bien sûr.

En général, les membres du Cercle se réunissaient à midi, à la bibliothèque, où ils partageaient un pique-nique. Je réfléchis un instant. Ce serait peut-être un peu grossier d'exiger du vampire qu'il vienne donner une causerie au club de Granny pour la simple raison que je l'avais tiré des griffes des saigneurs, mais si je le lui suggérais de façon diplomatique...

— Écoute, je te promets de lui en parler la prochaine fois que je le verrai.

S'il revenait *Chez Merlotte*, ce qui n'était pas certain.

— S'il refuse, peut-être pourrait-il au moins venir à la maison me raconter ses souvenirs pour que je prenne des notes... dit-elle d'une voix pleine d'espoir.

Je pouvais entendre ses pensées vibrer de plaisir à la perspective du « coup » qu'elle mijotait.

— Ce serait si intéressant pour les membres du Cercle, ajouta-t-elle pieusement.

— Promis, Gran. Je lui en toucherai un mot dès que possible.

Quand je la quittai, Granny souriait béatement, ravie de la petite surprise qu'elle préparait à ses camarades du Cercle.

Je n'avais pas pensé que René Lenier passerait chez Sam pour raconter mes mésaventures de la veille, et en arrivant cet après-midi-là au bar, je mis tout d'abord l'agitation qui y régnait sur le compte de l'assassinat de Maudette Pickens.

Puis Sam me poussa dans la remise, rouge de colère, et me secoua brutalement par les épaules.

Il se mit à grommeler, d'une voix si forte que je me bouchai les oreilles. Jamais je ne l'avais vu s'énerver de la sorte.

— Si un client est menacé, c'est à moi de m'en occuper, pas à toi ! dit-il pour la troisième fois. Compris ?

Je hochai la tête, trop secouée – dans tous les sens du terme – pour articuler une phrase audible. Pour la première fois, je prenais conscience qu'il ne m'était jamais venu à l'esprit de demander l'aide de Sam – ni de qui que ce soit, d'ailleurs.

— Je ne veux pas que ce genre de chose se reproduise chez moi, OK ? poursuivit Sam.

— Tu vas me mettre à la porte ? demandai-je, effrayée par l'expression de fureur qui déformait ses traits.

Son teint naturellement coloré avait viré au rouge brique, et ses yeux bleus lançaient des éclairs.

— Mais pas du tout ! hurla-t-il en rougissant de plus belle. Je ne veux pas me séparer de toi !

J'ôtai les mains de mes oreilles, incrédule. Sam avait eu peur pour moi ? Moi qui le croyais fâché contre moi ! Puis je sentis une larme rouler sur ma joue, suivie d'une autre.

De nouveau, il referma ses mains sur mes épaules pour me secouer. Cette fois-ci, c'en fut trop pour moi. Le contact physique exacerbait mes perceptions et me connectait presque automatiquement aux pensées de l'autre, à plus forte raison si je me trouvais dans un état émotionnel intense. Sans réfléchir, je me concentrai sur l'esprit de Sam… et tressaillis sous le choc.

Alors, me libérant de son emprise, je pivotai sur mes talons et me ruai hors de la remise.

D'abord, Sam me désirait éperdument.

Ensuite, je ne pouvais pas capter ses pensées clairement, car il ne pensait pas comme les autres êtres humains.

Je m'arrêtai et m'appuyai contre un mur, prise de vertige. À quoi rimait cette histoire ? Qu'étais-je censée déduire de tout cela ?

Je n'avais jamais considéré Sam comme un homme séduisant, et ceci pour plusieurs raisons. En premier lieu, je n'avais jamais trouvé aucun homme séduisant, non parce que je suis insensible au charme masculin, mais parce qu'il est très difficile de vivre une relation amoureuse avec quelqu'un dont on connaît toutes les pensées. Avez-vous seulement une idée des dégâts que peut provoquer le fait de savoir ce que votre partenaire pense de vous ? « Plutôt jolie, mais quel fessier ! Elle aurait bien besoin d'un régime ! Et ce grain de beauté, elle ne pourrait pas le faire enlever ? Tiens ? En plus, elle a une dent plombée ! » Un peu tue-l'amour, non ?

La seconde raison était que Sam était mon patron et que je ne tenais pas à perdre mon boulot, lequel me permettait de gagner ma vie et m'obligeait à sortir de la maison pour voir du monde. La plus grande crainte de Granny était que je finisse par vivre en recluse, coupée de la société, à cause de mon « infirmité ».

Inutile de le dire, mon service ce soir-là ne fut pas le plus parfait de ma carrière. Plongée dans mes pensées, j'oubliais mes plateaux, me trompais dans mes commandes, confondais les tables entre elles. Sam me renvoya chez moi plus tôt que d'habitude, sous prétexte que j'avais besoin de repos.

Les deux soirées suivantes se déroulèrent mieux. À mon grand soulagement, Sam et moi avions retrouvé l'habituelle aisance de nos relations, aidés en cela par l'afflux de clients que l'assassinat de Maudette attirait au bar. Tout le monde semblait avoir un avis à donner sur les circonstances du meurtre.

Je n'assistai pas aux obsèques, mais Granny, qui s'y rendit, me rapporta que l'église était comble. La pauvre Maudette était plus intéressante morte qu'elle ne l'avait jamais été de son vivant.

Mes deux journées de congé approchaient, et je n'avais pas revu le vampire. Avait-il l'intention de revenir *Chez Merlotte* ? Je commençais à en douter et à me demander comment j'allais lui transmettre la requête de Granny.

Mack et Denise n'avaient pas reparu au bar, mais René Lenier et Hoyt Fortenberry m'avaient laissée entendre que les rats avaient menacé de m'infliger les pires sévices s'ils croisaient de nouveau mon chemin. Ces deux affreux ne m'effrayaient pas, et je ne les croyais pas assez malins pour me mettre réellement en danger. Je ne prêtai donc aucune attention aux avertissements de René.

René Lenier était petit, mince, brun de peau et de poil, sans charme particulier. Il venait souvent chez Sam boire une bière et raconter à qui voulait l'entendre qu'Arlène était son ex-femme préférée (il en avait trois). Hoyt Fortenberry était un personnage encore plus terne, si c'est possible. Ni brun ni blond, ni grand ni petit, il souriait toujours, laissait des pourboires corrects et bavait d'admiration devant Jason, qui ne méritait pas une telle dévotion.

J'étais bien contente qu'ils ne soient pas là le soir où le vampire poussa de nouveau la porte de *Chez Merlotte*.

Bill s'assit à la même table que la première fois. À sa vue, une timidité inattendue s'empara de moi. J'avais oublié la pâleur luminescente de sa peau et l'intensité de son regard. En revanche, il me parut moins imposant que dans mon souvenir. De plus, remarquai-je en l'observant à la dérobée, j'avais exagéré la sensualité de sa bouche.

Je m'approchai de lui.

— Et pour monsieur, ce sera ?

Il leva vers moi ses yeux aux prunelles plus noires que la nuit. Une fois de plus, je goûtai avec plaisir le silence qui montait de son esprit. C'était si serein, presque aussi délassant qu'un massage... Enfin, je suppose. Personne ne m'a jamais massée.

— Qui êtes-vous ?

C'était la deuxième fois qu'il me posait cette question. Je lui fis la même réponse que précédemment :

— Sookie Stackhouse, serveuse de bar.

À ce stade de nos relations, il n'avait pas besoin d'en savoir plus.

— Je prendrai un verre de vin rouge, Sookie Stackhouse, dit-il d'un ton un peu sec.

— Très bien. Nous devons recevoir demain le sang de synthèse. Et... hum... est-ce que je pourrais vous dire un mot, tout à l'heure, après mon service ? Je finis à 1 h 30. Je suppose que vous ne serez pas encore couché. Vous voulez bien me retrouver à la porte du personnel, derrière le bâtiment ?

— Avec plaisir.

Impossible de savoir s'il se moquait de moi ou s'il faisait seulement preuve de cette bonne éducation qui, d'après Granny, était la norme « de son temps ».

Incapable de trouver une repartie drôle ou percutante, je tournai les talons et revins au bar. Lorsque j'apportai sa commande à mon client si particulier, celui-ci me gratifia d'un généreux pourboire. Hélas ! En tournant les yeux vers sa table, quelques minutes plus tard, je m'aperçus qu'il avait déjà disparu. Je ne le reverrais sans doute jamais. Tant pis, me dis-je, fataliste, en songeant à la déception de Granny.

Ce soir-là, Arlène et Dawn partirent avant moi. Une fois mon service terminé, je passai au bureau prendre mon sac à main et dire bonsoir à Sam, selon mon habitude, puis je fis un saut aux toilettes pour me recoiffer.

Lorsque je sortis, je vis que Sam avait déjà éteint les réverbères qui éclairaient le parking des clients. Seule brillait une petite lampe sur le parking du personnel. À part la camionnette de Sam et son mobile home, il ne restait plus que ma voiture.

Malgré moi, je jetai un coup d'œil alentour. Pas de vampire en vue. J'avais beau m'y attendre, je fus tout de même déçue. Sans me l'avouer, j'avais espéré qu'il tiendrait parole...

Un instant, j'imaginai qu'il allait sauter du toit pour atterrir juste devant moi, comme dans les films, ou encore qu'un nuage allait soudain se matérialiser devant moi et que mon vampire en sortirait, drapé d'une cape rouge sang, un sourire ambigu aux lèvres...

Evidemment, il n'en fut rien.

Je marchai jusqu'à ma voiture, sortis ma clé... et m'immobilisai brusquement. Moi qui espérais une surprise, j'étais servie ! Malheureusement, ce n'était pas exactement ce que j'avais imaginé... Mack Rattray venait de bondir devant moi, me barrant le passage.

Avant que je puisse réagir, il me donna un vigoureux coup de poing à la mâchoire. Je tombai sur le gravier. Il m'avait frappée si violemment que j'en avais le souffle coupé. Dans un brouillard, je distinguai une seconde silhouette. Denise.

Je tentai de me redresser, en vain. J'étais trop faible. Horrifiée, je vis Denise lever un pied chaussé d'une lourde botte. Cette furie allait me tuer ! Au prix d'un effort surhumain, je roulai sur moi-même et protégeai mon visage de mes mains.

J'eus le temps de reprendre mon souffle, mais mon répit fut de courte durée. À peine avais-je rassemblé mes esprits que Mack se jeta sur moi, les poings serrés. Mes avant-bras, mes jambes, mon dos, tout mon corps reçut une grêle de coups d'une violence inouïe.

Au début, je m'obligeai à demeurer immobile. Les deux rats n'avaient sans doute pas d'autre intention que de me faire peur. Ils s'en iraient bientôt, me laissant à même le sol, comme ils le faisaient avec leurs autres victimes.

Les coups, pourtant, continuaient à pleuvoir avec une inquiétante régularité.

Dans un éclair de lucidité, je compris.

Mack et Denise ne s'arrêteraient pas avant de m'avoir tuée.

Du moins, si je les laissais faire. Déjà, la douleur commençait à engourdir mes membres, mais, dans un sursaut de révolte, je me retournai. Il fallait agir ! Je tendis les mains au hasard et refermai les doigts sur ma prise avec l'énergie du désespoir. Une jambe. Celle de Mack, de Denise ? Aucune idée. J'y plantai mes dents de toutes mes forces. Un hurlement me répondit, que je pris d'abord pour un cri de douleur.

Puis je compris qu'il s'agissait d'un grognement. Oh, non ! Ils avaient amené un chien ! Je m'immobilisai, indécise. Je n'osais me retourner, de peur que les coups, qui avaient cessé, ne reprennent. Le grognement avait quelque chose d'effrayant, d'inhumain, qui me glaçait le dos.

Puis l'un des deux rats me frappa de nouveau dans le dos, une seule fois, mais avec une férocité meurtrière. J'entendis soudain mon souffle devenir rauque, tandis qu'un inquiétant gargouillis montait de mes poumons. La voix de Mack parvint à mes oreilles, déformée par l'onde de douleur qui me traversait le corps.

— Qu'est-ce que c'est que ce truc ?

Il avait l'air terrorisé.

Le grondement résonna de nouveau, tout près de moi, cette fois-ci. J'avais si mal, cependant, que j'en oubliai ma propre peur. Je me laissai peu à peu submerger par la faiblesse. Plus rien ne comptait, à part la douleur qui me clouait sur le gravier de ce parking noyé dans l'obscurité et m'interdisait le moindre mouvement. Je perçus un ricanement indistinct, venu d'une autre direction que celle d'où était monté le grognement du chien. Que se passait-il ?

Je lâchai la jambe que je retenais – celle de Denise, je crois – et laissai ma main retomber à terre, sans force. Un voile rouge brouillait ma vue, me plongeant dans une nuit couleur de sang. Confusément, je compris que mon bras était cassé. Mon front saignait abondamment. Ma respiration était toujours aussi sifflante. Je ne sentais plus mes jambes...

Renonçant, faute de courage, à poursuivre l'évaluation de mes blessures, je tentai de me concentrer sur les bruits autour de moi. Mack poussa un hurlement de terreur et fut aussitôt imité par Denise. Puis il y eut un remue-ménage que je ne pus interpréter. Le chien des Rattray s'était-il retourné contre ses propriétaires ? Sam avait-il eu la bonne idée de s'apercevoir qu'un membre de son personnel avait été victime d'une agression ? Un client éméché était-il venu interrompre les deux rats alors qu'ils se croyaient tranquilles ?

Finalement, le silence se fit. Menaçant ? Rassurant ? Je n'osais pas bouger. Derrière moi, le chien jappa doucement, avant de poser sa truffe froide contre ma tempe, qu'il gratifia d'un coup de langue. Brave bête ! Elle m'avait sûrement sauvé la vie. Je voulus lever la main pour la caresser, mais je n'y parvins pas.

Alors, je compris ce qui m'arrivait.

— Je vais mourir.

Ma voix résonna étrangement dans le parking silencieux. Il me semblait que l'air s'était figé, tout comme le temps, qui ne s'écoulait plus qu'au rythme de ma respiration douloureuse. Même les grillons s'étaient tus, songeai-je. J'avais l'impression de me noyer dans mon propre sang. La vie me quittait lentement...

Soudain, j'entendis des voix tout près de moi. J'entrouvris les yeux et vis deux genoux couverts de jean se poser sur le gravier devant moi, suivis d'un visage inquiet, qui me regardait.

Bill.

Ses canines dépassaient de ses lèvres, d'où coulait un filet de sang. Je tentai de lui sourire, sans résultat. Mon corps ne m'obéissait plus.

— Je vais vous soulever, dit Bill posément.

Je m'entendis protester d'une voix rauque, presque inaudible :

— Vous allez me tuer.

— Pas encore, répondit-il après m'avoir examinée quelques instants.

C'était idiot, mais cette affirmation m'amusa beaucoup.

— Par contre, je vais vous faire mal.

Dans l'état où je me trouvais, tout me faisait mal. Je laissai échapper un soupir résigné. Bill glissa ses bras sous moi, m'arrachant un cri qui s'étrangla dans ma gorge.

— Vite, dit une voix derrière Bill.

— On retourne dans les bois, hors de vue, répondit celui-ci, tout en me portant sans effort apparent.

Allait-il m'enterrer sous le couvert des arbres, avec l'aide de son complice ? C'était absurde : il venait de me sauver de la folie meurtrière des deux rats. Alors ?

Alors, à vrai dire, cela m'était égal. Tout m'était égal, désormais, puisque j'allais mourir... Je fermai les yeux, persuadée que je ne les rouvrirais pas.

Nous étions parvenus à l'orée du bois. Avec mille précautions, Bill me déposa sur un épais tapis d'aiguilles de pin. Son souffle sur mon visage réveilla la sensation du sang poisseux qui séchait sur mes joues. Lorsqu'il m'allongea sur le sol, une vive douleur monta de mon bras cassé, et un nouveau gargouillis de mauvais augure jaillit de mes poumons. Mais le plus inquiétant était ce que je ne percevais pas.

Mes jambes.

Mon ventre me paraissait lourd, comme engorgé de sang. Les mots « hémorragie interne » me vinrent soudain à l'esprit.

— Vous allez mourir... murmura Bill à mon oreille.

Il observa un silence, puis ajouta d'un ton tendu :

— Sauf si vous m'obéissez.

Il fallut quelques secondes pour que le sens de ses mots m'apparaisse.

— Je ne veux pas être un vampire ! murmurai-je, sans trouver le courage d'ouvrir les yeux.

— Il n'en est pas question, répondit-il d'un ton radouci. Vous allez guérir. Rapidement. Je peux vous soigner, mais il va falloir faire ce que je vous dirai.

— Allez-y. De toute façon, je n'ai pas le choix.

Au prix d'un effort surhumain, je soulevai une paupière, puis l'autre. Autour de moi, tout était gris, opaque. J'avais l'impression d'être entourée d'ombres – ombres des arbres, de Bill et de la personne qui l'accompagnait, ombre de l'ombre... J'entendis des chuchotements, suivis d'un gémissement de douleur, comme si Bill s'était fait mal. Puis il appuya quelque chose contre mes lèvres.

— Buvez, ordonna-t-il.

Je compris qu'il pressait son poignet entaillé contre ma bouche. De sa main libre, il appuyait sur sa peau pour faire sortir son sang. Un liquide tiède et épais envahit mon palais. Je luttai un instant, puis je renonçai. Je voulais vivre. Quelques secondes plus tard, j'avalais à grandes lampées le sang du vampire.

C'était âcre, cuivré, c'était le goût de la vie. De ma main valide, je saisis le poignet de mon sauveur pour le maintenir contre mes lèvres. À chaque gorgée, la vie me revenait. Puis un irrésistible épuisement s'empara de moi, et je sombrai dans un profond sommeil.

À mon réveil, j'étais toujours étendue sous les arbres. Une silhouette était allongée à mon côté, penchée sur moi. Le vampire. Il était occupé à lécher les blessures que j'avais aux tempes et sur le front.

— J'espère que je suis à votre goût, marmonnai-je, encore engourdie par le sommeil.

À ma surprise, il répondit :

— Très. Vous n'avez pas la même saveur que les autres. Qui êtes-vous ?

Décidément, voilà une question qui lui tenait à cœur – s'il en avait un. C'était la troisième fois qu'il me la posait.

— Hé, mais je ne suis pas morte ! m'exclamai-je, prenant soudain conscience du sang qui courait vigoureusement dans mes veines.

Je secouai mon bras, celui qui avait été cassé. Bien qu'il fût encore faible, il ne ballottait plus comme avant. Je sentais de nouveau mes jambes, jusqu'à la plante des pieds. Je les agitai, juste pour le plaisir. Puis, test décisif, je pris une inspiration prudente. Pas de douleur dans les poumons. Je recommençai, avec un peu plus d'énergie. À part une légère gêne, je n'avais plus mal. C'était un miracle !

Je m'assis. Cela me demanda un peu plus de temps et d'efforts qu'à l'ordinaire, mais j'y parvins tout de même. J'étais morte de fatigue... et éperdue de reconnaissance envers mon sauveur. J'avais évité le pire ! Jamais la vie me m'avait paru aussi précieuse.

D'un geste très doux, le vampire passa ses bras autour de moi pour me serrer contre lui. Je posai la tête sur sa poitrine avec un soupir de bien-être.

— Je suis télépathe, déclarai-je. Je peux entendre les pensées des gens.

— Même les miennes ?

— Non. C'est pour cette raison que vous... que tu me plais autant.

Sa poitrine se souleva au rythme de son rire.

— Je suis absolument sourde à ce que tu penses, repris-je. Si tu savais comme c'est reposant !

— Comment peux-tu supporter de sortir avec des garçons ? Ceux de ton âge ne doivent avoir qu'une idée : te mettre dans leur lit.

— Parce qu'il y a un âge où ils cessent d'y penser ? Première nouvelle ! Pour répondre à ta question, j'ai résolu le problème : je ne sors avec personne. Tout le monde me prend pour une cinglée. Si seulement les gens comprenaient que ça me rend folle de les entendre penser en permanence !

Comme Bill ne disait rien, je poursuivis :

— J'ai essayé de sortir avec des garçons, autrefois. Ça a été une catastrophe. Comment veux-tu que je me détende auprès d'un type que j'entends se demander si je suis une vraie blonde, si je porte un soutien-gorge ou si je suis bavarde au lit ?

Soudain, je me rendis compte que j'allais un peu trop loin dans les confidences. Après tout, cet homme était non seulement un vampire, mais aussi un inconnu.

— Excuse-moi. Je t'ennuie avec mes histoires. Merci de m'avoir sauvée des deux rats.

— Si j'avais été à l'heure au rendez-vous, ils n'auraient pas eu l'occasion de t'agresser. Et j'avais une dette envers toi.

— Est-ce qu'ils sont... morts ?

— On ne peut plus morts.

L'idée de me trouver dans les bras de leur meurtrier avait quelque chose de dérangeant. Pourtant, j'étais soulagée de savoir que le monde était débarrassé de ces deux monstres.

— Je devrais en éprouver du regret, mais je ne ressens aucune pitié pour eux, avouai-je.

De nouveau, Bill eut ce rire silencieux qui n'appartenait qu'à lui. Nous demeurâmes immobiles un long moment, à savourer la fraîcheur de la nuit.

— De quoi désirais-tu me parler, Sookie ?

Comment avais-je pu oublier ?

— Oh, oui ! Granny... je veux dire, ma grand-mère est très curieuse de connaître ton âge, déclarai-je d'un ton hésitant, ne sachant si une telle question était considérée comme grossière chez les vampires.

— J'ai été vampirisé en 1870, l'année de mes trente ans, répondit Bill, qui me frottait le dos comme si j'étais un chaton.

Je le regardai. Ses yeux étaient deux puits insondables.

— Tu as fait la guerre ? demandai-je.

Il hocha la tête.

— Écoute, je ne veux surtout pas réveiller des souvenirs douloureux, mais Granny serait folle de bonheur si tu acceptais de donner une conférence à son club sur la guerre de Sécession.

— Quel club ?

— Le Cercle des héritiers des glorieux défunts.

— Les glorieux défunts... répéta-t-il d'un ton où il me sembla percevoir une trace d'ironie.

Manifestement, ma proposition ne lui souriait guère.

— Bien sûr, tu ne serais pas obligé de leur parler des cadavres, des maladies et de la famine. Cela, ils l'ont lu dans les livres. Tu pourrais t'en tenir aux aspects les plus riants. La vie des gens à l'époque, l'uniforme des soldats, les mouvements des troupes...

— Bref, ce qui est présentable.

— En quelque sorte.

Il s'absorba dans ses pensées – qui m'étaient toujours aussi hermétiques.

— Cela te ferait plaisir ?

— Ça ferait plaisir à Granny. Et si tu as l'intention d'élire domicile à Bon Temps, ce serait une bonne façon de soigner ton image.

— D'accord, mais est-ce que cela te ferait plaisir, à toi ? insista-t-il.

— Eh bien... oui.

— Alors, j'accepte.

— Merci ! Au fait, Bill...

— Oui ?

— Granny demande si tu peux prendre ton repas avant de venir.

Il fut secoué d'un nouveau rire silencieux.

— Je suis impatient de faire sa connaissance, dit-il. Est-ce que je peux te rendre visite un de ces soirs ?

— Tu seras le bienvenu. Je travaille encore demain soir, et ensuite, j'ai deux jours de congé. Je serai libre jeudi.

Je consultai ma montre.

— Déjà ! m'exclamai-je en bondissant sur mes pieds. Pourvu que Granny n'ait pas attendu mon retour pour se coucher !

— Elle doit s'inquiéter de te savoir seule si tard le soir, commenta Bill d'un ton désapprobateur.

Pensait-il à Maudette ? L'avait-il connue ? Je m'interdis d'approfondir cette question. Je n'avais pas envie que la fin tragique de cette pauvre fille vienne jeter une ombre sur mon bonheur tout neuf.

— Dans mon boulot, on n'a pas le choix. D'ailleurs, je ne suis pas toujours de l'équipe du soir. Cela dit, quand je peux, je préfère travailler de nuit.

— Pourquoi ? demanda Bill en se levant à son tour.

— Il y a plus de travail, si bien que je n'ai pas le temps de réfléchir. Et les gens donnent des pourboires plus généreux.

— C'est dangereux de sortir la nuit.

Il était bien placé pour le savoir ! Je poussai un soupir de contrariété.

— J'ai l'impression d'entendre ma grand-mère !

— Je suis plus âgé qu'elle, répliqua Bill d'un ton sec.

Que répondre à cela ? Sans un mot, je me dirigeai vers le parking. On ne voyait pas la moindre trace de la lutte à mort qui m'avait opposée aux deux rats. À croire qu'il ne s'était rien passé ! J'inspectai le vaste espace, intriguée. Pas de sang sur le sol, aucun signe de désordre. Mon sac à main était posé sur le capot de ma voiture.

— Au fait, où est passé le chien ?

Je me retournai vers Bill.

Lui aussi avait disparu.

3

Le lendemain, je sirotais ma première tasse de café, assise à la table de la cuisine, tout en regardant Granny ranger ses placards, lorsque le téléphone sonna. Granny alla s'asseoir sur le haut tabouret placé devant le plan de travail et décrocha le combiné.

— Allô !

Je me suis toujours demandé pourquoi elle prenait cet air contrarié lorsqu'elle répondait au téléphone, elle qui n'aimait rien tant que les appels de son réseau d'informatrices, qui la tenaient informée des moindres potins du village.

— Ah, Everlee... Pas du tout, je bavardais avec Sookie, elle vient de se lever... Oui, elle a travaillé tard hier. Non, je n'ai rien entendu... Une tornade ? À Four Tracks Corner ? Incroyable... Pardon ? Tous les deux ? Juste Ciel ! Qu'en dit Mike Spencer ?

Mike Spencer était le coroner de Bon Temps. Je n'aimais pas le tour que prenait la conversation de Granny. Je finis ma tasse de café et m'en versai une deuxième. Quelque chose me disait que j'allais en avoir besoin.

— Sookie, s'exclama Granny en raccrochant, tu ne vas pas croire ce qui s'est passé cette nuit !

Après les événements qui s'étaient déroulés sur le parking derrière le bar – et dont je n'avais soufflé mot à Granny –, j'étais prête à croire à peu près n'importe quoi. Je m'efforçai de prendre un ton détaché.

— Raconte.

— Une tornade s'est abattue sur Four Tracks Corner. Par un temps si calme, qui l'aurait cru ? Le mobile home a littéralement été retourné. Comme un pancake dans une poêle ! Les deux habitants sont morts sur le coup, écrasés. Un couple, paraît-il...

Elle frissonna.

— Mike Spencer dit qu'il n'a jamais vu ça. Le mobile home renversé sur le côté, la voiture des deux malheureux à moitié perchée dessus, et plusieurs arbres couchés sur le tout.

Je frémis en songeant à la formidable énergie qu'un tel cataclysme avait exigée.

— Au fait, chérie, tu n'as pas vu ton vampire, hier soir ?

Il me fallut quelques instants pour comprendre que Granny avait changé de sujet de conversation... du moins devait-elle en être persuadée. Si elle avait su !

Chaque soir depuis le jour où j'avais fait la connaissance de Bill, elle venait aux nouvelles. Cette fois, je pus enfin répondre par l'affirmative, mais pas avec autant d'enthousiasme que je l'aurais voulu.

Comme je m'y attendais, Granny manifesta aussitôt la plus vive excitation. La visite du prince Charles en personne ne l'eût pas plus émue.

— Demain soir, répéta-t-elle. À quelle heure exactement ?

— Dès qu'il fera nuit, je suppose. Il n'a pas été plus précis.

Granny considéra la pièce d'un œil soucieux.

— Je n'aurai jamais le temps de faire tout le ménage d'ici à demain soir, gémit-elle. Regarde ce tapis, il y a bien un an qu'il n'a pas été nettoyé !

— Granny, cet homme dort à même la terre toute la journée. Il se fiche du degré de propreté de tes tapis.

— Eh bien, moi pas, dit-elle d'un ton sans réplique. D'ailleurs, comment sais-tu où il dort, jeune fille ?

Je haussai les épaules, l'air évasif.

— Je suppose qu'il a les mêmes habitudes que les autres vampires…

Au demeurant, je n'avais pas besoin de me justifier : Granny ne m'écoutait plus. Lorsque je sortis de ma chambre un peu plus tard, prête à partir travailler, elle était déjà allée louer une shampouineuse pour nettoyer le tapis et s'était mise à l'œuvre.

Au lieu de me diriger tout droit *Chez Merlotte*, je fis un crochet par Four Tracks Corner. Le spectacle était impressionnant. Comme l'avait dit Granny, le mobile home gisait sur le flanc, la carcasse éventrée, à plusieurs mètres de son emplacement habituel. La voiture des Rattray, bizarrement aplatie, semblait avoir été déposée par-dessus par la main d'un géant. Quant à la clairière environnante, elle était jonchée de débris divers : branches d'arbres arrachées, vitres cassées, ustensiles ménagers piétinés par quelque force invisible…

Je frémis. Bill n'avait pas ménagé ses efforts.

En entendant le bruit d'un moteur le long du chemin, je me retournai.

— Mais c'est Sookie Stackhouse ! s'exclama Mike Spencer en descendant de sa vieille Jeep. Tu n'es pas à ton travail ?

— J'y vais, justement. Je suis juste passée voir les dégâts. Je connaissais les rats... les Rattray.

— Et vous n'étiez pas très amis, à ce qu'on m'a dit, fit le shérif Bud Dearborn, qui descendait à son tour de la Jeep. Il paraît que vous avez eu des mots, l'autre soir, sur le parking de *Chez Merlotte* ? poursuivit-il en s'approchant de moi.

J'aimais bien Bud, dont mon père avait été très proche. En revanche, je me méfiais de Spencer. Avec ses santiags et ses *bolo ties*[1] de cow-boy d'opérette, celui-ci essayait de se donner un air débonnaire qui ne me convainquait pas.

— C'est exact, dis-je au shérif. On s'est un peu... disputés.

— Raconte, demanda-t-il en allumant une cigarette.

Pourquoi me regardait-il ainsi ? Prise de panique, je m'écriai, en désignant les carcasses des véhicules et les arbres brisés :

— Je n'ai rien à voir avec tout ça !

Bud laissa échapper un soupir d'impatience.

— Je le sais, Sookie, mais deux personnes sont mortes une semaine après que tu as eu une violente querelle avec elles. Il est normal que je te pose quelques questions, non ?

Je me mordis les lèvres, indécise.

---

1. *Bolo tie* : fine cravate de style western dont les deux pans sont réunis par une boucle en métal (N.d.T.).

— Allons, sois gentille, Sookie. Dis-moi ce qui s'est passé ce soir-là.

— Ils faisaient du mal à mon ami.

Bud et Mike échangèrent un regard entendu.

— Ce vampire qui vit dans l'ancienne maison Compton ?

Je hochai la tête en m'efforçant de dissimuler ma surprise. Compton House n'était qu'à deux pas de chez Granny, de l'autre côté du cimetière. Jamais je n'aurais imaginé que Bill était aussi proche de moi !

— Ta grand-mère te laisse fréquenter ce déterré ? demanda Spencer sans cacher son mépris.

— Bill est quelqu'un de charmant ! répliquai-je avec plus d'agressivité que je ne l'aurais voulu. Et puisque vous tenez tant à le savoir, les Rattray avaient commencé à le saigner.

— Alors, tu es intervenue ? demanda Bud.

— Exactement.

Le shérif parut songeur.

— Il faut reconnaître qu'il est illégal de saigner un vampire.

— C'est un meurtre ! m'écriai-je, choquée par sa nonchalance.

— En effet, selon la loi, répliqua Bud d'un air pincé.

— Il n'a pas menacé les Rattray de représailles ? demanda Spencer. Ni déclaré qu'il allait les tuer ?

Je réprimai un sourire. Si le coroner s'imaginait que j'allais tomber dans un piège aussi grossier !

— Non, il n'a rien dit. À présent, excusez-moi, je vais être en retard à mon travail. Monsieur Spencer, shérif...

— À un de ces jours, Sookie.

Je compris que Bud Dearborn aurait voulu me poser plus de questions, mais qu'il ne savait comment les formuler. Pour lui comme pour moi, l'évidence s'imposait : aucune tornade n'avait dévasté Four Tracks Corner. Pourtant, le shérif ne parvenait pas à imaginer qu'un vampire soit assez puissant pour commettre un tel massacre.

Chez Merlotte, tout le monde ne parlait que de l'événement de la nuit. La mort tragique de Maudette avait été reléguée au second plan par la « catastrophe de Four Tracks Corner », comme on l'appelait déjà.

À plusieurs reprises, je surpris le regard de Sam posé sur moi. Que savait-il exactement de ma mésaventure de la veille, sur le parking des employés ? Avait-il vu quelque chose ? Si c'était le cas, pourquoi n'était-il pas intervenu ?

Je m'abstins de lui poser la question, au cas où j'aurais mal interprété son expression. Je m'absorbai dans mon service, ce qui était la meilleure façon de chasser mes propres interrogations. Où était passé le complice de Bill, l'homme dont j'avais entendu la voix ? Et quel était ce chien dont le grondement m'avait glacé le sang ? À ma connaissance, ni Sam ni les Rattray n'avaient de compagnon à quatre pattes. Quant aux vampires, leurs conditions d'existence étaient telles que je les imaginais mal s'encombrer d'un animal domestique.

Les clients étaient très excités. Trois morts violentes en moins d'une semaine, on n'avait jamais vu ça à Bon Temps ! Je suppose que l'atmosphère fiévreuse qui régnait ce soir-là explique ce qui se passa alors.

La clientèle de *Chez Merlotte* était surtout composée d'habitués, dont quelques-uns qui n'étaient pas de Bon Temps mais venaient en voisins, et en règle générale, je n'avais pas de problèmes avec des clients trop entreprenants. Ce soir-là, pourtant, un gros blond au visage rougeaud posa sa main sur mon short alors que je passais près de sa table pour apporter des bières à René et Hoyt.

Ce genre de geste n'était pas admis *Chez Merlotte*. J'aurais renversé mon plateau sur la tête de l'importun si quelqu'un n'avait pas réagi avant moi. Je tournai la tête et vis qu'il s'agissait de René, qui tenait la main du blond entre les siennes et la serrait à lui casser le poignet.

— Du calme, vieux ! maugréa ce dernier. Je ne lui voulais rien de mal !

— On ne touche pas à la demoiselle, compris ? grogna René. Tu vas lui présenter des excuses tout de suite.

— Présenter des excuses à la cinglée ?

René accentua sa pression. Il avait l'air d'un gringalet à côté du géant blond, mais il devait être d'une redoutable efficacité, car l'autre grimaça aussitôt.

— Je... suis désolé... Sookie, dit-il finalement.

Je hochai la tête en m'efforçant d'adopter une expression hautaine. Alors, René libéra le blond, qui jeta quelques pièces sur la table et se rua vers la sortie.

— J'aurais pu régler le problème moi-même, dis-je à René, une fois que les conversations eurent repris autour de nous. Mais je te remercie pour ton aide.

— Je n'allais pas laisser ce crétin ennuyer une amie d'Arlène. Et puis, tu me rappelles un peu Cindy.

Cindy était la sœur de René. Elle avait quitté Bon Temps quelques années plus tôt pour s'installer à Baton Rouge. À part le fait qu'elle était blonde aux yeux bleus, je ne voyais pas en quoi elle me ressemblait, mais cela n'aurait pas été très aimable d'en faire la remarque à René.

— Il faut que je reprenne le travail, dis-je. Merci encore.

En allant chercher ma commande suivante au bar, je vis que Sam avait sorti la batte de baseball qui lui sert à calmer les clients un peu trop agressifs. Pour voler à mon secours ?

Le lendemain était censé être une journée de repos pour moi, mais Granny ne l'entendait pas de cette oreille. Il me fallut astiquer le parquet, nettoyer les carreaux, faire briller l'argenterie, secouer les rideaux, récurer à fond la salle de bains et même balayer le cellier et la buanderie. Je ne pensais pas que Bill irait visiter le cellier ou la buanderie, mais je n'osai protester. Granny était si heureuse de recevoir son visiteur de ce soir !

Puis elle m'envoya me doucher et me changer, et je compris qu'à ses yeux, ce n'était pas à elle mais à moi que Bill venait rendre visite. Le prenait-elle pour mon prétendant ? Cette question en entraîna d'autres. Granny désespérait-elle à ce point de me voir me caser un jour qu'elle en venait à considérer un vampire comme un soupirant convenable ? Me soupçonnait-elle d'éprouver pour Bill de tendres sentiments ? Les vampires étaient-ils de bons amants ? Non pas, bien sûr, que j'eusse de grandes exigences concernant ce dernier point, étant donné mon inexpérience en la matière. Cela étant, quitte à prendre un amant, autant bien le choisir, n'est-ce pas ?

Plus nerveuse que je ne l'aurais voulu, je sortis de la douche, me séchai les cheveux et, après m'être maquillée avec soin, cherchai une tenue dans mon armoire. Sachant que ma grand-mère aurait été fâchée de me voir recevoir Bill en jean et baskets, je choisis une robe bleue entièrement brodée de marguerites, un peu plus moulante que Granny et Jason – lequel était moins sourcilleux en ce qui concernait les tenues de ses nombreuses fiancées, mais ceci est une autre question – ne l'auraient jugé convenable.

Quand je retrouvai Granny, elle me jeta un regard impénétrable. J'aurais pu lire dans ses pensées, mais je m'y refusai, par respect pour elle... et peut-être pour moi. Pour sa part, elle portait un chemisier blanc amidonné avec soin et une jupe grise qui ne découvrait que la pointe de ses chaussures impeccablement vernies.

J'étais sur la véranda lorsque Bill arriva. Ce fut une entrée typiquement « vampire », avec nuage noir, sifflements dans l'air et apparition subite de l'intéressé au pied des marches de la véranda. Il ne manquait que le roulement de tambour.

— Si c'était destiné à m'effrayer, c'est raté.

Bill m'adressa un sourire penaud.

— Désolé. Les habitudes, tu sais ce que c'est...

J'ouvris la porte et l'invitai à monter. Une fois en haut, il traversa la véranda et entra dans la maison en regardant autour de lui avec curiosité.

— J'adorais cette maison autrefois, dit-il. Dans mon souvenir, elle était plus petite.

— Tu l'as vue se construire ?

Il hocha la tête.

— Ça alors ! C'est Gran qui va être contente !

J'appelai Granny, qui apparut elle aussi avec une rapidité confondante. Si je ne l'avais pas aussi bien connue, j'aurais pu être tentée de croire qu'elle avait écouté aux portes... Ce ne fut qu'à ce moment que je remarquai qu'elle avait redressé ses cheveux en un chignon plus élaboré que celui de tous les jours et qu'elle portait même un soupçon de rouge à lèvres.

Bill se révéla aussi doué pour les mondanités que Granny. Après l'avoir saluée, remerciée et complimentée, il se retrouva sur le canapé, devant la table basse sur laquelle Gran déposa trois verres de thé glacé avant de s'asseoir dans le fauteuil en face de notre invité – le seul fauteuil libre autour de la petite table.

Le message était clair. Je n'avais d'autre choix que de prendre place sur le canapé à côté de Bill. Ce que je fis, le dos bien droit et les mains sagement posées sur mes genoux.

D'ordinaire, les questions météorologiques constituent un sujet de conversation facile et sans risque. Dans le cas présent, c'était la pire entrée en matière possible. Mais, comme j'aurais dû m'en douter, ce fut celle que Gran choisit.

— Vous avez entendu parler de la tornade de cette nuit ? C'est extraordinaire !

— Vraiment ? dit Bill d'une voix dénuée d'émotion. Racontez-moi ça.

Tout en écoutant Gran relater l'incident, je me tordis les mains, incapable de poser les yeux sur mon voisin. Si seulement j'avais demandé à Gran d'éviter ce sujet ! À présent, il était trop tard. Je ne pouvais que guetter la première occasion pour détourner la conversation. Enfin, elle se présenta, sous la forme d'une mouche.

— Jolie chemise, dis-je à Bill en chassant l'insecte de sa manche. D'où vient-elle ?

— De chez Dillard's.

Je tentai d'imaginer mon vampire en pleine séance d'essayage dans les boutiques chic de Monroe, sans succès. Où trouvait-il l'argent pour payer ses achats ? Se rendait-il en ville au volant d'une voiture ou s'amusait-il à apparaître dans les magasins, au grand effroi des vendeuses ? De retour chez lui, faisait-il sa lessive, comme tout le monde ? Dormait-il nu dans son cercueil ?

Granny parut satisfaite d'apprendre que mon prétendant, ou supposé tel, faisait ses courses en ville, comme tout un chacun. Sur ce plan, au moins, il était normal ! Impatiente d'en savoir plus sur lui, elle le soumit à un feu roulant de questions sur ses habitudes, auxquelles il répondit avec une patience exemplaire.

Bill était peut-être un mort vivant, mais un mort vivant bien élevé.

— Votre famille est de la région ? s'enquit Gran avec intérêt.

— Mon père était un Compton, et ma mère une Loudermilk.

Rassurée sur le pedigree de notre visiteur, elle commenta :

— Il y a beaucoup de Loudermilk par ici. Le

pauvre Jessie Loudermilk est décédé l'année dernière, hélas.

— Je sais. En l'absence d'héritiers, sa propriété me revient, selon les nouvelles dispositions en matière de succession. C'est pour cette raison que je suis revenu au pays. J'ai l'intention de faire valoir mes droits sur l'héritage.

— Vous avez dû connaître des membres de la famille Stackhouse. Sookie m'a dit que vous aviez une longue histoire.

Finement formulé ! songeai-je avec admiration.

— Je me souviens de Jonas Stackhouse, dit Bill.

Granny ouvrit des yeux ronds de surprise.

— Incroyable !

— Mes ancêtres vivaient déjà ici à l'époque où Bon Temps n'était qu'une ornière dans la piste qui menait vers le nord de la Louisiane. Jonas s'est installé ici avec sa femme et ses quatre enfants l'année de mes seize ans. Cette maison est bien celle qu'il a construite ?

Granny approuva d'un vigoureux hochement de tête, invitant Bill à poursuivre. Je remarquai que lorsqu'il parlait du passé, sa voix changeait. Ses intonations se faisaient plus profondes, son débit plus vivant. Combien d'accents différents avait-il eus au cours des siècles passés ? Combien de mots nouveaux avait-il vus apparaître ? me demandai-je soudain, fascinée par le nombre de changements qu'il avait connus, et pas seulement dans le domaine du langage.

Granny, qui était passionnée de généalogie, voulait tout savoir sur Jonas, l'arrière-arrière-arrière-arrière-grand-père de son époux.

— Avait-il des esclaves ?

— Si ma mémoire est bonne, il en avait deux. Une femme, qui s'occupait de la maison, et un homme, très jeune et très grand, pour les travaux d'extérieur. Il s'appelait Minas. Cela dit, les Stackhouse cultivaient eux-mêmes leurs champs, tout comme mes propres ancêtres.

— Oh ! Voilà exactement le type d'informations qui passionnerait mon club. Sookie vous a-t-elle dit que…

Je réprimai un soupir. Granny était intarissable, Bill, d'une affabilité parfaite… et moi, soulagée de ne pas avoir à faire la conversation. Les mondanités n'avaient jamais été mon fort. Finalement, Granny et Bill convinrent d'une date pour que Bill anime une petite causerie nocturne à l'intention du Cercle des héritiers des glorieux défunts. Faut-il le préciser ? Gran était aux anges.

Je fus tirée de ma rêverie par le changement de ton de Bill.

— Maintenant, l'entendis-je dire à Gran, si vous le permettez, madame, Sookie et moi allons sortir faire quelques pas dehors. La nuit est si belle !

Avec une lenteur délibérée, afin de ne pas me surprendre, il approcha sa main de la mienne et la referma sur mes doigts. Puis il se leva et m'invita à le suivre. Sa main était froide, mais ferme et très douce.

— Allez-y, mes enfants ! répondit Gran. J'ai besoin de réfléchir aux questions que je vais vous poser, Bill. Il y a tant de choses que j'aimerais savoir ! Il faudra que vous me rappeliez les noms des principales familles à l'époque où vous…

Elle s'interrompit, de peur de commettre une bévue.

— ... habitiez à Bon Temps, finis-je à sa place.

— Bien entendu, dit Bill d'un ton conciliant.

À son air trop sérieux pour être honnête et à ses lèvres serrées, je compris qu'il retenait un éclat de rire.

Soudain, je m'aperçus que nous étions déjà à la porte. Ce n'est qu'alors que je compris que Bill, sans que je m'en aperçoive, m'avait « transportée » jusque-là, à la façon qu'ont les vampires de se déplacer. Je souris, prise d'un léger vertige. C'était plus grisant qu'une valse !

— Nous serons de retour très bientôt, promit Bill d'un air vertueux.

Granny n'en demandait pas tant.

— Ne vous inquiétez pas, jeunes gens, prenez tout votre temps ! dit-elle en rassemblant les verres vides sur un plateau.

Avait-elle remarqué notre étrange et rapide déplacement à travers le salon ? C'était peu probable.

Dehors, les animaux avaient entamé leur opéra nocturne. Crapauds, grenouilles, criquets, c'était à qui entonnerait l'air le plus tonitruant. Sans lâcher ma main, Bill me guida à travers la cour, où montaient les parfums de l'herbe fraîchement coupée et des fleurs d'été. Tina, la chatte, sortit de l'ombre où elle était tapie et vint se frotter contre mes jambes pour réclamer un câlin. Je me penchai vers elle pour lui gratter la tête.

À ma surprise, Tina s'approcha ensuite de Bill et répéta le même manège, que ce dernier ne chercha pas à décourager.

— Tu aimes cet animal ? demanda-t-il avec détachement.

— Oui, c'est ma petite Tina. Je l'adore.

Sans répondre, il attendit que la chatte s'éloigne de nous et sorte du halo de lumière qui tombait de l'entrée de la maison.

— Tu as envie de marcher, ou est-ce que tu préfères t'asseoir sur la véranda ? demandai-je, prenant à cœur mes devoirs d'hôtesse.

— Marchons un peu, si tu veux bien. J'ai besoin de me dégourdir les jambes.

Je ne saurais pas expliquer pourquoi, mais ses paroles eurent à mes oreilles un petit quelque chose d'inquiétant. Je le suivis néanmoins le long de l'allée qui menait à la route.

— Tu es fâchée, pour ce qui s'est passé à Four Tracks Corner ?

Comment répondre poliment à une telle question ?

— Disons que cela me donne un grand sentiment de... fragilité.

— Tu sais que j'ai beaucoup de force.

— Je ne pensais pas que c'était à ce point. Tu as aussi beaucoup d'imagination.

— Avec les années, on apprend à dissimuler aux autres ce dont on est capable. En bien comme en mal.

— Est-ce que tu as tué de nombreuses personnes ?

— Quelques-unes.

Si j'en jugeais par son expression fermée, il aurait préféré ne pas aborder cet aspect de son existence. Je nouai mes mains derrière mon dos.

— Comment es-tu devenu vampire ?

Voilà une question qu'il n'attendait pas, je pouvais le lire sur son visage... à défaut de le voir dans ses pensées. Il me jeta un coup d'œil songeur. Malgré l'obscurité qui nous entourait, je pouvais sentir le poids de son regard sur moi. Nos pas crissaient sur le gravier, et j'entendais le bruissement des feuilles dans la forêt toute proche.

— Ceci est une trop longue histoire pour ce soir. Cela dit, puisque le sujet semble t'intéresser, j'ai déjà tué lorsque j'étais plus jeune. Je ne le voulais pas, mais je ne savais pas quand je pourrais manger de nouveau. J'avais tellement faim! On nous chassait sans répit, et à l'époque, le sang artificiel n'existait pas. J'avais été quelqu'un de bon, quand j'étais vivant. Je veux dire, avant d'attraper le virus. Alors, j'essayais de choisir mes victimes parmi les personnes les moins recommandables. Je me suis toujours interdit de toucher à un enfant.

Il observa un long silence, avant de reprendre :

— Aujourd'hui, c'est différent. Il y a toujours une clinique de garde ouverte toute la nuit, où on me donne du sang de synthèse. C'est parfaitement insipide, mais ça ne fait de mal à personne. Je peux aussi payer une prostituée ou encore charmer quelqu'un pour boire un peu de sang humain.

— Ou rencontrer une serveuse de bar un peu cinglée et très naïve.

Bill esquissa un sourire indéchiffrable.

— Toi, tu es le dessert. Les Rattray étaient le plat de résistance.

Qu'étais-je censée déduire de cela? Que j'aurais dû m'enfuir à toutes jambes et que j'aurais été folle de rester une seconde de plus en compagnie de cette créature de la nuit ? Sans aucun doute. Pourtant, je ne partis pas.

— Oh… Tu veux bien te taire une minute, s'il te plaît ?

À ma surprise, il obtempéra. Je ne connaissais pas un seul homme qui eût accepté de se taire aussi longtemps juste pour me faire plaisir. J'ouvris mon esprit, relâchant toute vigilance. Que c'était bon de pouvoir me détendre ainsi et savourer le silence qui émanait de lui ! Je poussai un soupir de bien-être.

— C'est agréable ? demanda-t-il après un long moment.

— Plus que je ne saurais le dire.

Soudain, ce fut une évidence pour moi : quels que soient les actes que cette créature avait commis dans le passé, la paix infinie que je goûtais à ses côtés n'avait pas de prix.

— Toi aussi, tu me fais du bien, dit-il.

— Comment cela ?

— Avec toi, il n'y a pas de peur, ni de hâte, ni de jugement. Je n'ai pas besoin d'user de charme pour te faire tenir tranquille et avoir une conversation avec toi.

— Qu'entends-tu exactement par « charme » ?

— C'est une technique assez proche de l'hypnose. Tous les vampires y ont plus ou moins recours. Comment crois-tu que nous faisions, autrefois, pour persuader nos proies que nous n'étions pas dangereux ? Pour les convaincre, après avoir bu leur sang, qu'elles ne nous avaient jamais rencontrés ?

— Tu as essayé sur moi ?

— Je te l'ai dit, c'est inutile.

— Donc, tu n'es pas sûr que ton charme agisse sur moi ?

— Il agit sur tout le monde, répliqua Bill d'un ton vexé.

— Essayons.

Il poussa un soupir contrarié.

— Comme tu veux, maugréa-t-il en s'arrêtant de marcher. Regarde-moi.

— Il fait sombre, non ?

— Peu importe. Regarde mes yeux.

Nous étions immobiles au milieu du chemin, face à face, à quelques centimètres l'un de l'autre. Bill posa sa main sur mon épaule et plongea ses yeux dans les miens. Dans la pénombre, la faible luminosité de sa peau s'était accentuée et ses pupilles brillaient d'un éclat intense. Je le regardai docilement, non sans quelque inquiétude. Allais-je me mettre à caqueter comme une poule ou me dévêtir sans la moindre pudeur ?

Un long moment s'écoula. Je ne ressentais rien, hormis la sérénité qui m'envahissait chaque fois que je me connectais à l'esprit de Bill.

— Est-ce que tu perçois mon influence ? demanda-t-il.

— Non, seulement l'éclat de ta peau.

— Tu vois cela ?

Il avait l'air surpris.

— Bien sûr. Pourquoi ? Ce n'est pas le cas de tout le monde ?

— Certainement pas !

Puis, après quelques instants de réflexion, il ajouta :

— C'est vraiment étrange, Sookie. Rares sont les humains qui détectent cela.

— Si tu le dis… Au fait, je peux te voir voler ?
— Tout de suite ?
— Oui, sauf s'il y a une raison qui t'en empêche.
— Il n'y en a pas.
Il ôta sa main de mon épaule, et je le vis s'élever lentement dans les airs. Je laissai échapper un soupir ravi. Bill flottait devant moi, à quelques mètres du sol, et dans l'obscurité, son teint pâle prenait des reflets de marbre. C'était un spectacle d'une beauté saisissante.
— Tous les vampires peuvent faire ça ? demandai-je, émerveillée.
— Tu sais chanter ?
— Comme une casserole !
— Eh bien, c'est exactement la même chose pour nous. Nous n'avons pas tous les mêmes talents, expliqua Bill.
Puis, après avoir effectué un atterrissage en douceur, il reprit :
— En général, les humains se méfient des vampires. Pas toi.
Je haussai les épaules, amusée par sa réflexion. Si quelqu'un n'avait pas de raisons de se méfier de la bizarrerie des autres, c'était bien moi ! Bill dut suivre ma pensée, car il me demanda, quelques instants plus tard, alors que nous avions repris notre promenade :
— La vie ne doit pas toujours être facile pour toi, n'est-ce pas ?
Je n'aime pas me plaindre, mais à quoi bon nier ? Je souris.
— Le plus délicat, c'était autrefois, lorsque j'étais petite. Je ne savais pas bloquer les pensées des gens, alors je les entendais et je les

répétais aux autres, même quand elles auraient dû rester confidentielles. Mes parents étaient très contrariés. Mon père, surtout. Ma mère m'a emmenée chez une psychologue pour enfants qui a tout de suite compris ce que j'étais, mais qui ne l'a pas accepté. Elle a expliqué à mes parents que j'interprétais leur langage corporel, que j'étais très observatrice et que je vivais dans l'illusion que je lisais dans les pensées des autres.

Comme Bill ne disait rien, je poursuivis :

— À l'école, ça ne marchait pas trop. J'avais tellement de mal à me concentrer, avec toutes les pensées des autres enfants ! En revanche, quand on avait une interrogation écrite et que tout le monde se calmait, je m'en sortais plutôt bien.

— Les instituteurs n'ont jamais diagnostiqué ton problème ?

— Non. Si tu savais le nombre de théories que j'ai entendues ! Selon certaines, je souffrais d'un handicap de l'apprentissage, selon d'autres, j'étais seulement très fainéante. On m'a fait passer je ne sais combien de tests d'audition et de vision, et je ne parle pas des scanners du cerveau. Je crois que mes parents étaient prêts à tout entendre, sauf la vérité.

— Pourtant, ils savaient, dit Bill.

— Au fond, oui, mais ils refusaient de l'admettre. Puis, un jour, mon père a cédé. Il venait de recevoir à la maison la visite d'un homme qu'il envisageait de prendre comme associé, mais il hésitait encore à se fier à lui. Quand l'homme est parti, papa est sorti avec moi dans le jardin. Sans me regarder, il m'a demandé : « Sookie, est-ce que cet homme dit la vérité ? » Ce jour-là, j'ai su qu'il m'acceptait enfin telle que j'étais.

— Quel âge avais-tu ?

— Neuf ans, je crois. Mes parents sont morts l'année suivante.

— Que leur est-il arrivé ?

— Ils ont été pris dans une crue de la rivière, sur un pont, pas très loin d'ici.

Bill ne fit aucun commentaire. Des morts, il en avait tant vu !

— Au fait, cet homme, il mentait ? demanda-t-il après un long silence.

— Oui. C'était un escroc.

— Tu possèdes un don.

Je réprimai un rire sarcastique.

— Tu parles d'un don !

— Il te rend différente des autres humains.

— À t'entendre, tu n'en es pas un.

— Je l'ai été. Autrefois.

— Tu crois vraiment que tu as perdu ton âme ?

Cela, c'était l'explication qu'avançait l'Église catholique. Bill haussa les épaules avec un détachement trop appuyé pour être convaincant. Il était évident qu'il avait longuement réfléchi à cette question.

— Je dois reconnaître que je ne suis plus l'homme que j'ai été, mais je m'accroche à l'idée que je ne suis pas devenu un monstre pour autant. Malgré les années qui passent, il reste une partie de moi qui refuse la cruauté, qui n'aime pas donner la mort. Même si je suis capable de tuer de sang-froid.

— Ce n'est pas de ta faute si tu as été contaminé par ce virus.

— En admettant qu'il s'agisse bien d'un virus. Depuis qu'il y a des vampires, il y a des théories sur les vampires ! Mais qui sait ? Celle-ci est peut-être exacte.

Je posai la question qui me brûlait les lèvres.

— Comment devient-on vampire ?

— Il faut que l'humain soit vidé de tout son sang, d'une seule traite ou en plusieurs fois, puis que le vampire lui fasse boire du sien. Après être resté étendu, comme mort, pendant environ quarante-huit heures, l'humain se réveille en pleine nuit et part en chasse, affamé, prêt à tuer le premier venu pour apaiser sa soif de sang.

Il avait une façon de prononcer ce dernier mot qui me donnait la chair de poule.

— C'est la seule possibilité ?

— Des collègues m'ont rapporté des cas d'humains qu'ils mordaient régulièrement et qui devenaient vampires sans crier gare, mais c'est assez rare. En général, un humain saigné trop souvent devient simplement anémique. Dans certains cas, il en meurt. Il existe aussi des situations particulières de personnes qui frôlent la mort pour une tout autre raison, accident de voiture, overdose... et qui se réveillent vampires après avoir bu de notre sang.

Je commençais à me sentir nerveuse.

— Merci, Bill. Je crois que cela me suffira pour aujourd'hui. Que comptes-tu faire de la maison Compton ?

— M'y établir. J'en ai assez de rôder de ville en ville, j'ai envie de stabilité. Après tout, c'est ici que j'ai grandi. À présent que mon existence est reconnue légalement et que je peux m'alimenter sans mettre personne en danger, je veux revenir chez moi, dans la maison de mes ancêtres.

— Dans quel état est-elle ?

— Calamiteux. J'ai commencé à la nettoyer, mais il me faudrait l'aide d'artisans pour la rendre habitable. La charpenterie, je connais, mais l'électricité...

Évidemment. Ce n'était pas de son époque.

— Il faut tout refaire, ainsi que la plomberie.

— Tu n'as pas le téléphone ?

— Si, pourquoi ?

— Dans ce cas, où est le problème ? Tu peux appeler tous les artisans que tu veux !

— En pleine nuit ? Et même en admettant que je puisse leur parler, la belle affaire ! Tu viendrais à un rendez-vous que t'aurait fixé un vampire à minuit dans une maison abandonnée près du cimetière ?

Présenté ainsi, bien sûr... Derrière l'ironie mordante de Bill, je percevais dans ses paroles un accent de détresse qui me touchait. Au fond, il était comme n'importe quel propriétaire impatient de pouvoir s'installer chez lui.

— Si tu veux, je peux appeler des artisans pour toi, proposai-je sur un coup de tête. Ils me croient cinglée, mais ils savent que je suis honnête.

Bill se tourna vivement vers moi. Ses yeux brillaient d'excitation.

— Tu ferais cela ? Il suffirait que je les rencontre une fois pour leur expliquer ce que je veux, puis ils pourraient venir travailler la journée.

— Comme ce doit être frustrant de ne pas pouvoir sortir en plein jour !

Jamais auparavant je n'avais pensé à cet aspect de la vie quotidienne d'un vampire.

— En effet, dit Bill un peu fraîchement.

— Et de devoir cacher l'endroit où l'on se repose ! insistai-je.

Puis je croisai son regard glacial.

— Oh, pardon ! Je suis désolée.

— L'endroit où un vampire passe la journée est le secret le mieux gardé qui soit, déclara Bill d'un ton pincé.

— Je te présente toutes mes excuses.

— Elles sont acceptées.

Nous continuâmes à marcher le long de l'allée. À présent que nous avions quitté le couvert des arbres, je pouvais distinguer plus nettement ses traits.

— Ta robe est de la couleur de tes yeux, dit-il soudain.

— Merci.

Encore un point que j'avais négligé. La nuit était tombée depuis longtemps, mais la vision de Bill était aussi nette qu'en plein jour.

— J'ai du mérite à le voir, vu le peu qu'il y en a, poursuivit-il.

Je le regardai sans comprendre.

— Le peu ?

— De robe. J'ai du mal à m'habituer à voir les jeunes femmes aussi court vêtues.

— Tu as pourtant eu près d'un demi-siècle pour t'y faire !

— J'aimais tant les vêtements que portaient les femmes autrefois… Et leurs sous-vêtements ! Les bustiers, les jupons…

Il me jeta un regard soupçonneux.

— Tu en portes, au moins ?

— J'ai un slip en dentelle bleu clair très joli ! répliquai-je, vexée. Si tu étais un être humain, je te soupçonnerais d'avoir une idée derrière la tête !

Il éclata de ce rire silencieux qui me touchait plus que de raison.

— Ce sous-vêtement, tu l'as sur toi... ou dans ton armoire ?

Pour qui me prenait-il ? Je remontai le bas de ma robe sur ma cuisse, juste assez pour révéler une bordure de dentelle bleue.

— Satisfait ?

— Hum... je préférais les grandes culottes en coton blanc.

— Tu es plus têtu qu'un âne, Bill Compton !

— C'est ce que ma femme m'a toujours dit.

Je le regardai, interdite. Comment avais-je pu ne pas y songer ?

— Tu as... tu avais...

— Une femme, et cinq enfants vivants. J'avais trente ans lorsque je suis devenu vampire. Ma sœur, Sarah, vivait avec nous. Elle ne s'est jamais mariée ; son fiancé est mort à la guerre.

— La guerre de Sécession...

— Oui. J'ai fait partie des rares veinards rentrés vivants du champ de bataille. En tout cas, je croyais que j'avais de la chance...

— Tu étais dans les rangs des confédérés... Tu as encore ton uniforme ?

Il eut un rire sec.

— À notre retour de la guerre, nous étions en haillons et morts de faim.

Sa voix était lointaine, à présent, et douloureuse.

— Excuse-moi, murmurai-je. J'ai réveillé des souvenirs qui te font encore mal. Je n'aurais pas dû te poser ces questions.

Il me prit par le bras pour me faire faire demi-tour, et nous repartîmes en direction de la maison.

— Parle-moi de toi, dit-il. Que fais-tu le matin en te levant ?

— Je mange. J'ai toujours une faim de loup ! Ensuite, je me douche et je m'habille. Si c'est un jour où je travaille, je pars *Chez Merlotte*. Sinon, je vais en ville faire des courses, je loue des vidéos ou je prends des bains de soleil... Je lis beaucoup, aussi. De temps en temps, j'aide Granny à faire le ménage, mais elle est très jalouse de ses prérogatives de maîtresse de maison.

— Et... les hommes ?

— Je te l'ai dit, ce n'est pas pour moi.

— Alors, que vas-tu faire de ta vie, Sookie ?

— Vieillir, et mourir.

J'avais parlé d'une voix plus triste que je ne l'aurais voulu. À ma surprise, Bill prit ma main dans la sienne. La nuit était parfaitement calme, mais un souffle d'air tiède caressa mon visage.

— Tu peux enlever cette barrette ? demanda-t-il.

N'ayant pas de raison de refuser, je libérai ma main et détachai la barrette qui retenait mon chignon. Puis je me souvins que je n'avais pas de poche et la glissai dans celle de Bill. Comme si c'était le geste le plus naturel du monde, celui-ci passa la main dans mes cheveux. À mon tour, j'effleurai les pattes qui encadraient son visage.

— Elles sont longues.

— C'était la mode à l'époque. J'ai de la chance, je ne portais pas la barbe. Sinon, je l'aurais pour l'éternité.

— Tu ne te rases jamais ?

— Non, je venais de le faire…

Il paraissait fasciné par ma chevelure.

— Dans la lumière de la lune, on dirait de l'argent, murmura-t-il.

— Et toi, que fais-tu de ton temps ?

— Je lis, moi aussi. J'aime beaucoup le cinéma ; j'ai suivi toute son histoire depuis son invention. J'apprécie la compagnie des gens ordinaires. Parfois, les vampires me manquent, bien que la plupart d'entre eux mènent des existences très différentes de la mienne.

Nous marchâmes en silence un moment.

— Pendant quelque temps, j'ai regardé beaucoup de feuilletons télévisés, juste pour ne pas oublier ce que c'est qu'être un humain. Puis j'ai arrêté. Au fond, je préférais ne pas m'en souvenir.

Nous avions atteint la cour. Je m'étais attendue à trouver Granny sur la véranda, guettant notre retour, mais elle n'y était pas. Il ne restait qu'une lampe allumée dans le séjour. Comment Gran pouvait-elle se montrer si négligente ? Après tout, elle ne connaissait pas ce vampire ! Qui sait si je ne courais pas un danger ?

Un peu nerveuse, je jetai un regard à Bill. Allait-il essayer de m'embrasser ? Étant donné ses principes sur les tenues que devaient porter les jeunes filles, c'était peu probable. Pourtant, si stupide que puisse paraître la perspective d'embrasser un vampire, j'en avais de plus en plus envie.

Sans réfléchir une seconde de plus, je m'arrêtai, ma main sur celle de mon compagnon, me hissai sur la pointe des pieds et déposai un baiser sur sa joue. Sa peau était douce, parfumée d'un soupçon d'eau de Cologne.

Soudain, il tourna la tête et effleura mes lèvres. Quelques secondes plus tard, j'étais dans ses bras, mes mains autour de son cou, sa bouche contre la mienne. Il s'enhardit, me donna un vrai baiser, que je lui rendis au centuple... Jamais on ne m'avait embrassée avec un tel mélange de fougue et de tendresse. C'était magique !

Mon cœur se mit à battre plus vite, mon souffle s'accéléra. Je me serrai contre Bill, grisée par une excitation toute nouvelle pour moi. Puis, presque brutalement, il s'écarta de moi, me laissant pantelante, le cœur et le corps enflammés, en proie à un émerveillement et à une frustration indescriptibles.

Bill avait lui aussi le souffle court, et une imperceptible rougeur colorait ses joues pâles. Il avait l'air aussi troublé que moi. C'était idiot, mais cela me consola un peu.

— Il vaut mieux que je te laisse. Bonne nuit, Sookie, dit-il en caressant une dernière fois mes cheveux.

— Bonne nuit, Bill.

Ma voix était trop aiguë, presque chevrotante. Je m'efforçai d'apaiser les battements désordonnés de mon cœur.

— J'appellerai des artisans demain et je te donnerai des nouvelles dès que possible.

— Tu pourrais passer à la maison demain soir, si tu es libre...

— Entendu.

— Alors, à demain. Merci encore, Sookie.

Sur ces mots, il fit demi-tour et s'éloigna à grands pas en direction des bois qui séparaient la maison de Granny de Compton House. Bientôt, sa haute silhouette disparut dans la nuit.

Je demeurai immobile un long moment, à scruter l'obscurité et guetter le bruit de ses pas, en vain. Enfin, je rentrai dans la maison, plongée dans mes pensées. Que se passerait-il si j'avais une liaison avec Bill ? Les vampires étaient-ils en tous points semblables aux autres hommes ? Pouvais-je aborder la question avec Bill en toute franchise ? Il avait parfois l'air si vieux jeu ! Mais lorsqu'il se détendait, je le trouvais plus proche de moi que bien des garçons que j'avais rencontrés.

C'était bien ma chance... Le seul homme qui m'inspirait suffisamment de désir pour envisager – enfin ! – de sauter le pas était un vampire. Et si j'avais trop attendu ? Si je n'avais aucun talent au lit ? Si les livres et les films avaient largement surestimé le plaisir qu'on y prenait ? Après tout, si j'en jugeais par les joies (rares) et les déboires (fréquents) que connaissait Arlène dans sa vie sentimentale, le sexe ne méritait pas l'intérêt qu'on lui accordait en général.

Ce soir-là, j'eus toutes les peines du monde à trouver le sommeil, et lorsque je m'endormis enfin, ce fut pour sombrer dans les rêves les plus noirs que j'eusse faits depuis bien longtemps.

Le lendemain matin, tout en répondant aussi évasivement que possible aux questions de Granny sur ma promenade nocturne avec Bill, je passai quelques coups de fil aux artisans locaux. Je parvins à retenir les services d'un plombier, d'un électricien et d'un maçon, que j'eus bien du mal à convaincre qu'ils n'allaient pas tomber dans un guet-apens en acceptant de venir réparer la maison de Bill Compton.

J'étais sortie prendre le soleil dans la cour lorsque Granny m'apporta le téléphone, un large sourire aux lèvres.

— Ton patron, murmura-t-elle d'un ton solennel.

— Dawn n'est pas là, m'annonça Sam.

Je poussai un soupir de contrariété. Je savais parfaitement ce que cela signifiait. Je tentai de protester.

— J'ai des projets pour la journée, Sam…

— Écoute, si tu pouvais juste venir ce soir de 17 à 21 heures, ce serait vraiment gentil.

— Alors, tu me donnes une journée de repos en échange.

— Que dirais-tu plutôt d'échanger une soirée avec Dawn, dès qu'elle sera de retour ?

Je laissai échapper un vilain juron. Granny, qui n'avait pas bougé, me lança un regard sévère.

— C'est bon, c'est bon… Je serai là à 17 heures.

— Merci, Sookie. Je savais que je pouvais compter sur toi.

Je rendis le téléphone à Granny, contrariée. Oui, on pouvait toujours compter sur Sookie, la cinglée qui n'avait pas de vie privée ! Bon, je devais le reconnaître, le fait de travailler ce soir-là ne représentait pas un vrai problème. Bill ne m'attendait pas avant 21 heures.

Jamais la soirée ne me parut aussi interminable que ce jour-là. Mes réflexions me ramenaient sans cesse à Bill, et j'eus un mal fou à me concentrer pour ne pas intercepter les pensées des autres. C'est ainsi que j'appris qu'Arlène se faisait du souci parce qu'elle avait un retard de quelques jours et craignait d'être enceinte. Etourdiment, je posai la main sur son épaule dans un geste de compassion. Elle me regarda sans comprendre, puis je la vis rougir.

— Sookie ? demanda-t-elle du ton qu'elle prenait d'ordinaire pour gronder ses enfants.

Arlène faisait partie des rares personnes de mon entourage qui acceptaient ma télépathie sans me juger ni me classer d'emblée dans la catégorie des cinglés. Cela dit, nous n'abordions presque jamais le sujet.

— Je sais, je suis désolée. Je ne suis pas dans mon assiette, ce soir.

— OK, mais sois gentille, fais attention, maintenant.

Elle avait l'air vraiment fâchée. Je ne sais pas pourquoi, les larmes me montèrent aux yeux. Incapable de les contenir, je me réfugiai dans la réserve. À peine m'y étais-je enfermée que j'entendis la porte s'ouvrir derrière moi.

— Bon, je t'ai dit que j'étais désolée, Arlène !

Je n'avais qu'une envie : rester seule un instant. En outre, Arlène confondait parfois la télépathie avec le pouvoir de divination, et avec ma chance, elle allait me demander si elle était vraiment enceinte ! Je m'apprêtais à lui répliquer qu'elle ferait mieux d'aller s'acheter un test de grossesse lorsqu'une large main se posa sur mon dos.

— Sookie ? Que se passe-t-il ?

C'était Sam.

Sa voix était si douce que mes larmes, au lieu

de se calmer, redoublèrent. J'aurais préféré qu'il se fâche, cela m'aurait peut-être aidée à me contrôler. Sa gentillesse, en revanche, me bouleversait.

— Allons, dis-moi ce qui ne va pas, reprit-il en passant son bras autour de mes épaules.

Que pouvais-je lui dire ? Je ne lui avais jamais parlé – pas plus qu'aux autres, d'ailleurs – de ce que représentait pour moi le fait de subir le bourdonnement permanent qui émanait de l'esprit des autres.

— Tu as entendu quelque chose qui t'a fait de la peine ? demanda-t-il en posant son doigt sur mon front pour m'indiquer le sens qu'il donnait au verbe « entendre ».

Il parlait d'un ton tranquille, comme si tout cela était parfaitement normal. Je hochai la tête.

— Tu ne peux pas toujours t'en empêcher, n'est-ce pas ?

— Non.

— Et tu détestes cela ?

— Oui.

— Je sais ce que c'est…

Je sursautai.

— Pardon ?

— Je veux dire… je crois que je comprends. En tout cas, ce n'est pas ta faute. Tu dois apprendre à vivre avec ta différence.

Je regardai Sam avec curiosité. Qu'avait-il voulu dire par : « Je sais ce que c'est » ? Pas moyen de le deviner. Son visage avait retrouvé son expression impassible, et je n'avais pas envie de fouiller dans son esprit.

— Je fais de mon mieux pour ne rien entendre, mais je ne peux pas rester concentrée en permanence, expliquai-je en sentant une nouvelle larme rouler sur ma joue.

— Tu as une technique pour… ne pas entendre ?

Je levai les yeux vers lui. Il avait l'air sincèrement désolé pour moi, et réellement curieux de comprendre.

— Eh bien, je… Comment dire ? Je construis un mur… Non, je fais du bruit entre les autres et moi pour créer une interférence. Un peu comme si je heurtais deux assiettes métalliques l'une contre l'autre.

— Tu fais ça tout le temps ?

— Quand il y a du monde autour de moi, oui. C'est assez fatigant, et ça me gêne pour me concentrer. Je dois diviser mon esprit en deux : une partie pour faire du bruit, l'autre pour parler aux gens, les écouter, prendre leurs commandes. Ça ne me laisse pas beaucoup de place pour soutenir une conversation cohérente.

Le simple fait de parler de mes difficultés me consolait de ma peine. Et Sam paraissait éprouver un sincère intérêt pour ma situation… un peu comme si nous avions des affinités secrètes, lui et moi.

— Est-ce que tu perçois des mots, ou seulement des impressions ?

— Cela dépend de l'état des gens. Quand ils sont ivres ou drogués, ils n'émettent que des images. Sinon, ils formulent surtout des mots, voire des phrases complètes.

Sam sembla hésiter.

— Le vampire affirme que tu ne peux pas l'entendre.

Bill et Sam avaient donc parlé ensemble de mes capacités télépathiques ? C'était surréaliste !

— Il n'a pas menti.

— Je suppose que c'est une expérience reposante, pour toi ?

— Si tu savais ! m'exclamai-je avec plus d'enthousiasme que la diplomatie ne l'aurait voulu.

Sam parut se rembrunir… à moins que ce ne soit un effet de mon imagination.

— Et moi, Sookie ? Est-ce que tu peux m'entendre ?

— Écouter tes pensées ? Pour me faire virer ? Il n'en est pas question !

Je bondis de la caisse sur laquelle je m'étais assise et me ruai vers la porte, mon mouchoir à la main.

— Tu comprends, repris-je en tamponnant mes joues humides, je suis bien, ici. J'aime mon travail. Je ne veux pas perdre tout ça. Je ne lirai jamais dans tes pensées !

Sam se leva à son tour et sortit son canif de sa poche.

— Tu devrais essayer, un de ces jours, dit-il en s'approchant d'un carton de bouteilles de whisky, qu'il entreprit d'ouvrir. Et pour ce qui est de ton travail, ne te tracasse pas. Tant que tu le voudras, tu auras une place chez moi.

Je retournai dans la salle après un détour par les toilettes pour passer de l'eau fraîche sur mon visage rougi par les larmes. Il ne restait que quelques clients ; mes tables étaient vides. Je pris une éponge pour nettoyer celle où Jason, un peu plus tôt, avait mangé une barquette de frites et bu une bière.

Devais-je accepter la proposition de Sam ? C'était tellement rare d'être invitée à lire dans les pensées des autres ! Rare, et plutôt agréable, en vérité. Sam devait avoir en moi une grande confiance pour me donner une telle autorisation.

Cependant, pour l'instant, je n'étais pas prête. D'ailleurs, Sam se tenait probablement sur ses gardes. Je laisserais passer quelque temps et me glisserais dans ses pensées lorsqu'il ne s'y attendrait pas... si je trouvais le courage de le faire.

Comme 21 heures sonnaient, je quittai la salle, pris mon sac à main dans le bureau et me dirigeai vers le parking du personnel.

Compton House, tout comme la maison de Granny, avait été bâtie à l'écart de la route. En revanche, située plus haut sur la colline et composée de deux étages, elle avait une vue imprenable sur le cimetière.

Autrefois, cela avait été une fort belle demeure. Dans la faible clarté de la lune, elle conservait d'ailleurs son ancienne majesté. Mais, pour l'avoir vue à la lumière du jour, je savais que le temps avait fait son œuvre : piliers en ruine, bardeaux fendus et grillés par le soleil, cour envahie par les ronces et les mauvaises herbes... Dans la moiteur de la Louisiane, la végétation avait vite repris ses droits, et feu le vieux M. Compton ne s'était jamais résolu à louer les services d'un jardinier. Trop cher pour sa maigre retraite, je suppose.

Je garai ma voiture sur le gravier, ou plutôt sur ce qui en restait, devant l'entrée de la maison. Ce ne fut qu'à ce moment que je m'aperçus que toutes les pièces étaient éclairées. Manifestement, l'heure n'était pas à un tête-à-tête avec Bill : une autre voiture était stationnée dans la cour, une grande Lincoln blanche coiffée d'un toit sombre. Sur la carrosserie, divers autocollants proclamaient : « Sang pour sang authentique », « J'ai les crocs » ou encore « C'est de vampire en pire ».

Que faire ? Puisque Bill avait de la compagnie, je devais peut-être rentrer chez moi et le laisser tranquille… Par ailleurs, puisqu'il m'avait demandé de passer, je n'avais aucune raison de lui faire faux bond. D'une main timide, je frappai à la porte.

Ce fut une femme qui vint m'ouvrir. Une femme vampire. C'était la première fois que j'en voyais une.

Grande et athlétique, elle portait des collants et une brassière de sport d'un rose fluorescent qui rehaussait sa peau noire d'un éclat fantastique. Une bombe, du moins d'un point de vue masculin. Pour ma part, je la trouvais un brin vulgaire. En tout cas, ce n'était pas du tout le style de fille dont Bill, avec ses théories sur les femmes en grandes culottes et jupes longues, devait rechercher la compagnie.

— Quelle jolie poulette ! s'exclama-t-elle en me dévisageant d'un regard gourmand.

À ces mots, mon sang se glaça d'horreur. J'étais tombée dans un piège. Combien de fois Bill m'avait-il avertie ? Tous les vampires n'étaient pas aussi bienveillants que lui ! Qui était cette femme ? Je ne pouvais entendre ses pensées. En revanche, les inflexions cruelles de sa voix ne me disaient rien de bon.

Avait-elle tué Bill ? Était-elle sa maîtresse ? Une foule d'images aussi inquiétantes les unes que les autres me vinrent à l'esprit. Je parvins pourtant à lui adresser un sourire poli.

— Salut ! m'exclamai-je avec un détachement que j'étais loin de ressentir. Bill m'a demandé de passer ce soir lui donner quelques renseignements. Il est ici ?

Je me sentais aussi rassurée que, mettons, un moustique face à une mante religieuse.

— La petite veut te parler, Billy ! cria-t-elle par-dessus son épaule musclée. Je te l'amène tout de suite ou je peux la croquer avant ?

Ça, il faudrait me passer sur le corps d'abord ! songeai-je... avant de prendre conscience que c'était probablement ce qui risquait de m'arriver.

Je n'entendis pas la réponse de Bill, mais la mante religieuse s'écarta pour me laisser passer, tout en esquissant une moue de déconvenue. J'entrai, le cœur battant, et m'aperçus que la pièce où je me trouvais était pleine de vieux meubles noircis par les ans... et de gens que je ne connaissais pas. Et pour cause ! compris-je avec un temps de retard.

Cette aimable assemblée comptait dans ses rangs deux parfaits inconnus et deux vampires. Ces derniers étaient blancs, de sexe masculin, le premier couvert de tatouages, le second très grand et doté de longs cheveux d'un noir de jais. Les deux humains étaient moins effrayants. La femme, d'environ trente-cinq ans, était ronde et blonde. Son épaisse couche de fard ne dissimulait pas ses cernes et son air fatigué. L'homme, lui, était d'une beauté saisissante. Très jeune –

une vingtaine d'années au maximum –, il avait le teint mat d'un Espagnol et les traits finement ciselés. Il ne portait qu'un short en jean coupé haut sur ses cuisses... et du maquillage sur le visage.

Un mouvement dans l'ombre attira mon attention. Je me raidis, sur la défensive, avant de laisser échapper un soupir de soulagement. Ce n'était que Bill.

Je scrutai son visage. Il n'avait pas la même expression que celle que je lui connaissais. Il semblait distant, impénétrable... Que se passait-il ? Pour la première fois, je regrettai de ne pas pouvoir lire dans ses pensées.

— Ça, c'est une bonne surprise ! s'écria alors le vampire aux longs cheveux en me dévorant du regard. C'est une de tes amies, Bill ? Qu'elle a l'air fraîche !

— Quand je pense que tu t'es mis au sang synthétique ! renchérit l'autre. J'ai dû mal comprendre, pas vrai, Diane ?

La femme vampire m'observa longuement.

— Ce n'est pas certain... Je suis sûre qu'elle est vierge.

Vierge ? Dans quel sens ? J'aurais juré qu'elle ne parlait pas d'absence de relations sexuelles... Je jetai à Bill un regard désespéré. Qu'attendait-il pour venir à mon secours ?

— Si vous voulez bien nous excuser, dis-je avec toute la diplomatie dont j'étais capable, j'aurais besoin de parler quelques instants avec Bill.

Je tenais cette formule de politesse de Jason, mais je n'avais jamais eu l'occasion de l'employer *Chez Merlotte*. Plus aimable, il n'y avait pas !

Je me tournai vers Bill de l'air le plus naturel possible et ajoutai :

— Je crois que j'ai trouvé des artisans.

Enfin, il réagit… mais pas vraiment comme je m'y attendais.

— Sookie est à moi, déclara-t-il d'une voix aussi froide que l'acier.

Quel rapport avec la rénovation de sa maison ? Je n'y comprenais plus rien ! J'interrogeai Bill du regard, en vain. La tension qui régnait dans l'atmosphère était presque palpable. Diane ne me quittait pas des yeux.

— Qu'avez-vous fait à notre Billy ?

Elle n'avait pas parlé, elle avait feulé. Une tigresse sur le point d'attaquer n'eût pas été plus menaçante !

— Vous, mêlez-vous de vos affaires ! aboyai-je, la gorge nouée par l'angoisse.

Ça aussi, c'était du Jason. Un peu moins raffiné, mais diablement efficace, si j'en jugeais par la mine déconfite de la mante religieuse. Il y eut un silence à couper au couteau, puis les deux hommes vampires éclatèrent de rire, bientôt imités par les humains. J'en profitai pour faire un pas en direction de Bill, le seul à rester d'un sérieux imperturbable. Son regard était fixé sur moi avec intensité, et j'eus le sentiment qu'il regrettait amèrement que je ne puisse lire dans ses pensées.

Je compris enfin.

Bill était en danger… et moi tout autant.

— Elle est délicieuse, commenta le vampire aux cheveux longs, sur un ton qui me fit froid dans le dos.

— Malcolm ! gémit Diane. Tu trouves délicieuses toutes les femmes humaines !

— Oui, mais celle-ci a quelque chose de spécial.

— Je pense bien ! fit la blonde potelée, sortant de son silence. C'est Sookie Stackhouse la Cinglée !

Comment me connaissait-elle ? Je l'observai, intriguée. Janella Lennox ! Qu'elle avait grossi ! Elle avait travaillé quelque temps *Chez Merlotte*, avant d'être virée par le patron, qui l'avait surprise la main dans la caisse. D'après Arlène, elle avait déménagé à Monroe.

Soudain, le vampire tatoué s'approcha d'elle et lui caressa les seins sans la moindre pudeur. Je détournai les yeux, gênée, non sans avoir eu le temps de voir Janella poser la main sur le bas-ventre de son compagnon, tendu par une puissante érection.

Au moins, j'étais fixée sur un point. Les vampires n'étaient pas si différents que ça des humains. Sur le moment, cependant, cette pensée me laissa de glace. Malcolm continuait à me fixer.

— Elle est d'une innocence adorable, déclara-t-il en se tournant vers Bill.

— Elle est à moi, répéta ce dernier.

— Peut-être, susurra Diane, mais n'essaie pas de me faire croire qu'elle s'occupe bien de toi. Je ne te trouve pas bonne mine, en ce moment. Pourquoi ne goûtes-tu pas à la femme de Liam ou au mignon de Malcolm, le beau Jerry ?

Du menton, elle désigna Janella et le jeune homme brun. Ceux-ci ne semblèrent pas s'offusquer d'être considérés avec si peu d'égards. Je vis même le jeune homme se lever et s'approcher de Bill, contre qui il se frotta sans la moindre honte. Je me détournai de ce spectacle, choquée.

Pourquoi Bill n'intervenait-il pas ? Je cherchai son regard… et fus parcourue par un frisson d'horreur. Ses yeux luisaient d'une haine féroce. Une expression meurtrière s'était peinte sur son visage, plus pâle que jamais. Puis je vis ses lèvres se soulever, comme agitées par un tic. Deux canines acérées apparurent aux commissures de sa bouche.

Manifestement, le sang de synthèse ne couvrait pas tous ses besoins.

Jerry posa ses lèvres à la base de son cou. C'en était trop pour moi. Je laissai retomber le « mur de bruit » que j'avais dressé entre les deux humains et moi. Aussitôt, un flot de pensées désordonnées m'assaillit. Elles provenaient de Jerry. Sous mes yeux, Bill, qui tremblait à présent de tous ses membres sous l'effet de la tentation, se pencha vers le jeune homme, lèvres retroussées, prêt à mordre.

— Non ! hurlai-je. Il a le sino-virus !

Brusquement, comme libéré d'un charme, Bill se redressa et se tourna vers moi. Son souffle saccadé témoignait de l'extrême tension qui l'habitait, mais ses canines s'étaient rétractées. Poussant mon avantage, je m'approchai de lui. Nous n'étions plus qu'à deux ou trois pas l'un de l'autre, à présent.

— Le sino-sida, précisai-je.

En règle générale, les vampires étaient insensibles aux diverses MST, y compris le virus du sida, qui affectaient les humains. Mais ils n'étaient pas immunisés contre le sino-sida, qui, sans les tuer, les laissait si faibles que le vampire qui en était atteint offrait une proie facile aux saigneurs. Encore rare sur le territoire des États-Unis, ce virus, apporté par les marins, commençait à se rencontrer dans certains ports, dont La Nouvelle-Orléans.

À mes paroles, les vampires se figèrent, le regard fixé sur Jerry comme s'ils contemplaient la mort en personne. De fait, peut-être était-ce le cas.

Puis tout se déroula très vite. Jerry bondit sur moi avec une vigueur et une rapidité effrayantes. Il n'était certes pas un vampire, mais il n'en était pas moins dangereux. Avant que j'aie pu réagir, il m'avait plaquée contre le mur de toutes ses forces. Il entoura mon cou d'une main et brandit l'autre pour me donner un coup. Je levais les bras pour me protéger quand une main masculine immobilisa celle de Jerry, qui se retourna d'un bloc.

— Lâche sa gorge, ordonna Bill d'un ton si menaçant que je fus glacée d'effroi.

Mais, loin d'obéir, Jerry resserra ses doigts. Un petit cri étranglé sortit de mes lèvres. Déjà, ma vue se troublait. Dans un brouillard, je vis que Malcolm avait saisi Jerry par la jambe. J'entendais des voix sans pouvoir les identifier. S'agissait-il de réminiscences du passé de Jerry, qui remontaient à son esprit par bouffées et que je captais malgré moi, ou d'exclamations de stupeur et de colère de ceux qui m'entouraient?

Tout à coup, le visage grimaçant de Diane apparut par-dessus l'épaule de Jerry. Puis un craquement parvint à mes oreilles.

Je baissai les yeux et compris que Bill venait de briser le poignet de Jerry. Celui-ci voyait la mort en face et mesurait l'étendue de son impuissance. Il s'effondra dans un cri.

Confusément, je devinai que Malcolm, dont les traits s'étaient contractés en une expression d'indicible haine, l'avait ramassé pour le jeter sur un lit ou un canapé, à la périphérie de mon champ de vision. Il ne restait à Jerry qu'un seul espoir : mourir rapidement, en souffrant le moins possible...

Puis Bill apparut devant moi. Avec une douceur inattendue, il massa ma gorge douloureuse. Je toussai et essuyai mes yeux embués de larmes. J'allais le remercier lorsqu'il me fit taire d'un geste.

Nous n'étions pas encore hors de danger.

Bill passa un bras autour de moi et se tourna pour faire face à Liam, le vampire tatoué.

— Comme tout ceci est amusant ! déclara ce dernier.

D'une main agacée, il repoussa Janella, qui se frottait lascivement contre lui, manifestement très excitée par le spectacle de la lutte sans merci qui venait de se dérouler, ou peut-être par l'idée de la fin ignoble qui attendait Jerry. Je frémis de dégoût. Comment cette femme pouvait-elle être tombée si bas ?

— Allons, reprit Liam en se redressant, il est temps de rentrer à Monroe. Nous aurons une petite conversation avec Jerry dès qu'il se réveillera.

— Attendez, les gars ! protesta Diane. Moi, j'aimerais d'abord qu'on me dise comment la poulette de Bill savait que Jerry était infecté.

Elle darda sur moi un regard mauvais. Ses deux acolytes ne tardèrent pas à l'imiter.

— Bonne question, dit Liam.

Bill se tourna vivement vers moi.

— Est-ce que tu es en état de parler, chérie ?

À son expression intense, je compris immédiatement qu'il valait mieux que je réponde par la négative. Je secouai la tête de droite à gauche, puis émis une toux sifflante pour faire bonne mesure.

— Ne t'inquiète pas, Billy, dit Diane. Je sais comment la rendre très bavarde.

— Diane ? demanda Bill. Aurais-tu oublié ?

— Je sais, elle est à toi, marmonna-t-elle sans enthousiasme.

— Eh bien, puisque nous sommes d'accord, à une autre fois.

Bill n'aurait pu être plus clair. Soit les trois vampires battaient en retraite, soit tout ce petit monde risquait d'en venir aux mains... ou plutôt aux dents.

— On y va, les enfants, déclara Liam en chassant d'un geste Janella, qui continuait à tourner autour de lui sans la moindre pudeur.

Une fois de plus, je fus choquée par l'absence de réaction de celle-ci. Elle semblait trouver normal le mépris avec lequel Liam la traitait. Était-ce là un mode de relation usuel entre un vampire et « son » humain ? Bill attendait-il de moi le même type de comportement ? Je le regardai, mal à l'aise.

Malcolm souleva Jerry, toujours inconscient, et le jeta sur son épaule sans effort apparent. Si le jeune homme lui avait transmis le sino-virus, les effets ne s'en faisaient pas encore sentir.

Diane sortit la dernière, après nous avoir lancé un regard brillant de haine.

— On vous laisse roucouler, les tourtereaux ! fit-elle avant de s'en aller.

Puis j'entendis des claquements de portières à l'extérieur, suivis du vrombissement d'une puissante voiture qui démarrait… et je m'évanouis.

Lorsque je revins à moi, Bill m'avait étendue sur le canapé. Je frémis en pensant au sort peu enviable qui attendait le précédent occupant du grand sofa recouvert de soie aux tons passés.

— Tous les vampires sont comme eux ? demandai-je.

Ma voix n'était plus qu'un coassement. Il me semblait sentir encore sur ma gorge la pression des doigts de Jerry.

— J'ai essayé de t'appeler pour te dire de ne pas passer ce soir, mais tu n'étais pas chez toi, répondit Bill d'une voix brisée.

Puis, comme s'il avait perçu ma méfiance envers tous les vampires, il s'éloigna de quelques pas.

— Pour répondre à ta question, non, tous les vampires ne se comportent pas comme eux. Ceux qui demeurent solitaires parviennent à rester aussi humains que possible, mais ceux qui vivent en groupe, comme ces trois-là, perdent peu à peu tous leurs repères moraux. Ils s'entraînent mutuellement dans leur chute.

Il hésita, impuissant à expliquer l'inexplicable.

— Tu dois bien comprendre, Sookie, que notre existence consiste essentiellement à séduire des humains pour apaiser notre faim et que pour certains d'entre nous, cela dure depuis des siècles. On n'en sort pas indemne, et l'arrivée du sang synthétique n'y changera rien. En tout cas, pas avant un certain temps. Diane, Malcolm et Liam sont ensemble depuis presque cinquante ans.

— Comme c'est charmant ! commentai-je avec une amertume qui ne me ressemblait pas. Ils vont bientôt pouvoir fêter leurs noces d'or !

Bill vint s'asseoir à côté de moi, l'air désemparé.

— Je sais que tout cela doit te paraître effroyablement sordide. Est-ce que tu pourras oublier cette soirée ?

J'eus un sourire désabusé.

— Je ne sais pas. Mais, au moins, elle aura été instructive.

Il me regarda avec perplexité.

— Je me suis toujours demandé si les vampires avaient une vie sexuelle.

Bill se mordit les lèvres pour réprimer un sourire.

— C'est le cas, confirma-t-il. Cela étant, nous ne pouvons pas avoir d'enfants, ce qui est une bonne chose, tu en conviendras.

Je le regardai, indécise. Ses canines avaient disparu et son visage avait repris l'expression douce de la veille, mais je savais qu'il était affamé.

De nouveau, un frisson de peur me parcourut. Je m'assis sur le canapé et, voyant qu'aucun nouveau vertige ne me saisissait, je me levai.

— Il faut que je rentre.

Bill bondit sur ses pieds. Comme un gentleman qui ne saurait rester assis lorsqu'une dame se lève… ou comme un prédateur passant à l'attaque ? Je m'empressai de chasser cette interrogation.

— Tu me permets de t'embrasser ? demanda-t-il d'un ton presque timide.

— Non ! Je... Après ce que j'ai vu ce soir, je ne le supporterais pas.

Bill parut déçu.

— Bien sûr, je comprends. Je passerai te rendre visite un de ces soirs.

Puis, ayant sans doute remarqué mon expression de méfiance, il ajouta :

— Si tu veux bien.

— Peut-être... Je ne sais pas.

Les larmes aux yeux, je tournai les talons et m'enfuis en courant.

4

Je fus arrachée au sommeil par la sonnerie du téléphone. J'enfonçai ma tête dans mon oreiller.

Dring ! Dring ! Dring !

Pourquoi Gran ne répondait-elle pas ? Contrariée, je tâtonnai sur ma table de chevet jusqu'à ce que je mette la main sur le téléphone.

— Mmm ? marmonnai-je, mal réveillée.

— Sookie ? C'est Sam.

— Mmm…

— Tu peux me rendre un service ?

— Dis toujours…

— Il faudrait que tu fasses un saut chez Dawn pour prendre de ses nouvelles. Elle ne répond pas au téléphone, et le camion de livraison est passé plus tôt que d'habitude, si bien que je suis coincé au bar.

— Tout de suite ? grommelai-je.

— Si tu veux bien, dit Sam.

Apparemment, mon attitude le déconcertait. Je ne lui avais jamais refusé un service.

— Bon, j'y vais. À tout à l'heure.

Je n'étais pas très enthousiaste à l'idée de voir Dawn, qui me soupçonnait d'avoir lu dans ses pensées et saboté sa relation avec Jason. Pauvre Dawn !

Ne comprenait-elle pas que si je m'étais mêlée à ce point de la vie sentimentale de mon frère, cela aurait représenté un travail à temps plein ?

Encore sous le choc des événements de la veille, je me levai, pris une douche rapide et passai ma tenue de travail. Puis, ayant enfin localisé Granny, occupée à garnir une jardinière de pétunias dans la cour, je l'embrassai et montai dans ma voiture.

Tout en démarrant, je songeai que la vie n'avait pas été facile pour Granny, qui avait dû nous élever, Jason et moi, et avait perdu ses deux enfants. Papa était mort quand j'avais dix ans, et l'année de mes vingt-trois ans, tante Linda, la fille de Granny, était décédée d'un cancer. Quant à la fille de Linda, ma cousine Hadley, elle évoluait parmi la même faune que les Rattray, et nous n'étions même pas certains qu'elle avait compris que sa mère était morte.

J'arrivai devant le lotissement neuf où habitait Dawn, tout près du centre historique de Bon Temps. Ma collègue était sûrement là : sa voiture était garée juste devant son pavillon, l'une des nombreuses maisons jumelles qui bordaient la rue. Je coupai le moteur et descendis de voiture.

En m'approchant de la maison, je remarquai que Dawn avait oublié d'arroser la jardinière de géraniums suspendue au-dessus de l'entrée. Les fleurs étaient toutes flétries. Elle toujours si soigneuse, cela ne lui ressemblait pas ! Intriguée, je frappai à la porte.

Pas de réponse. Je frappai de nouveau.

— Besoin d'aide, Sookie ? lança une voix familière.

Je fis volte-face. René Lenier était adossé à son pick-up garé de l'autre côté de la rue.

— Oh, bonjour ! Tu n'aurais pas vu Dawn ? Voilà deux jours qu'elle n'est pas venue au travail, et elle ne répond pas au téléphone. Sam m'a demandé de passer.

— Il ne peut pas faire lui-même le sale boulot ?

— Il était occupé, expliquai-je, avant de me retourner vers la porte.

Je recommençai à frapper en criant :

— Dawn ? Tu es là ? Ouvre-moi !

Seul le silence me répondit. Je reculai d'un pas, mal à l'aise. Machinalement, je regardai par terre. Depuis combien de temps Dawn n'avait-elle pas passé le balai ? Deux ou trois jours ? Le sol du perron était couvert d'un épais tapis jaune : le pollen tombé du grand pin qui ombrageait la façade.

C'est alors que je compris ce qui me gênait tant.

On ne voyait que les traces de mes propres pas dans le pollen.

Du coin de l'œil, je vis René s'agiter, hésitant sans doute à intervenir. Je jetai un coup d'œil inquiet par la baie vitrée qui donnait sur le salon de Dawn. La pièce était vide, à l'exception de quelques meubles bon marché. Une tasse à café était posée sur la table basse.

Je regardai la maison mitoyenne. Pas de rideaux aux fenêtres, ni de fleurs dans le jardin. Il n'y avait aucun signe de vie. Manifestement, ma collègue n'avait pas de voisins en ce moment.

— Je vais essayer de passer par-derrière, dis-je à René.

Comme s'il n'avait attendu que ce signal, celui-ci traversa la rue pour me rejoindre. Pendant ce temps, je tentai de regarder par la fenêtre voisine de celle du salon, qui devait donner sur une chambre à coucher. Le store était presque fermé, mais pas assez pour m'empêcher de glisser un regard dans la pièce.

Dawn était là ! Elle devait dormir, car elle était étendue. Mais mon soulagement fut de courte durée. Quelque chose clochait. Le lit était en désordre, les draps défaits. Quant à Dawn, elle était couchée sur le dos, nue, les jambes écartées. Son visage était figé, décoloré. Sa langue sortait de sa bouche. Un essaim de mouches grouillait dessus.

Je reculai, prise de nausée. Derrière moi, des pas résonnèrent.

— Appelle la police, René !

Les pas se rapprochèrent. Je ne pouvais détacher mon regard du store qui cachait si mal l'épouvantable spectacle.

— Qu'est-ce que tu dis ? Tu la vois ? demanda René.

— Appelle la police !

Je l'entendis s'immobiliser, puis faire demi-tour.

— C'est bon, j'y vais !

Combien de minutes restai-je ainsi, pétrifiée d'horreur, devant le store de Dawn ? Lorsque René me rejoignit, son visage trahissait une intense curiosité et ses yeux brillaient d'une vive excitation.

— Est-ce que tu peux aussi appeler Sam, s'il te plaît ?

— C'est comme si c'était fait ! déclara René avant de s'éclipser de nouveau.

À ma surprise, j'entendis alors du bruit dans la maison voisine, bâtie à l'identique. Je tournai la tête et vis s'encadrer une silhouette à la fenêtre, dont les battants s'ouvrirent.

— Qu'est-ce que tu fabriques ici, Sookie Stackhouse ?

Il me fallut quelques secondes pour reconnaître l'homme qui m'adressait la parole.

— JB ?

— Ah, tout de même !

JB du Rone était un de mes ex-camarades de classe. J'avais de lui le souvenir d'un garçon gentil et un peu simple, dont le mérite le plus remarquable, outre son incroyable beauté physique, était de ne m'avoir jamais manifesté le moindre mépris ni la moindre méfiance.

— Que fais-tu ici ? demanda-t-il de nouveau.

— Mon patron m'a envoyée chercher Dawn. Ça fait deux jours qu'elle est aux abonnés absents.

— Et alors ?

J'hésitai à lui révéler l'affreuse vérité.

— Je l'ai trouvée, dis-je finalement.

Je fus secouée par un sanglot, puis une larme roula sur ma joue. Après la soirée de la veille, cela faisait beaucoup d'émotions en quelques heures ! Incapable de me contrôler, je me mis à pleurer.

Sans plus de façons, JB enjamba la fenêtre et me rejoignit.

— Là, là, murmura-t-il en m'attirant contre lui. Pleure un bon coup, ça ira mieux après.

— C'est épouvantable... hoquetai-je. Dawn est... elle est...

— Ça va, j'ai compris. Pas étonnant... Elle aimait les sensations fortes.

J'essuyai mes yeux du revers de la main et regardai JB.

— Qu'est-ce que tu entends par là ?

— Eh bien... elle aimait qu'on la batte, qu'on la morde, ce genre de choses.

Je réprimai la question qui m'était spontanément venue à l'esprit. Comment JB savait-il cela ? Tout ceci me dépassait ! Par chance, l'arrivée de la police me permit de mettre un terme à la sollicitude de JB, qui me serrait toujours dans ses bras et commençait à se faire plus compatissant que nécessaire.

Kenya Jones et Kevin Prior apparurent. La première était grande, noire et athlétique, le second mince, petit et couvert de taches de rousseur. Les « deux K », comme on les appelait, formaient le tandem de choc de la police municipale de Bon Temps.

— Mademoiselle Stackhouse, dit Kenya en guise de salut. Que se passe-t-il ?

Tout en parlant, elle avait décoché un regard en direction de JB, tandis que son collègue scrutait le sol autour de nous, probablement à la recherche d'empreintes de pas.

En quelques mots, je résumai la découverte du cadavre de ma collègue, avant de désigner la fenêtre de la chambre. Les deux K se tournèrent vers le store baissé, se consultèrent du regard et hochèrent la tête.

Puis je vis Kenya se diriger vers la fenêtre, tandis que Kevin contournait la maison. Près de moi, JB observait la scène avec un intérêt non dissimulé. Il mourait d'envie de regarder pardessus l'épaule de Kenya, mais la solide corpulence de celle-ci lui bloquait la vue, à son grand dépit.

De nouveau, l'effroyable spectacle du cadavre de Dawn s'imposa à mon esprit. C'était insupportable ! Plutôt que d'affronter l'image qui me hantait, je préférai me réfugier dans les pensées de ceux qui m'entouraient – une solution de facilité à laquelle j'avais recours le moins souvent possible.

Je fermai les yeux et me concentrai sur le premier esprit qui passait à ma portée. Kenya Jones dressait mentalement la liste de toutes les pistes qu'elle allait devoir suivre avec Kevin. Elle se souvenait des tendances masochistes de Dawn. Elle n'était pas surprise que la jeune femme soit décédée de mort violente, mais elle était désolée pour elle. Elle pensait au beignet qu'elle avait mangé sur le trajet et regrettait de se l'être accordé, car la vue des insectes sur le cadavre de Dawn lui soulevait le cœur.

JB essayait de se représenter la mort de Dawn en pleine séance sadomasochiste. Il se demandait pourquoi il n'avait rien entendu. Il trouvait que c'était une affreuse histoire, bien qu'un peu excitante malgré tout, et que cette sacrée Sookie était toujours aussi sexy. Il se disait qu'il lui aurait volontiers fait l'amour, là, tout de suite. Il pensait au jour où Dawn lui avait demandé de la battre, où il en avait été incapable et où il s'était senti si humilié. Il estimait qu'après tout, cette garce l'avait bien cherché.

Kevin se faisait la réflexion que Kenya et lui avaient intérêt à ne détruire aucune pièce à conviction. Il espérait que le coupable n'était pas de race noire, car il craignait que cela ne gâche ses bonnes relations avec sa collègue. Il était furieux qu'on ait tué une femme de sa connaissance et se réjouissait que personne ne sache qu'il avait couché autrefois avec Dawn Green.

René Lenier attendait avec impatience qu'on sorte le corps de la maison. Il priait pour que personne ne découvre qu'il avait eu des relations sexuelles avec Dawn. Il était très agité; ses pensées étaient sombres, opaques, presque inaudibles.

Sam arriva bientôt. Je me connectai à lui en le voyant accourir vers moi.

Impossible d'établir le lien!

Je percevais ses émotions – un mélange d'inquiétude, de colère et de peur –, mais ses pensées, en revanche, me demeuraient hermétiques. Que se passait-il? Intriguée, je m'écartai de JB pour réduire les interférences et m'approchai de Sam.

Celui-ci comprit immédiatement que je me branchais sur son esprit. Aussitôt, il se ferma à mes investigations. Il n'était pas comme les autres... même si je ne parvenais pas à déterminer de quelle façon.

Une autre certitude s'imposa à moi : le jour où Sam m'avait invitée à « faire un tour » dans ses pensées, il n'avait pas songé que je percevrais sa différence. J'eus le temps de comprendre cela, puis son esprit se referma totalement.

C'était bien la première fois que je faisais une telle expérience! J'avais l'impression qu'on venait de me claquer au visage une porte lourdement blindée. Je m'arrêtai à quelques pas de lui, interdite.

— Que se passe-t-il? demanda-t-il à Kevin, évitant délibérément mon regard.

— Nous allons forcer la porte de cette maison, monsieur Merlotte. À moins que vous n'ayez un double de la clé de votre employée...

Je regardai Sam, stupéfaite. Pour quelle raison aurait-il eu une clé de cette maison ? Au même instant, JB me rejoignit et murmura à mon oreille :

— C'est le propriétaire.

— Non ? m'exclamai-je étourdiment.

— Si. Il possède les trois maisons qui se trouvent là.

Comme pour confirmer les paroles de JB, Sam fouilla dans sa poche et en extirpa un volumineux trousseau de clés. Sans hésiter, il en choisit une, la sortit de l'anneau et la tendit à Kevin.

— Elle ouvre les portes de devant et de derrière ? demanda ce dernier.

Sam hocha la tête.

Muni de la clé, Kevin se dirigea vers l'arrière de la maison, disparaissant momentanément à notre vue. Une minute plus tard, il réapparut dans la chambre. En le voyant pincer le nez, je me dis que l'odeur devait être effroyable. Tout en protégeant son visage d'une main, il se pencha sur le corps de Dawn pour chercher son pouls, puis se redressa et adressa un signe négatif à sa collègue. Aussitôt, celle-ci se rendit à la voiture pour passer un appel radio.

— Si tu dînais avec moi ce soir, Sookie ? proposa JB. Ça te fera du bien de te changer les idées.

Du coin de l'œil, je vis que Sam nous écoutait.

— C'est gentil, JB, mais je crois qu'on va avoir besoin de moi au bar.

JB parut déçu, mais il eut la bonne idée de ne pas insister.

— Je suis désolé, me dit Sam.

Faisait-il allusion à la brusquerie avec laquelle il m'avait écartée de son esprit ? Je lui jetai un regard interrogateur.

— Je n'aurais pas dû te demander de passer voir Dawn. J'aurais mieux fait de m'en charger moi-même.

Il hésita, avant de poursuivre :

— La livraison de ce matin pouvait attendre. Mais la dernière fois que je suis venu voir Dawn parce qu'elle m'avait fait faux bond au bar, j'ai eu droit à une telle scène que je n'ai pas supporté l'idée qu'elle recommence. Je t'ai envoyée à ma place par lâcheté.

— Ça ne te ressemble pas, Sam. Tu soupçonnais quelque chose ?

Pour toute réponse, il secoua la tête et pressa mes doigts avec douceur. Nous restâmes un long moment main dans la main, immobiles au milieu des allées et venues. Puis il me libéra pour aller parler avec l'inspecteur que les deux K avaient appelé, et une soudaine fatigue s'empara de moi. Je me dirigeai vers ma voiture, ouvris ma portière et m'assis derrière le volant.

JB m'avait suivie. Avant que j'aie pu dire un mot, je le vis s'agenouiller près de moi et prendre ma main. Je m'empressai de chercher un sujet de conversation neutre.

— Où travailles-tu en ce moment ?

— Chez mon père, au magasin.

Comme chaque fois qu'il était viré d'un job, songeai-je. Le père de JB tenait un commerce de pièces détachées pour automobiles.

— Tes parents vont bien ?

— Très bien. Ecoute, Sookie, j'ai vraiment envie qu'on se revoie.

Un instant, je fus tentée de céder. JB n'était pas un brillant intellectuel, mais il était si beau ! Alors, si je devais choisir entre tomber dans ses bras et finir vieille fille… Mais il y avait Bill.

— Ne me dis pas que tu es amoureuse de ce vampire ? demanda-t-il, comme s'il avait perçu mes interrogations.

— Qui t'a parlé de lui ?

— Dawn.

Plus précisément, elle avait dit : « Le nouveau vampire tourne autour de Sookie la Cinglée. Il ferait mieux de s'intéresser à moi ! Il lui faut une femme qui supporte d'être un peu bousculée ; cette pauvre fille n'est pas pour lui. »

Je me déconnectai de l'esprit de JB, furieuse. De quoi cette garce se mêlait-elle ? Je me souvins alors qu'elle était morte. J'allais demander à JB de me laisser seule lorsque je le vis bondir sur ses pieds. Je levai les yeux et compris ce qui l'avait fait fuir : l'inspecteur se dirigeait vers moi.

Je devais avoir l'air mal en point car, au lieu de me demander de me lever, il adopta la même position que JB quelques secondes plus tôt.

— Inspecteur Andy Bellefleur, se présenta-t-il.

Un nom plutôt incongru pour cette montagne de muscles, pensai-je en reconnaissant en lui un ancien camarade de classe de Jason.

— J'ai cru comprendre que vous étiez employée chez Sam Merlotte ?

Je confirmai d'un hochement de tête.

— Par conséquent, Dawn Green était l'une de vos collègues ?

— Exact.

— Quand l'avez-vous vue pour la dernière fois ?

— Avant-hier, au travail.

— Vous étiez proche d'elle ?

— Non.

— Dans ce cas, pour quelle raison êtes-vous passée la voir ce matin ?

Je parlai à l'inspecteur de l'absence de Dawn et des deux appels de Sam – celui de la veille pour que je remplace ma collègue et celui de ce matin pour me demander d'aller la chercher chez elle.

— Votre employeur vous a-t-il dit pourquoi il ne voulait pas venir lui-même ?

— Il devait s'occuper d'une livraison, il n'avait pas le temps.

— Pensez-vous qu'il ait entretenu une relation avec la victime ?

Je regardai Bellefleur, épuisée. Posait-il toujours ses questions en rafale, sans laisser à son interlocuteur le temps de respirer ?

— Non, répondis-je plus brusquement que nécessaire.

— Vous semblez bien sûre de vous. Serait-ce parce que vous avez une relation avec lui ?

— Pas du tout !

— Alors, qu'est-ce qui vous permet de l'affirmer ?

C'était simple : plusieurs fois, j'avais « entendu » Dawn se demander ce qu'une femme pouvait bien trouver à Sam. Seulement, jamais Bellefleur ne m'aurait crue si je lui avais donné cette réponse.

— Sam ne confond pas le travail et les sentiments, répliquai-je.

Ce qui était la pure vérité.

— Vous connaissiez la vie privée de Dawn Green ?

— Je vous l'ai dit, nous n'étions pas très proches.

Il parut s'absorber dans ses réflexions.

— Pour quelle raison ?

— Je suppose que nous n'avions rien en commun.

— C'est-à-dire ? Vous pouvez me donner un exemple ?

Je réprimai un soupir d'exaspération. Comment donner un exemple de « rien » ?

— Dawn sortait beaucoup, surtout avec des hommes. Moi pas. Elle buvait de l'alcool, moi pas. J'aime lire, elle pas. Ça vous suffit ?

Andy Bellefleur me scruta quelques instants. Il dut être satisfait, car je le vis hocher la tête d'un air approbateur.

— Donc, vous ne vous fréquentiez pas en dehors du travail, toutes les deux ?

— Jamais.

— Cela ne vous a pas étonnée que Merlotte vous demande de passer la voir ?

— Non. Elle habite sur mon chemin, et je n'ai pas d'enfants, contrairement à ma collègue Arlène. C'était plus facile pour moi de venir, je suis plus disponible.

Je ne pouvais pas dire à Bellefleur que Dawn avait fait une scène à Sam la dernière fois qu'il était passé la voir, à moins de vouloir attirer les soupçons sur lui.

— Dites-moi, Sookie, qu'avez-vous fait en sortant du travail, avant-hier ?

— Je ne travaillais pas, c'était ma journée de congé.

— Qu'avez-vous fait ? répéta-t-il.

Je poussai un soupir agacé. Où voulait-il en venir ?

— J'ai pris un bain de soleil, j'ai aidé ma grand-mère à faire le ménage, et le soir, nous avons reçu de la visite.

— De qui ?
— Bill Compton.
— Le vampire ?
Je hochai la tête.
— Jusqu'à quelle heure est-il resté chez vous ?
— Je ne sais pas… minuit, peut-être plus.
— De quelle humeur était-il ? Vous a-t-il paru tendu, nerveux ?
— Pas du tout.
— Écoutez, je vais devoir vous poser plus de questions. Pouvez-vous passer au poste de police dans deux heures ?
— Si Sam n'a pas besoin de moi au bar.
— Mademoiselle Stackhouse, cette enquête est bien plus importante que votre travail au bar.
Ah, il le prenait sur ce ton ?
— Ce n'est peut-être pas le boulot le plus prestigieux de la planète, répliquai-je d'un ton sec, mais il me permet de gagner honnêtement ma vie. Je mérite le même respect que votre sœur, Andy Bellefleur, même si je ne suis pas avocate. Et je ne suis ni une idiote ni une traînée.
— Excusez-moi, marmonna-t-il en rougissant.
Je l'avais vexé. Depuis le lycée, il rêvait de promotion sociale. Il se disait qu'il aurait été plus à sa place dans une grande ville, où il aurait pu faire oublier ses origines, aussi modestes que les miennes. Il était persuadé qu'ailleurs, il aurait pu donner le meilleur de ses capacités.
— Oh, ne croyez pas ça ! m'exclamai-je sans réfléchir. À Bon Temps ou ailleurs, vous serez toujours le même.
Il me regarda avec l'air d'un enfant pris la main dans le pot de confiture.

— Alors, c'est vrai que vous lisez dans les pensées… murmura-t-il.

— Non. La vérité, c'est qu'il est plus facile qu'on ne le croit de deviner ce que pensent les gens rien qu'à leur expression.

Par provocation, il pensa alors à déboutonner mon chemisier. Je ne me laissai pas manipuler et lui décochai un sourire innocent… qui ne le trompa pas un seul instant.

— Quand vous voudrez me parler, passez me voir au bar. On pourra discuter dans le bureau de Sam.

Quand j'arrivai *Chez Merlotte*, le bar était bondé. Sam avait demandé à Terry Bellefleur, un cousin éloigné d'Andy, de le remplacer pendant qu'il répondait aux questions de la police. Terry, qui avait fait le Vietnam, avait l'esprit peuplé d'horreurs et, d'après Arlène, le corps couturé de cicatrices. Je me tenais autant que possible à l'écart de lui. Dieu merci, il ne buvait pas.

Dans la cuisine, Lafayette Reynold, le cuisinier, préparait des frites. Il déposa deux assiettes de hamburgers sur le passe-plat.

— Arlène, c'est pour toi ! appela Terry, avant de se tourner vers moi pour me demander : Alors, c'est vrai, pour Dawn ?

Lafayette m'adressa un clin d'œil lourdement fardé. J'avais toujours considéré son maquillage comme normal, mais ce jour-là, il me fit penser à Jerry. Je m'en voulais un peu d'avoir laissé les vampires emmener le pauvre garçon sans protester. Pourtant, qu'aurais-je pu faire ? J'avais trop peu de temps pour appeler la police et une seule priorité : sauver ma peau. De plus, Jerry, qui se savait condamné, infectait autant d'humains et de vampires qu'il le pouvait. Je l'avais entendu. Il était, à sa façon, un meurtrier. Je déclarai solennellement à ma conscience que le débat concernant Jerry était clos.

Arlène me rejoignit devant le passe-plat pour prendre sa commande. Elle me décocha un regard brillant de curiosité. Charlsie Tooten, qui assurait les extras en cas de besoin, était également là. Je l'aimais bien. Ronde et souriante, Charlsie était une employée modèle. Son mari travaillait dans une entreprise de la région, et sa fille aînée venait de se marier. Charlsie avait le chic pour discuter avec les clients sans se montrer insistante et mettre les ivrognes à la porte sans éclats de voix. Bref, c'était la collègue rêvée.

— Oui, répondis-je à Terry avec un temps de retard. Dawn est morte.

— Tu sais comment ?

— Non, mais ça a été violent.

Une image me revint. Du sang sur le drap. Du rouge sur du blanc.

— Maudette, Dawn... marmonna Terry. On n'a pas fini d'en entendre parler.

Surtout *Chez Merlotte* ! La salle était noire de monde. Deux jeunes femmes assassinées en quelques jours, ce n'était pas la publicité rêvée pour notre petite ville, mais elle était diablement efficace.

Sam réapparut vers 14 heures, énervé d'avoir perdu du temps à répondre aux questions de l'inspecteur.

— Bellefleur veut te voir, m'annonça-t-il, profitant de ce que nous étions seuls derrière le comptoir. Il ne doit pas être loin derrière moi.

— Il t'a dit ce qui est arrivé à Dawn ?

— Battue, puis étranglée, murmura-t-il. Elle avait aussi d'anciennes traces de morsures. Comme Maudette.

— Il y a plein de vampires, Sam, dis-je, sur la défensive.

— Sookie…

Il avait l'air de s'inquiéter pour moi. À cause de Bill ? Soudain, je me souvins des quelques instants où il m'avait tenu la main devant la maison de Dawn. Puis je pensai à la façon dont il m'avait mentalement claqué la porte au nez. Décidément, Sam était une énigme…

— Bill est plutôt sympathique, pour un vampire, admit Sam, mais il n'est pas humain.

— Et toi ? m'entendis-je demander.

J'avais lancé ces mots sur une impulsion, mais à présent que je les avais prononcés, ils prenaient une résonance troublante. Qui était vraiment Sam ? D'où lui venait cet incompréhensible pouvoir de fermer son esprit ?

Je n'eus pas le temps d'approfondir ces questions ce soir-là. Le comté tout entier semblait s'être donné rendez-vous *Chez Merlotte*, tout le monde voulait commander en même temps, et la pauvre Charlsie ne parvenait pas à suivre le rythme. Arlène et moi nous partageâmes une partie de ses tables pour lui venir en aide.

Quand le bruit se répandit que c'était moi qui avais découvert le corps de Dawn, l'affluence se fit plus dense encore. En une soirée, j'empochai plus de pourboires qu'en un mois ordinaire. À croire que le meurtre de Dawn était l'événement de l'année !

Je rentrai chez moi recrue de fatigue, avec une

seule idée en tête : me mettre au lit. Pas un instant je ne songeai à mon vampire, relégué à l'arrière-plan de mes pensées par les péripéties de la journée. Quelle ne fut donc ma surprise de reconnaître dans les phares de ma voiture, en entrant dans la cour, la haute silhouette de mon voisin Compton !

Je décidai de l'ignorer, mais il s'approcha de moi dès que j'eus coupé le moteur et ouvrit ma portière. Je descendis de voiture en évitant son regard et me dirigeai vers la maison sans un mot.

— Tu comptes regarder tes pieds toute la soirée ou tu veux bien me dire bonsoir ? demanda-t-il avec flegme.

— Après ce qui s'est passé ?

— Je n'ai aucune idée de ce qui s'est passé. Raconte.

— Je suis fatiguée.

Avant que j'aie pu faire un pas de plus, Bill me souleva et me déposa sur le capot de ma voiture. Puis il se plaça devant moi et croisa les bras.

— Maintenant, je t'écoute, dit-il.

— Dawn a été assassinée, maugréai-je. Comme Maudette Pickens.

Bill haussa les sourcils d'un air interrogateur.

— Dawn ?

— Ma collègue de travail.

— La rousse qui collectionne les maris ?

À ces mots, ma tension se dissipa quelque peu. Je souris malgré moi.

— Non. Une brune. Tu ne l'as pas remarquée, l'autre soir ? Elle a pourtant tout fait pour.

— Oh, celle-là. Elle est passée me voir.

— Chez toi ? Quand ?

— Hier, après ton départ. Elle a eu de la chance de ne pas croiser les trois affreux, ils n'en auraient fait qu'une bouchée.

Je sursautai de stupeur.

— Tu ne l'aurais pas protégée ?

— Je ne pense pas.

— Tu m'as bien protégée, moi !

— Oui, mais tu es différente.

— Je ne vois pas en quoi ! protestai-je.

Du bout du doigt, Bill me tapota le front.

— Tu es différente, répéta-t-il. Ni comme nous, ni comme eux...

Une colère sourde monta en moi. Contre Bill, qui jouait avec moi comme un chat avec une souris. Contre Sam, qui résistait à mes investigations dans son esprit. Contre JB, ses sourires enjôleurs et ses mains baladeuses. Contre Bellefleur et ses interrogatoires sans fin. Contre Dawn, qui avait eu le mauvais goût de mourir aussi stupidement... Et surtout contre moi-même, qui ne parvenais pas à décider si Bill m'attirait ou me terrorisait.

Hors de moi, je levai la main... et donnai une gifle retentissante à Bill.

Je compris aussitôt mon erreur. S'attaquer physiquement à un vampire est à peu près aussi inepte que s'en prendre à mains nues à un mur de béton armé.

D'abord, je m'étais fait très mal. Ensuite, Bill me jeta un regard si furieux que je crus un instant qu'il allait me tuer. De fait, il referma ses mains sur mes bras et me souleva dans les airs. Avec un hurlement d'effroi, je fermai les yeux, persuadée que ma dernière heure était arrivée.

Lorsque je les rouvris, Bill me tenait serrée

contre lui. Il haletait, et moi aussi. À part cela, il semblait calme, comme si rien ne s'était passé.

— Maintenant, tu vas me dire pourquoi je suis censé être au courant de la mort de ta collègue, dit-il en me caressant le dos.

L'oreille contre son torse, j'entendis résonner sa voix, qui me parut soudain plus chaude. Bill était si rassurant ! Je me lovai contre lui... avant de m'écarter dans un sursaut.

Je devenais folle ! Rassurant, un vampire ?

— On a trouvé d'anciennes morsures sur ses cuisses, répondis-je.

— Comme sur Maudette, murmura Bill d'un ton pensif. C'est ce qui a entraîné le décès ?

— Non. On l'a étranglée.

— Alors, elle ne peut pas avoir été tuée par un vampire.

Il avait parlé avec une telle assurance que je levai les yeux vers son visage, intriguée.

— Et pour quelle raison, je te prie, monsieur le Maître des Ténèbres ?

Un imperceptible sourire étira les coins de ses lèvres.

— Un vampire l'aurait bue jusqu'à la dernière goutte. Il n'aurait pas gaspillé tout ce bon sang.

C'était bien ce que je pensais. J'étais folle de me sentir en sécurité auprès de cette créature !

— Dans ce cas, dis-je, il s'agit soit d'un vampire pas très gourmand, soit d'un tueur en série qui ne s'en prend qu'aux femmes qui ont eu des relations avec des vampires.

Dois-je le préciser ? Aucune de ces deux hypothèses ne me rassurait.

— Tu crois que cela pourrait être moi ? demanda Bill.

— Entre nous, tu fais tout pour que j'envisage cette possibilité. Tu ne rates pas une occasion de me rappeler à quel point tu peux être cruel !

— Entre nous, tu as raison. Je pourrais être le coupable. Mais je te donne ma parole que ce n'est pas le cas. Je suis revenu ici pour mener une existence pacifique.

Un vampire qui recherchait désespérément un foyer… Je dus le regarder d'une drôle de façon, car il fronça les sourcils d'un air contrarié.

— Et je ne veux pas de ta pitié, Sookie Stackhouse. Je n'en ai que faire.

Il me décocha un regard d'une telle intensité que j'eus le sentiment qu'il tentait de nouveau son fameux charme sur moi.

— Laisse tomber, Bill, ça ne prend pas. Je t'ai déjà dit que tes petits tours ne marchaient pas avec moi.

Ce n'était pas tout à fait exact. En réalité, j'étais déjà sous son charme. Je l'étais depuis le soir où j'avais posé les yeux sur lui pour la première fois.

Il me regarda sans rien dire un long moment. Ses lèvres n'étaient qu'à quelques centimètres des miennes. Un instant, je crus qu'il allait m'embrasser.

Tout en luttant contre une folle envie de passer mes bras autour de son cou pour l'attirer à moi – de quoi aurais-je eu l'air, après mes déclarations ? –, je détournai le visage.

— Alors, admettons que tu n'es pour rien dans ces meurtres… Au fait, qu'entendais-tu hier soir par : « Elle est à moi » ? C'est ce que tu as déclaré aux autres vampires.

— C'est simple : s'ils essaient de te mordre, je les tue.

— Pourquoi ?
— Parce que tu es mon humaine.
— Je ne suis pas certaine de savoir ce que cela implique précisément, dis-je avec méfiance. Et tu ne m'as pas demandé si j'étais d'accord.
— Quoi que cela signifie précisément, dit Bill en singeant mon accent, cela vaut mieux que d'être l'humaine de Diane, de Malcolm ou de Liam, tu peux me croire.
Inutile d'insister, il n'en dirait pas plus. Soudain, une idée me traversa l'esprit.
— Si on allait faire un tour à Shreveport ?
— Pardon ?
— Il y a un bar pour vampires, là-bas. Maudette le fréquentait, et peut-être Dawn également. Tu ne veux pas m'y emmener ?
— Cela ne reviendrait pas à marcher sur les plates-bandes des enquêteurs ?
— Bellefleur ne se donnera pas la peine de chercher jusque-là.
— Tiens, il y a encore des Bellefleur ici… murmura Bill d'un ton nostalgique.
— Bien sûr ! Andy, l'inspecteur, sa sœur Portia, son cousin Terry…
J'étouffai un bâillement.
— On reparlera de tout ça plus tard, d'accord ? Je tombe de sommeil. Je vais aller me coucher.
— Entendu. Quelle est ta prochaine soirée de repos ?
— Après-demain.
— Je passerai te prendre au coucher du soleil avec ma voiture.
— Tu en as une ?
— Il faut vivre avec son temps, répliqua Bill, fataliste, avant de disparaître dans la nuit.

5

Chez Merlotte, chacun avait sa théorie sur la mort de Dawn et Maudette, mais tout le monde s'accordait sur un point : les deux jeunes femmes n'étaient peut-être que les premières d'une longue liste. Je ne comptai pas le nombre de fois où l'on me conseilla d'être prudente, de ne pas me fier aveuglément à mon ami Bill Compton et de fermer ma porte à clé le soir. Comme si j'étais trop sotte pour y penser toute seule !

Jason, qui avait fréquenté les deux disparues, eut droit à son lot de commisération… et de suspicion. Cette histoire l'affecta plus que je ne l'aurais cru. C'était la première fois que je voyais Jason le Superbe en rabattre un peu ! Je n'irais pas jusqu'à dire que cela me réjouissait, mais d'une certaine façon, je n'étais pas fâchée qu'il se montre sous un jour un peu plus humain. Que voulez-vous ? Je ne suis pas parfaite.

Je suis même si peu parfaite que ma principale préoccupation ce jour-là fut de me demander quelle tenue je porterais le soir où Bill m'emmènerait à Shreveport. J'avais déjà une vague idée des goûts de mon vampire en matière d'élégance féminine, et par ailleurs, il n'était pas question que j'enfile la ridicule tunique à la mode dans ce genre d'endroits – sans compter que je n'aurais pas su à qui m'adresser pour en trouver une.

J'optai finalement pour une robe taillée dans un imprimé blanc semé de grosses tulipes rouges, avec laquelle je mis de fines sandales rouge vif. C'était une petite robe courte, près du corps, plus sexy que mes tenues habituelles. Tout ce que Bill devait détester.

— Superbe ! déclara Granny lorsque je sortis de ma chambre.

Je tâchai d'oublier que la soirée en perspective n'était pas à proprement parler un rendez-vous galant, dans la mesure où j'en avais pris l'initiative et où nous étions, Bill et moi, en « mission commandée ».

Sam m'appela pour m'informer que ma paie m'attendait. Je pouvais passer prendre mon chèque tout de suite. Je me rendis au bar, mal à l'aise à l'idée d'apparaître ainsi vêtue sur mon lieu de travail.

Comme je le craignais, mon arrivée fut saluée par un silence stupéfait. Sam me tournait le dos, mais Lafayette ouvrit de grands yeux, ainsi que René et JB, qui étaient assis au comptoir, et que Jason, qui suivit leurs regards.

— Que tu es belle ! s'exclama Lafayette. Où as-tu trouvé cette jolie robe ?

— Ce vieux truc ? Au fond de mon armoire.

— Eh bien, tu devrais la porter plus souvent ! commenta JB.

Sam se retourna à cet instant. Je vis ses yeux s'écarquiller sous le coup de la surprise.

— Nom de nom, murmura-t-il.

Puis il se leva et ajouta :

— Viens, ton chèque t'attend.

Une fois dans son bureau, il fourragea dans les piles de papiers qui encombraient sa table de travail, trouva le chèque, mais ne me le tendit pas.

— Tu sors ? demanda-t-il d'un ton détaché.

— Oui, j'ai un rendez-vous.

Il me décocha un regard brûlant.

— Tu es superbe.

— Merci, Sam. Hum... je peux avoir mon chèque ?

Il parut s'apercevoir qu'il l'avait encore à la main. Il me le donna avec une brusquerie d'automate, et je le glissai aussitôt dans mon sac à main.

— Bonsoir, Sam.

— Bonsoir, Sookie.

Au lieu de me faire un signe pour me dire au revoir, il vint se placer entre moi et la porte, me bloquant le passage. Puis il se pencha vers moi et approcha son nez de mon cou pour humer mon parfum. C'était si inattendu que je ne réagis pas. J'eus l'impression qu'il évaluait mon odeur, si absurde que cela paraisse. Lorsque je retrouvai enfin mes réflexes, je bondis de côté, ouvris la porte et traversai le bar à grands pas en tentant de chasser la question qui me taraudait.

Que signifiait l'extraordinaire comportement de Sam ?

Une Cadillac noire était garée dans la cour de la maison, la carrosserie lustrée comme le pelage d'un fauve. Bill était déjà là. Je me garai et grimpai en courant les marches de la véranda.

Mon vampire était assis sur le canapé, en

grande conversation avec Gran, qui avait pris place en face de lui. Je le vis tourner la tête à mon arrivée et se figer, les yeux soudain brillants de colère, une expression d'intense désapprobation sur le visage.

Il n'aimait pas les tulipes, peut-être ?

— J'aurais sans doute dû choisir des chrysanthèmes, cela aurait été plus dans le ton ?

Je n'osai ajouter « pour rendre visite aux morts vivants », de peur d'alarmer Granny. Celle-ci me regarda sans comprendre. Bill fronça les sourcils, puis parut se détendre.

— Non, tu es parfaite, dit-il en se levant pour déposer un baiser sur ma joue.

Puis il se tourna vers Granny.

— Bonsoir, madame Stackhouse. C'est toujours un plaisir de discuter avec vous.

— Tout le plaisir a été pour moi. Amusez-vous bien, mes enfants. Et vous, Bill, soyez prudent au volant et ne buvez pas trop.

Bill lui jeta un regard interloqué.

— Promis, dit-il en m'entraînant vers la porte, un sourire aux lèvres.

— Je suis désolée, lui murmurai-je tandis que nous quittions la maison.

— Pour ta robe ?

— Non, pour Granny. Elle a dit ça sans réfléchir.

— Et toi, tu t'es habillée sans réfléchir.

Il m'ouvrit la portière côté passager, avant de la refermer avec douceur et de prendre place derrière le volant. Je me demandai qui lui avait appris à conduire. Henry Ford, sans doute.

Nous remontâmes en silence l'allée cahoteuse qui menait à la route.

— Désolée, dis-je en baissant les yeux. Je vois que ma tenue ne te plaît pas.

— Si.

— Alors, pourquoi es-tu fâché ?

— Je ne suis pas fâché, répondit Bill en arrêtant la voiture au milieu de l'allée. Je suis inquiet. Tu es bien trop appétissante pour l'endroit où nous allons.

— Ne te moque pas de moi, s'il te plaît.

Il me souleva le menton pour m'obliger à le regarder. Son regard brillait de fièvre.

— J'ai l'air de me moquer de toi ? murmura-t-il.

Je secouai la tête, trop émue pour parler. Dans ses yeux brûlait une flamme lumineuse et sensuelle qui me bouleversait.

Le Croquemitaine se trouvait dans la zone commerciale de Shreveport. À cette heure tardive, tout était fermé, à l'exception du bar. L'enseigne au néon rouge clignotait dans la nuit au-dessus de la porte peinte dans la même couleur.

Le propriétaire devait avoir un faible pour le rouge et le gris, car la salle était entièrement décorée dans ces nuances. Une serveuse vampire se dirigea vers nous à notre arrivée et me demanda une pièce d'identité. Bill, qu'elle reconnut aussitôt comme l'un des siens, fut accueilli par un hochement de tête presque chaleureux.

Avec son teint livide et sa longue robe noire aux manches chauve-souris, elle semblait vraiment arriver d'outre-tombe. Je ne pus m'empêcher de songer que sa tenue de travail était moins pratique que la mienne.

— Voilà des siècles qu'on ne m'a pas demandé mes papiers ! maugréai-je en ouvrant mon sac à main pour y prendre mon permis de conduire.

Elle me regarda d'un air pincé.

— Enfin, des siècles... façon de parler, ajoutai-je en lui tendant le document.

— Je ne suis plus capable de déterminer l'âge des humains, et nous devons veiller à ne pas faire entrer de mineurs.

Elle me rendit mon permis et adressa à Bill un sourire enjôleur.

— Voilà bien longtemps que je ne t'ai pas vu, ajouta-t-elle à son intention.

— Oui, j'essaie de m'assimiler.

Je suivis Bill dans la salle, intriguée par sa dernière remarque, mais n'osant pas le questionner. Les murs étaient ornés d'affiches de films. *Le Bal des vampires, Nosferatu, Entretien avec un vampire,* tous y étaient, du plus célèbre au plus confidentiel.

Dans la lumière tamisée, je vis une nombreuse clientèle. Il y avait là des vampires, bien entendu, mais aussi des humains, amateurs de sensations fortes ou simples touristes venus en curieux. Quelques illuminés poussaient la plaisanterie jusqu'à porter les fameuses tuniques noires des mordus, ces personnes qui prenaient du plaisir à se faire mordre par un vampire ; d'autres arboraient des canines factices, ou encore des traces de sang soigneusement dessinées au pinceau aux commissures des lèvres ou à la base du cou. C'était à la fois fascinant et pathétique.

Au milieu de ces humains plus ou moins déguisés se trouvaient d'authentiques vampires. Ceux-là n'avaient rien à faire pour paraître inquiétants :

leur teint spectral et leur regard fiévreux en disaient assez.

Bill me prit la main et m'entraîna vers le bar, où il commanda un verre de sang tiède, ce qui me fit frissonner de dégoût. Pour ma part, je demandai un gin tonic. Le barman m'adressa un sourire gourmand, dévoilant la pointe de ses canines. C'était un Amérindien au teint cuivré et aux pommettes hautes.

— Salut, Bill, dit-il en poussant un verre empli d'un liquide rouge devant lui. Tu as apporté ton dessert ?

Il me désigna du menton.

— Je te présente Sookie, dit Bill. Elle a quelques questions à te poser.

Le barman me servit à mon tour, tout en me dévisageant avec intérêt. Tandis qu'il posait mon verre devant moi, je pris plusieurs photos dans mon sac à main.

— Avez-vous déjà vu l'une de ces trois personnes ici ?

Non sans appréhension, je déposai sur le comptoir des clichés de Dawn, de Maudette... et de Jason. La réponse du barman tomba aussitôt.

— Les femmes, oui, mais pas l'homme. À mon grand regret, d'ailleurs. Votre frère ?

Je hochai la tête.

— Il est aussi charmant que vous.

Je m'efforçai d'accueillir sa remarque avec indifférence.

— Savez-vous qui ces femmes fréquentaient ?

Son visage se ferma.

— Ici, on ne prête pas attention à ce genre de détails.

— Je comprends, répondis-je aussi poliment que possible, consciente d'avoir enfreint la « loi du silence » qui régnait ici.

Dans un endroit comme celui-ci, les clients appréciaient une certaine discrétion.

— C'est très aimable à vous de m'avoir répondu, ajoutai-je.

J'allais reprendre mes photos lorsque le barman tapota l'une d'elles du bout du doigt. Celle de Dawn.

— Cette femme… elle voulait mourir.

— Comment le savez-vous ?

— Tous ceux qui viennent ici cherchent plus ou moins la même chose, répondit-il sur le ton de l'évidence.

Il me décocha un regard indéchiffrable.

— La mort. Après tout, c'est bien ce que nous sommes, nous autres, non ? Des morts en sursis !

Pour toute réponse, je frissonnai.

Bill prit mon bras pour me guider vers un box qui venait de se libérer. Affichés sur les murs, des panonceaux rappelaient les règles de bonne conduite : « Pas de morsure sur place », « Prière de ne pas s'attarder sur le parking » ou encore « Nous informons notre aimable clientèle que les morsures sont à ses risques et périls ».

Une fois que nous fûmes assis, Bill but une large rasade de sang. Je détournai le regard, mais une seconde trop tard. J'étais fascinée et révulsée.

— C'est la vie, dit-il en essuyant une goutte de sang qui perlait à ses lèvres. Il faut que je me nourrisse.

— Bien sûr.

Je lui souris, mal à l'aise.

— Dis-moi, Bill, est-ce que tu crois que moi aussi, je veux mourir, puisque je suis avec toi ?

— Non. Tu veux seulement comprendre pourquoi certaines personnes jouent avec la mort.

Quelque chose dans sa voix manquait de sincérité, mais je n'eus pas le temps de lui répondre. Une mordue très mince, pour ne pas dire maigre, aux longs cheveux bouclés, s'était approchée de nous. Elle s'accouda à la table et se tourna vers Bill, sans m'accorder un seul regard. Puis, d'un ongle écarlate, elle désigna le verre plein aux trois quarts de sang synthétique.

— Si tu préfères, j'en ai du vrai, chéri.

Craignant sans doute de ne pas s'être montrée assez claire, elle caressa la base de son cou.

— Au cas où vous ne l'auriez pas remarqué, je ne suis pas seul, dit Bill d'un ton froid mais poli.

La femme tourna alors les yeux vers moi, comme si elle découvrait seulement ma présence. Elle haussa un sourcil méprisant.

— Elle ? Tu ne l'as même pas goûtée, elle n'a pas une marque.

Je faillis grincer des dents. De quel droit cette péronnelle se montrait-elle aussi insistante ?

— Mêlez-vous de vos affaires, riposta-t-il, nettement moins courtois, cette fois-ci.

La fille lui décocha un regard furibond.

— Tu ne sais pas ce que tu manques, maugréa-t-elle.

Je la vis s'éloigner, furieuse et dépitée. Hélas, elle n'était que la première. Trois autres mordus, un homme et deux femmes, se présentèrent après elle pour offrir leurs services à Bill, sans la moindre honte. J'étais sans doute plus choquée d'entendre leurs propositions qu'ils ne l'étaient de les formuler !

Par chance, Bill ne se départit pas de sa courtoisie glaciale.

— Eh bien, tu ne dis rien ? demanda-t-il après le départ du dernier mordu.

— C'est que je n'ai pas grand-chose à dire.

Il m'observa longuement.

— Tu as le droit de les envoyer paître. Ou de me demander de te laisser seule. Il n'y a personne ici avec qui tu aimerais passer du temps ? Grande Ombre serait ravi de s'occuper de toi.

Il désigna le barman d'un geste.

— Il n'en est pas question !

Pour rien au monde je n'aurais voulu rester seule avec un vampire. J'avais trop peur de tomber sur des répliques de Liam ou Diane !

— Il faut que j'interroge d'autres vampires, dis-je. Peut-être l'un d'entre eux a-t-il connu Dawn ou Maudette.

— Tu veux que je reste avec toi pour t'aider ?

— Oui, s'il te plaît.

J'avais répondu avec une précipitation qui ne trompait pas. J'étais terrorisée à la perspective d'adresser la parole aux vampires qui nous entouraient.

— Tu es sûre que tu ne préfères pas que je te laisse ? Je vois un vampire là-bas qui te dévore des yeux. Il est séduisant, tu ne trouves pas ?

Je posai brièvement les yeux sur l'individu qu'il me montrait. Grand, blond, athlétique, le vampire avait un physique de Viking. Il émanait de lui une aura de violence froide qui me glaçait l'échine.

— Il s'appelle Éric, ajouta Bill.

— Vieux ?

— Ce qu'il y a de plus vieux dans ce bar.

— Cruel ?

— Comme n'importe lequel d'entre nous, Sookie. Il est aussi puissant et aussi dénué de pitié que nous tous.

— Sauf toi.

Il plongea son regard noir dans mes yeux.

— Qu'en sais-tu ?

— Je le sais, c'est tout.

Bill émit un de ces petits rires silencieux dont il avait le secret.

— Allons voir Éric, dit-il en se levant.

Le vampire était assis à une petite table à l'écart, en compagnie d'une de ses congénères d'une beauté aussi frappante que la sienne. À plusieurs reprises, je les avais vus repousser des propositions de mordus.

— Bonsoir, Bill, dit Éric en hochant la tête à notre approche.

Je les observai avec curiosité. Les vampires ne se serraient donc jamais la main ? Bill me retint à son côté d'une poigne ferme et fit halte à bonne distance de la table. Cela devait représenter une marque de bienséance chez les vampires.

La compagne d'Éric me dévisagea sans discrétion. Elle avait un visage doux et rond, une bouche rose et un teint de porcelaine que bien des humaines lui auraient envié. Puis elle sourit, et l'apparition de ses canines entre ses lèvres charnues fit voler tout son charme en éclats.

— Tu ne nous présentes pas ton amie, Bill ? demanda-t-elle.

— Bonsoir. Je m'appelle Sookie Stackhouse.

— N'est-elle pas charmante ? s'exclama Éric à l'intention de Bill.

— Non, pas spécialement, dis-je.

Le vampire me jeta un regard stupéfait, avant d'éclater de rire.

— Sookie, permets-moi de te présenter Pam, dit-il.

Bill et Pam s'adressèrent le salut vampire, qui consistait à hocher la tête d'un air distant. J'allais prendre la parole lorsque mon compagnon me serra le bras à me faire mal.

— Sookie aimerait vous poser une ou deux questions, dit-il.

Les deux vampires échangèrent un regard blasé.

— Combien mesurent nos crocs et dans quel type de cercueil est-ce que nous dormons ? demanda Pam sans dissimuler son mépris.

— Pas du tout, mademoiselle, répondis-je aussi poliment que possible.

Pam écarquilla les yeux, surprise. J'ouvris mon sac à main, en espérant que Bill n'allait pas me serrer le bras de nouveau. C'est qu'il n'y allait pas de main morte ! Par chance, il ne bougea pas. Je tendis les photographies de Dawn et de Maudette à la femme vampire, omettant volontairement celle de Jason – ç'aurait été comme placer un bol de crème devant un chat.

Je vis Pam et son compagnon se pencher vers les deux clichés avec curiosité. Bill, quant à lui, s'était composé un visage parfaitement inexpressif.

— Je la connais, dit Éric en désignant la photo de Dawn. J'ai été avec elle. Elle aime souffrir.

Pam eut l'air surprise que son compagnon me

réponde. Elle se sentit peut-être obligée de suivre son exemple, car, à son tour, elle dit :

— Je me rappelle les avoir vues toutes les deux.

Elle montra Maudette.

— Elle m'a fait pitié.

— Je vous remercie infiniment, dis-je en rangeant mes clichés. Merci d'avoir pris du temps pour me répondre.

Je pivotai sur mes talons. Du moins, j'essayai. En vain. Bill me retenait d'une main d'acier, m'interdisant tout mouvement.

— Dis-moi, Bill, tu es très attaché à ton amie ? demanda Éric.

Il me fallut une seconde pour comprendre ses paroles. Éric voulait m'« emprunter » à Bill ?

— Elle est à moi, répondit ce dernier d'un ton poli mais ferme.

Éric hocha la tête et m'observa de nouveau longuement, mais il n'insista pas. Enfin, Bill donna le signal du départ. Après s'être incliné devant ses deux congénères, il m'entraîna à sa suite.

— Tu n'étais pas obligé de me brutaliser, murmurai-je en me dégageant de son emprise. Je vais avoir un bleu au bras !

— Ils ont plusieurs siècles de plus que moi, répliqua Bill d'un ton respectueux qui me surprit.

— Ah, il y a une hiérarchie chez les vampires ? C'est l'ancienneté qui compte ?

Les lèvres de Bill frémirent imperceptiblement.

— En quelque sorte…

Nous réintégrâmes notre box.

— Pourquoi n'as-tu pas protesté quand les mordus ont essayé de m'enlever à toi ? me demanda mon compagnon.

Il avait l'air sincèrement étonné. Je laissai échapper un soupir las. Pourquoi était-ce à moi d'expliquer à Bill les subtiles nuances des relations humaines ?

— Écoute, Bill, quand tu es venu chez moi, c'était sur mon invitation. Ce soir, c'est encore moi qui t'ai proposé cette virée à Shreveport. Tu ne m'as jamais demandé de sortir avec toi. Tu comprends ? C'est toujours moi qui fais la démarche. Je ne vois pas quels droits j'aurais sur toi !

— Ni moi sur toi. Et pour en revenir à Éric, il a plus de prestance que moi. Il est plus puissant, et d'après ce qu'on dit, c'est un amant inoubliable. Il est si vieux qu'il n'a besoin que d'une gorgée de sang pour se nourrir, si bien qu'il ne tue presque plus. Pour un vampire, c'est quelqu'un de bien. Tu lui plais, c'est évident. Si je n'étais pas avec toi, il te charmerait.

— Je n'ai rien à faire avec cet individu.

— Et moi, je n'ai rien à faire avec les mordus.

Un long silence suivit cet échange.

— Alors, nous nous convenons parfaitement l'un à l'autre, dis-je enfin.

— Exact.

Nous nous plongeâmes de nouveau dans le silence.

— Tu veux un autre verre ? proposa Bill.

— Oui, à moins que tu ne préfères rentrer.

Bill se leva et se dirigea vers le bar. Du coin de l'œil, je vis Pam s'en aller. Éric me lorgnait avec insistance. Quelques instants plus tard, il me sembla percevoir des ondes autour de moi. Ce satané Éric essayait son charme sur moi !

Je croisai brièvement son regard. Comme je m'y étais attendue, il me fixait intensément. Que s'imaginait-il ? Que j'allais sauter sur la table en ôtant ma robe ? Me mettre à aboyer ? Me jeter à ses pieds ? Qu'il aille au diable !

Bill revint avec nos verres.

— Il va vite s'apercevoir que je ne réagis pas comme les autres, marmonnai-je.

Bill comprit aussitôt.

— De toute façon, il est mal placé pour protester. Il passe outre un interdit. Il tente de te séduire alors que je lui ai dit que tu étais à moi.

— Je ne comprends pas.

— C'est une règle non écrite chez les vampires. À partir du moment où j'ai déclaré que tu m'appartiens, personne n'a le droit de te mordre.

— Ah, oui, je t'appartiens ? ripostai-je d'un ton plus caustique que nécessaire.

— Cela signifie que je te protège, répliqua Bill, pincé.

— Tu veux dire, comme un souteneur ? La belle affaire ! Il ne t'est jamais venu à l'esprit que je...

Oh, et puis flûte ! À quoi bon discuter avec cette tête de mule ? Je me tus, plus agacée que je ne l'aurais voulu par les déclarations de Bill. À quoi bon proclamer que je lui appartenais, puisque pas une fois il n'avait pris l'initiative de m'embrasser ? Son comportement était de plus en plus inexplicable.

— Qu'est-ce qui aurait dû me venir à l'esprit ? demanda Bill. Que tu n'as pas besoin de mon aide ? Que c'est toi qui me protèges ?

Comme je ne répondais pas, il prit mon visage entre ses mains pour m'obliger à le regarder – un geste qui lui était familier. Ses yeux plongèrent dans les miens, avec tant d'intensité que je crus qu'il lisait en moi.

Lorsqu'il me libéra enfin, je poussai un long soupir de soulagement et de frustration mêlés. Je laissai mon regard errer sur la salle.

— Que ces gens sont ennuyeux ! murmurai-je.

— Tu peux te connecter à leur esprit ?

Je hochai la tête.

— À quoi pensent-ils ?

— À trois choses. Au sexe, au sexe et au sexe.

Bill éclata de rire. Pourtant, c'était la pure vérité. Tout le monde dans cette salle nourrissait des rêves érotiques. Les mordus fantasmaient sur les vampires, et les touristes tentaient d'imaginer les étreintes des premiers et des seconds.

— Et toi, Sookie ? À quoi penses-tu ?

— Pas au sexe ! répondis-je avec une précipitation qui semblait démentir mes propos.

Pourtant, c'était la stricte vérité. Car je venais de faire une découverte aussi inattendue que déplaisante.

— Alors, à quoi ?

— Je crois que nous allons avoir du mal à quitter ce bar sans embûche.

— À cause de quoi ?

— Du client assis là-bas…

D'un signe discret, j'indiquai un box à l'écart.

— … qui n'est autre qu'un flic en civil. Il revient des toilettes, où il a surpris un vampire occupé à mordre un humain. Il a appelé du renfort ; ses collègues ne vont pas tarder.

— On s'en va, déclara Bill d'un ton parfaitement calme.

Une seconde plus tard, nous nous étions levés et nous dirigions vers la porte du bar. En passant à la hauteur de la table d'Éric, Bill fit signe à celui-ci, qui nous emboîta le pas avec fluidité. Le viking nous dépassa et franchit la porte juste devant nous, entraînant dans son sillage la femme vampire vigile.

Je me souvins alors de Grande Ombre, le barman qui avait si obligeamment répondu à mes questions. Je me retournai et lui fis signe de nous suivre. L'Amérindien me jeta un regard surpris, mais déjà, Bill m'avait prise par la main pour m'entraîner vers le parking. Lorsque je regardai de nouveau le bar, je vis, par la fenêtre, Grande Ombre jeter son torchon sur le comptoir.

Éric était déjà devant sa voiture, une Corvette rutilante.

— Que se passe-t-il ? demanda-t-il.

— Il va y avoir une descente de police dans quelques instants, répondit Bill.

— Comment le sais-tu ?

— C'est moi qui le lui ai dit.

Eric se tourna vers moi et me regarda d'un air interrogateur. Je n'allais pas couper à une petite explication.

— Je l'ai lu dans l'esprit d'un policier déguisé en client.

— Vraiment ? murmura Éric en me considérant avec un intérêt renouvelé. J'ai connu une médium, un jour. Ça a été une expérience fabuleuse.

— C'était aussi son avis ? demandai-je sèchement.

À mon côté, Bill se figea. Éric éclata de rire.

— Au début, dit-il.

On ne pouvait être plus ambigu !

Une sirène de police hurla tout près de nous, mettant un terme à notre échange. En un éclair, Éric et la vampire vigile bondirent dans la Corvette, qui sortit du parking en trombe. Bill et moi les imitâmes aussitôt.

Il était temps ! À peine quittions-nous le parking par une issue qu'une voiture de police entrait par une autre, suivie d'un second véhicule, un Vamp Van, l'une de ces fourgonnettes spécialement aménagées pour transporter des morts vivants, équipées de barreaux argentés et conduites par deux policiers au teint inhabituellement livide. J'eus le temps de voir les deux vampires en uniforme sauter de leur véhicule et se ruer vers l'entrée du bar.

Nous roulâmes sur une centaine de mètres, puis Bill quitta vivement la route et engagea la voiture dans un petit parking désert, où il se gara.

— Bill, qu'est-ce que...

Je n'avais pas fini ma phrase que déjà, il se penchait vers moi et m'attirait à lui. Craignant qu'il ne fût en colère – après tout, je n'avais pas ménagé Éric le Vénérable –, je tentai de le repousser. Naïve que j'étais ! Autant essayer de repousser un chêne s'abattant sur vous ! Une seconde plus tard, Bill avait trouvé mes lèvres.

Le moins qu'on puisse dire, c'était qu'il savait embrasser. Lorsqu'il s'écarta de moi, après un long baiser, j'avais perdu toute notion du temps et de l'espace. Je n'avais qu'une certitude : si je devais un jour connaître l'amour, ce serait dans les bras de Bill, et de lui seul.

— On y va, grommela-t-il en caressant une dernière fois mes cheveux, comme à regret.

Je le regardai, intriguée. Lui avais-je déplu ? Était-il déçu par ma « performance » ? Après tout, je n'avais pratiquement aucune expérience en matière de baisers...

Par ailleurs, peut-être était-il préférable que Bill ne me trouve pas à son goût. Il y avait à mon sujet une ou deux petites choses que Bill ne savait pas – que personne, en fait, ne savait – et qui m'obligeaient à ne pas nourrir trop d'espoirs dans le domaine sentimental. Mais j'en reparlerai plus loin.

Quand nous arrivâmes chez Granny, Bill coupa le moteur, se leva et vint m'ouvrir la portière. Lorsque je descendis, il s'écarta pour me laisser passer. Il ne voulait même plus me frôler.

Plus de doute, je l'avais déçu. Je détournai les yeux.

— Je suis désolée de t'avoir importuné, dis-je, désemparée. Je ne recommencerai pas.

Bill ne réagit pas. Puis, d'une voix tendue à l'extrême, il me demanda :

— Comment fais-tu pour être aussi naïve ?

— Secret de fabrication, répliquai-je, morose, en me dirigeant vers la maison.

Bill me suivit. Un instant, j'espérai contre toute attente qu'il allait m'embrasser une dernière fois. Mais il se contenta de déposer un chaste baiser sur mon front, puis s'éloigna d'un pas et dit :

— Bonne nuit, Sookie.

Pour toute réponse, je lui claquai la porte au nez.

6

S'il y avait une chose qui ne m'effrayait plus désormais, c'était l'ennui. En quelques jours, la tranquille routine de mon existence avait été balayée par un tourbillon d'événements plus inattendus les uns que les autres. J'avais failli succomber à l'agression de deux saigneurs, avais été sauvée par un vampire, avais rencontré quelques-uns de ses congénères, et pas des plus recommandables, découvert le cadavre d'une de mes collègues, appris le décès de mort violente de trois autres de mes concitoyens, subi l'interrogatoire d'un inspecteur hargneux, pour finir par échapper de peu à une descente de police dans un bar de vampires.

Et comme si cela ne suffisait pas, j'étais tombée amoureuse de Bill Compton, le vampire de Bon Temps.

Heureusement, il me restait mon travail. Andy Bellefleur semblait avoir pris ses habitudes *Chez Merlotte*, où il venait chaque jour siroter une bière après son travail. J'étais un peu contrariée par son insistance à choisir une de mes tables, mais il était libre de s'asseoir où il le voulait.

Au fil des jours, il mit en place un petit jeu entre nous. Chaque fois que je passais près de lui, il fixait ses pensées sur une image ou des paroles volontairement provocantes, dans l'espoir de me faire réagir. Ce n'étaient pas tant ses fantasmes, d'une banalité à pleurer, qui me gênaient que son manque total de dignité. Pour une raison qui m'échappait, cet homme était obnubilé par l'idée que je lise dans son esprit.

La cinquième ou la sixième fois, il m'imagina au lit avec mon propre frère. J'étais si excédée que mes yeux s'emplirent de larmes. Lorsque je lui apportai sa commande, je lus sur son visage un tel mélange de triomphe, de joie mauvaise et de honte qu'une violente colère monta en moi. Sans penser aux conséquences de mon geste, je lui jetai le contenu de son verre à la figure et je m'enfuis.

— Qu'est-ce qui se passe ? demanda Sam, qui me rattrapa alors que je poussais la porte qui donnait sur l'arrière du bar.

Je secouai la tête et essuyai mes larmes du revers de la main, trop choquée pour parler.

— Cet homme t'a dit des choses déplacées ? me demanda mon patron d'une voix pleine de sollicitude.

— Il s'est contenté de les penser très fort. Il sait que je suis télépathe.

— Le salaud ! fit Sam entre ses dents serrées.

C'était la première fois que je l'entendais proférer un juron, mais cela ne me consola pas. J'éclatai en sanglots et me détournai, gênée.

— Tu peux me laisser seule, hoquetai-je. Ça va passer. Je suis désolée, je suis un peu tendue en ce moment.

Derrière moi, j'entendis la porte du bar s'ouvrir et se refermer. Je crus d'abord que Sam était rentré, mais une voix masculine retentit, qui n'était pas la sienne.

— Excusez-moi, Sookie, dit Andy Bellefleur.

— Mademoiselle Stackhouse, rectifia Sam d'une voix lourde de menaces.

— Vous n'avez pas mieux à faire que de me harceler ? demandai-je. Comme, par exemple, découvrir qui a tué Dawn et Maudette ?

L'inspecteur avait l'air sincèrement embarrassé. Quant à Sam, s'il avait pu rugir de colère, il l'aurait fait. Jamais je ne l'avais vu dans un tel état de rage contenue.

— Écoutez-moi bien, Bellefleur, gronda-t-il, si vous remettez les pieds chez moi, vous choisissez une autre table que celles de Sookie. Compris ?

L'inspecteur toisa Sam avec hauteur. Il faisait une tête de plus que lui et devait bien peser le double, mais je n'aurais pas parié un *cent* sur lui s'ils en étaient venus aux mains. Il dut se faire la même réflexion, car il se contenta d'opiner du chef, avant de s'éloigner en direction du parking des clients.

— Je suis navré, Sookie, dit Sam.

— Tu n'y es pour rien.

— Rentre chez toi, si tu veux. De toute façon, il n'y a pas grand monde aujourd'hui.

— Pas question ! Je finis mon service.

Je rentrai dans la salle et, m'étant assurée qu'aucun de « mes » clients n'avait besoin de moi, je passai derrière le comptoir pour essuyer des verres.

— Il paraît que Bill Compton doit donner une conférence pour les membres du Cercle des héritiers, ce soir ? demanda Sam.

— C'est ce que j'ai cru comprendre.

— Tu y vas ?

— Je n'en avais pas l'intention.

Il parut hésiter.

— Est-ce que… tu voudrais m'y accompagner ? On pourrait aller prendre un café ensuite.

Je faillis en lâcher mon verre. Je songeai au contact de la main de Sam dans la mienne, le jour où j'avais découvert le cadavre de Dawn, à ses pensées qui m'étaient impénétrables, à son regard bleu délavé, si émouvant… et à la bêtise que ce serait de sortir avec mon patron.

— Pourquoi pas ? m'entendis-je répondre.

Quelle sotte ! Pourquoi avais-je dit cela ? Il était trop tard pour revenir sur mes paroles, à présent. Sam sembla se détendre.

— Parfait. Je passe te prendre à 19 h 20 ce soir ; la réunion est à la demie.

Puis il se dirigea vers son bureau d'un pas rapide, comme s'il craignait que je ne change d'avis.

— Je me demande s'il aurait accepté de venir à l'église de la Sainte-Foi, dit Granny, perdue dans ses pensées.

Il me fallut quelques instants pour comprendre qu'elle faisait allusion à Bill et à la conférence qu'il devait donner ce soir-là. Il était 17 heures, je venais de rentrer du travail. J'étais épuisée par les émotions des heures précédentes, mais je ne voulais rien en laisser paraître devant Gran.

— Je ne vois pas pourquoi il aurait refusé. Tu ne crois pas que c'est du folklore, toutes ces histoires sur les vampires et leur hantise des crucifix ? Au fait, je vais venir, finalement. Sam Merlotte m'a demandé de l'accompagner.

Granny ouvrit des yeux ronds de surprise.

— Ton patron ?

Je hochai la tête.

— Oh ! Très bien, chantonna-t-elle.

De fait, elle paraissait aux anges. La perspective de présenter un vampire à ses amis du Cercle la réjouissait… et celle d'apprendre que j'avais un rendez-vous avec un authentique être humain la comblait de joie.

— Je pense que nous irons en ville boire un café ensuite, dis-je. Alors, ne t'inquiète pas si je rentre plus tard que toi.

— Prends tout ton temps, ma chérie !

Il y avait bien longtemps que je ne l'avais vue aussi joyeuse. Après avoir aidé Granny à mettre dans sa voiture les Thermos de café et les plateaux de petits-fours commandés pour l'occasion, je pris une douche et m'essuyai rapidement. Puis j'ouvris ma penderie, indécise. Devais-je mettre une robe ? Rester simple ? Je choisis finalement un jean et un petit haut en soie écrue sans manches. Avec mes sandales en cuir, ce serait parfait. Je relevai mes cheveux en une queue-de-cheval haute, fixai à mes oreilles de grandes boucles dorées et, pour tout maquillage, passai un peu de brillant sur mes lèvres.

Sam sonna à cet instant. Lorsque je vis sa camionnette dans la cour, je me félicitai d'avoir mis un pantalon. Difficile de grimper dans la cabine avec une jupe étroite !

Je pris mon sac à main, fermai soigneusement la porte d'entrée et rejoignis Sam. Nous n'échangeâmes que quelques mots durant le trajet jusqu'à la bibliothèque municipale, où devait avoir lieu la conférence. Sterling Norris, maire de Bon Temps et grand ami de Gran, se tenait à l'entrée du vieux bâtiment, situé dans la partie la plus ancienne de la ville.

— Mademoiselle Sookie, vous embellissez de jour en jour ! s'exclama-t-il en me voyant. Et ce bon vieux Sam, quel plaisir !

Puis il se pencha vers moi et murmura d'un ton de conspirateur :

— Il paraît que ce vampire est de vos amis ?

— C'est vrai.

— Vous êtes sûre que nous ne risquons rien ?

J'éclatai de rire.

— Absolument. C'est vraiment un chic… type.

Plus je connaissais Bill, plus le mot « vampire » me paraissait incongru pour le désigner. J'aurais aimé disposer d'un vocabulaire plus nuancé pour le définir. Certes, je ne pouvais décemment pas le faire entrer dans la catégorie « hommes ». Par ailleurs, il n'était pas le monstre que beaucoup voyaient en lui. Alors, quel mot devais-je employer ? Mort vivant ? Un peu sinistre. Créature ? C'était encore le terme le moins insultant, mais il avait à mes yeux un grave défaut : il n'exprimait en rien la troublante virilité qui émanait de « mon » vampire.

— Je suppose que je peux vous faire confiance, répondit le vieux monsieur Norris, prudent. De mon temps, tout ceci relevait des contes de fées.

— Mais nous sommes encore de votre temps !

Le vieil homme s'esclaffa et nous indiqua la salle. Sam me prit par la main et m'entraîna vers l'avant-dernier rang de chaises métalliques que l'on avait disposées en demi-cercle autour de l'estrade.

Je consultai ma montre. Il était tout juste 19 h 30, l'heure à laquelle devait commencer la conférence. Il y avait autour de nous une quarantaine de personnes – un public conséquent pour une bourgade perdue comme Bon Temps. Cependant, j'eus beau scruter la salle, nulle part je ne vis la haute silhouette de Bill.

Maxine Fortenberry, la corpulente présidente du Cercle des héritiers, monta sur l'estrade.

— Bonsoir à tous, et merci d'être venus aussi nombreux ! Notre conférencier nous a appelés pour nous prévenir qu'il aurait un peu de retard à cause d'un problème de voiture. Je vous propose donc de procéder à notre réunion habituelle en attendant son arrivée.

Tout le monde s'installa, et il fallut écouter les ennuyeux comptes rendus de lectures historiques dont les membres du Cercle étaient particulièrement friands. Je m'efforçai de rester concentrée sur la discussion en cours, de peur de laisser mon esprit s'ouvrir à des pensées parasites.

— Détends-toi un peu, chuchota Sam à mon oreille.

— Je suis détendue.

— Je ne suis pas certain que tu saches vraiment ce que c'est, répliqua-t-il, mi-figue, mi-raisin.

Je le fusillai du regard, sans autre résultat que de le faire sourire.

Bill choisit cet instant pour apparaître. Il y eut un moment de silence lorsque le public s'aperçut de sa présence, d'autant que nombre de personnes dans l'assistance n'avaient jamais vu un vampire de près. Dans la lueur blafarde des néons, la pâleur de Bill était bien plus frappante que dans la lumière tamisée de *Chez Merlotte*. Impossible de le confondre avec un humain. Même son regard semblait plus noir, plus profond, plus menaçant.

Un murmure inquiet parcourut la petite assemblée lorsqu'il s'approcha de l'estrade. Il portait ce soir-là un pantalon en lainage bleu sombre et une simple chemise blanche qui lui conféraient une élégance nonchalante. À mon avis, il n'aurait pu faire un meilleur choix vestimentaire pour sa « présentation officielle » aux habitants de Bon Temps.

Je le vis échanger quelques mots à voix basse avec la présidente, qui s'était approchée de lui pour lui souhaiter la bienvenue et semblait positivement hypnotisée. Puis il se tourna vers la salle. Avait-il déjà lancé un charme sur ces gens, ou était-on simplement décidé à lui faire bon accueil ? Toujours est-il que les murmures retombèrent, remplacés par un silence attentif.

C'est alors qu'il m'aperçut. Je le vis froncer les sourcils, puis m'adresser un léger hochement de tête. Je lui répondis, incapable de lui sourire. Malgré la foule qui nous entourait, je pouvais percevoir le profond silence qui émanait de lui.

Maxine Fortenberry le présenta au public, mais je ne me souviens pas de ses paroles exactes. Bill prit ensuite la parole. Il avait apporté des notes, ce qui me surprit. Sa mémoire commençait-elle à le trahir, après toutes ces années ?

Près de moi, Sam se pencha en avant, le regard fixé sur le visage de Bill.

— ... nous n'avions pas de couvertures, et très peu à manger, disait celui-ci. Il y a eu beaucoup de déserteurs.

Ce dernier point n'était pas l'aspect de la guerre de Sécession que les Héritiers préféraient, mais nombre d'entre eux hochèrent la tête avec intérêt. Au premier rang, un vieil homme leva la main.

— Excusez-moi, monsieur, dit-il. Est-ce que, par le plus grand des hasards, vous auriez connu mon arrière-grand-père, Tolliver Humphries ?

Bill l'observa quelques instants, le visage impénétrable.

— Oui, répondit-il finalement. Tolliver était mon ami.

Il y avait dans sa voix une inflexion si douloureuse que ma gorge se serra.

— Comment était-il ? demanda le vieil homme, manifestement ému.

— Tolliver était très courageux, et il en est mort. C'était un brave entre les braves.

— Comment est-ce arrivé ? Étiez-vous présent ?

— Oui, dit Bill avec prudence. Cela s'est passé à une trentaine de kilomètres d'ici, dans la forêt. Il a été tué par une balle yankee. Il n'a pas eu le temps de l'éviter, il était trop affaibli par la faim. Comme nous tous, d'ailleurs.

Bill marqua une pause, plongé dans ses pensées. Puis il poursuivit d'une voix lointaine :

— Il faisait très froid ce matin-là. Tolliver a vu l'un des nôtres tomber sous un tir ennemi. Ce pauvre garçon n'était pas mort, mais peu s'en fallait. Il était au milieu d'un champ, à découvert, et nous appelait à l'aide. Toute la matinée, nous l'avons entendu gémir. Nous savions que si personne n'allait le chercher, il mourrait.

La salle écoutait dans un silence religieux.

— C'était insoutenable. J'ai envisagé de l'achever, pour abréger ses souffrances et ne pas risquer la vie d'un autre camarade. Mais je n'ai pas pu m'y résoudre. Cela aurait été un meurtre pur et simple. Plus tard, j'ai regretté cette faiblesse. Tolliver supportait encore moins que moi les râles d'agonie de ce malheureux. Il s'est mis en tête d'aller le chercher. J'ai tenté de l'en dissuader, sans succès. Tolliver était plus têtu qu'une mule, et persuadé d'être investi d'une mission divine. Il était très pieux, sous ses airs bravaches.

« J'ai essayé de le convaincre que le Seigneur n'aurait pas voulu qu'il mette ainsi sa vie en péril, je lui ai rappelé qu'il avait une femme et un enfant qui l'attendaient à la maison, mais rien n'y a fait. Tolliver m'a demandé de créer une diversion, puis il s'est élancé à travers le champ, à la vue de tous. Je n'avais pas d'autre choix que de faire ce qu'il m'avait demandé. Il a réussi à rejoindre notre camarade, puis une balle a sifflé, et il est tombé. Quelques instants plus tard, le blessé a recommencé à gémir et à appeler au secours.

— Qu'est devenu ce garçon ? demanda Maxine.

— Il a survécu, dit Bill d'une voix si tendue que j'en eus des frissons. Nous avons pu aller le récupérer dans la nuit et le sauver.

Je compris alors que personne, parmi les auditeurs, n'était véritablement préparé à entendre le récit de cette guerre et des horreurs qu'elle avait entraînées. Autour de moi, les gens étaient bouleversés.

Bill répondit encore à quelques questions, moins douloureuses, et la séance s'acheva dans un tonnerre d'applaudissements. Même Sam, qui ne portait pas Bill dans son cœur, se joignit aux acclamations.

Rapidement, un essaim de curieux et d'admirateurs se forma autour du conférencier. Tout le monde avait une question personnelle à lui poser. Sam et moi nous éclipsâmes.

Nous nous rendîmes au *Crawdad Diner*, un petit restaurant sans prétention où l'on mangeait très bien. Pendant le repas, nous parlâmes de tout... sauf de Bill.

— C'était intéressant, dit enfin Sam lorsqu'on nous eut apporté le dessert.

— Tu parles de la conférence de Bill ? Oui, passionnant, répondis-je sur le même ton neutre.

— Est-ce que tu es amoureuse de lui ?

Plus direct, on ne faisait pas. Je décidai d'adopter la même franchise. À quoi bon perdre du temps en vaines paroles ?

— Oui.

— Sookie, tu n'as aucun avenir avec lui.

Je tentai de me réfugier dans l'humour.

— Pourtant, il fait preuve d'une belle longévité.

— On ne pourra pas en dire autant de toi si tu continues à le fréquenter, maugréa Sam.

Je ne pouvais le contredire sur ce point, mais je défendis pourtant les qualités de Bill, autant par fierté que par refus d'entendre la proposition de Sam, qui se profilait derrière ses paroles pleines de bon sens.

— Enfin, Sam, tu n'as pas le droit de le juger aussi durement ! dis-je finalement, exaspérée.

— Je ne le juge pas. Mais il se trouve que je t'aime bien. Comme une amie, ou peut-être autrement…

Il rougit légèrement. Ses yeux bleu pâle cherchèrent les miens.

— Je ne voudrais pas qu'il t'arrive du mal, ajouta-t-il.

Je le regardai, mal à l'aise.

— J'ai toujours eu de l'affection pour toi, Sookie.

— Tu n'étais pas obligé d'attendre qu'un autre me montre de l'intérêt pour me le faire savoir.

— C'est vrai. Je mérite ce qui m'arrive.

Il parut chercher ses mots pour dire autre chose, sans toutefois s'y résoudre.

— Rentrons, décidai-je.

Etant donné le tour qu'avait pris la conversation, je ne voyais pas ce que nous pouvions ajouter à ce qui avait déjà été dit. À plusieurs reprises, pendant le trajet de retour, je vis Sam sur le point de parler, puis se raviser, comme s'il ne trouvait pas le courage de dire ce qu'il avait sur le cœur.

La cour était plongée dans l'obscurité, mais Granny avait laissé allumée la lampe de la véranda. Je ne vis pas sa voiture. Sans doute l'avait-elle garée derrière la maison pour pouvoir décharger plus facilement tout ce qu'elle avait apporté à la conférence. Arrivé devant la véranda, Sam gara la camionnette et la contourna pour venir m'aider à descendre.

Manque de chance, mon pied dérapa sur la marche, et je perdis l'équilibre. Je serais tombée si Sam ne m'avait rattrapée au vol. J'allais le remercier lorsqu'il m'attira contre lui.

Ses lèvres se posèrent d'abord sur ma joue, mais sans s'y attarder. Il chercha ma bouche, qu'il trouva. Je me laissai faire. Ce n'était pas désagréable, loin de là... Heureusement, ma conscience se réveilla et, me donnant une tape sur l'épaule, protesta : « Dis donc, fillette, c'est tout de même ton patron ! »

Je me dégageai doucement, mais fermement, de l'étreinte de Sam. Celui-ci me prit alors la main avec douceur et me conduisit jusqu'au pied des marches de la véranda.

— J'ai passé une très bonne soirée, dis-je à voix basse.

— Moi aussi. On remet ça un de ces jours ?

— Je ne sais pas... peut-être.

Je n'avais aucune idée des sentiments que j'éprouvais pour Sam. Il me fallait un peu de temps. Il dut le comprendre, car il n'insista pas. J'attendis qu'il quitte la cour au volant de sa camionnette et éteignis la lampe de la véranda. Puis je me dirigeai vers ma chambre en bâillant. J'étais exténuée et impatiente de me coucher. Pourtant, je m'immobilisai soudain.

Il y avait quelque chose qui n'allait pas.

Je regardai autour de moi, mal à l'aise. Tout était exactement comme d'habitude. Tout... sauf l'odeur. Je humai l'air. Une senteur inhabituelle flottait dans la maison... une senteur cuivrée, âcre, un peu salée.

L'odeur du sang.

— Granny ? appelai-je d'une voix tremblante.

Comme elle ne répondait pas, je me rendis dans sa chambre. La pièce était vide. Un à un, j'allumai les plafonniers de la maison. Ma chambre était vide. La salle de bains était vide. La cuisine était...

Je poussai un hurlement d'horreur. J'avais l'impression que mon cri ne s'arrêterait jamais. Puis j'entendis un bruit de chute, et deux puissantes mains se refermèrent sur moi pour me faire pivoter. La silhouette d'un homme s'interposa entre moi et l'intérieur de la cuisine, me masquant l'effroyable vision.

Je fus soulevée entre deux bras solides, avant d'être déposée avec précaution sur le canapé du salon, loin de la cuisine et du spectacle terrifiant que j'y avais découvert. Ce n'est qu'alors que je reconnus Bill, penché sur moi avec sollicitude.

— Sookie ! dit-il avec fermeté. Cesse de hurler, ça ne sert à rien.

La froideur de son ton fut efficace. Je me tus aussitôt.

— Excuse-moi, murmurai-je en reprenant mes esprits.

— Très bien. Il faut appeler la police.

— Oui.

Comme je ne réagissais pas, il reprit :

— Il faut composer le numéro de la police sur le combiné du téléphone, Sookie.

— Elle est… morte ?

— Oui.

— Tu l'as tuée ?

— Ne dis pas de sottises !

J'avais perdu toute notion de la réalité. Je ne voyais qu'une seule image : Granny, étendue sans vie sur le carrelage de la cuisine, baignant dans une mare de sang. Je regardai Bill sans vraiment le voir.

— Alors, que faisais-tu ici ?

— Ta grand-mère m'a proposé de me déposer à Compton House, mais j'ai d'abord insisté pour que nous passions ici, pour l'aider à décharger sa voiture.

— Pourquoi es-tu resté ?

— Pour t'attendre. Je ne voulais pas que tu sois seule lorsque tu la découvrirais.

— Tu n'as pas appelé la police ?

— Pour être aussitôt accusé du meurtre et que le coupable continue à courir en liberté ?

— Oui, bien sûr...

Je posai ensuite la question qui me brûlait les lèvres.

— Est-ce que tu as vu la personne qui l'a tuée ?

— Non. J'étais rentré chez moi pour me changer.

De fait, il portait à présent un jean et un tee-shirt à l'effigie d'un groupe de rock des années soixante-dix, The Grateful Dead. Les morts reconnaissants. Je laissai échapper un fou rire nerveux. Puis j'éclatai en sanglots. Tout en hoquetant, je me levai et composai le 911.

Cinq minutes plus tard, Andy Bellefleur frappait à la porte.

Jason arriva dès que je pus le joindre. Après avoir appelé divers endroits où je pensais qu'il pouvait être, j'avais fini par le trouver *Chez Merlotte*. Terry Bellefleur tenait le bar ce soir-là en l'absence de Sam. Je lui avais demandé de dire à Jason de venir de toute urgence chez Granny et de prévenir Sam que je risquais d'être absente quelques jours. Il avait dû s'acquitter de la commission immédiatement, car Sam arriva à la maison une quinzaine de minutes plus tard, suivi de peu par Jason.

Lorsque j'annonçai à mon frère que Granny était morte, qui plus est de mort violente, il me regarda d'abord sans réagir. Puis il parut enfin comprendre le sens de mes paroles. Le cœur brisé, je le vis tomber lentement sur ses genoux, comme si le poids de sa souffrance était trop lourd pour lui. Je l'imitai et le serrai contre moi, incapable de trouver les mots pour alléger sa peine.

Nous demeurâmes ainsi de longues minutes, sans rien dire, accablés par la même douleur. Après nos parents, c'était Granny qui nous quittait. Je n'avais plus que lui au monde, et il n'avait plus que moi.

Nous rejoignîmes ensuite Bill et Sam, qui étaient sortis dans la cour pour laisser le champ libre aux enquêteurs dépêchés par la police. La nuit était douce, le ciel parsemé d'étoiles. Avec la maison tout éclairée et les nombreuses allées et venues des agents, on aurait presque pu croire que Granny donnait une fête.

— Que s'est-il passé ? demanda Jason d'une voix brisée par le chagrin.

— Quand je suis rentrée à la maison, expliquai-je, omettant délibérément ma soirée au restaurant avec Sam, j'ai eu l'impression que quelque chose clochait. J'ai regardé dans toutes les pièces. Granny était dans la cuisine. Il était trop tard pour la sauver.

— Dis-moi ce que tu as vu exactement, insista Jason.

Je n'en avais aucune envie, mais mon frère avait le droit de savoir.

— Elle s'est débattue, cela se voyait à ses vêtements déchirés et à son chignon défait. Je ne sais pas qui a fait ça, mais c'est une brute. Elle a perdu beaucoup de sang. Le meurtrier a dû la blesser en essayant de la maîtriser, avant de l'étrangler.

Je détournai les yeux, incapable de supporter la douleur de Jason.

— C'est de ma faute, ajoutai-je dans un sanglot.

— Allons, ne dis pas n'importe quoi.

— Je sais très bien ce que je dis. Ce n'est pas elle qu'il venait tuer, mais moi. Comme Dawn, comme Maudette. Seulement, je n'étais pas là. Alors, il s'en est pris à elle.

— Tu savais que Gran avait décidé de te laisser cette maison ?

Je regardai Jason, interloquée. Etait-ce bien le moment d'aborder cette question ?

— Non, je ne le savais pas. J'ai toujours pensé que nous devions la partager, comme celle de papa et maman.

— Elle t'a aussi laissé tout le terrain.

— Jason, je...

— Elle n'en avait pas le droit ! s'écria-t-il soudain.

Je vis Sam frémir, visiblement indigné par l'attitude de Jason. Quant à Bill, ses yeux avaient pris un éclat plus froid que l'acier.

— Et maintenant, poursuivit Jason d'un ton rageur, c'est trop tard pour y changer quoi que ce soit ! On ne peut rien y faire ! Rien !

Il avait achevé sa phrase dans un cri d'enfant colérique. Bill me prit par la main pour m'entraîner avec lui dans la cour, mais avant de le suivre, j'eus le temps de voir Sam s'approcher de Jason.

— Comment peut-il proférer de telles horreurs ? murmurai-je, choquée au-delà de toute expression par l'attitude de Jason.

— Il ne les pense pas.

Je me tournai vers Bill, stupéfaite.

— Pardon ?

— Il ne pense pas ce qu'il dit.

D'un signe, je l'invitai à poursuivre.

— Il est terrifié par sa propre impuissance à sauver votre grand-mère, et il se sent affreusement coupable. De plus, il a peur de ne pas savoir te protéger du danger qui te menace. Il a besoin d'exprimer sa colère, alors il s'empare du premier prétexte venu, au risque de se montrer injuste et violent.

Je regardai Bill sans cacher mon étonnement.

— Comment sais-tu tout cela ?

— Oh, j'ai un peu étudié la psycho. En cours du soir.

Un chasseur doit connaître sa proie, ne pus-je m'empêcher de songer.

— Ce que j'aimerais comprendre, c'est pourquoi Granny m'a laissé la maison au lieu de la partager entre mon frère et moi.

— Tu finiras bien par le découvrir.

À cet instant, Bellefleur sortit de la maison et se posta sur la véranda, les yeux vers le ciel, comme s'il espérait y trouver une piste.

— Compton ! appela-t-il. J'ai quelques questions à vous poser !

Sans lui répondre, Bill se tourna vers moi.

— Je commence à comprendre pourquoi tu m'as demandé de t'accompagner dans ce bar de Shreveport, murmura-t-il. Tu espérais prouver que d'autres vampires que moi pouvaient avoir tué Dawn et Maudette. Tu voulais me protéger, n'est-ce pas ?

Je ne répondis pas.

— Et maintenant, poursuivit Bill d'une voix tendue, tu crains que Bellefleur n'essaie de m'imputer la mort de ta grand-mère.

— Oui, avouai-je dans un souffle.

Nous avions gagné le couvert des arbres, à la lisière du bois. Bellefleur ne pouvait nous voir depuis la véranda. Il cria à plusieurs reprises le nom de Bill.

— Sookie, dit ce dernier, je suis persuadé, tout comme toi, que c'est effectivement toi qui aurais dû mourir ce soir.

Je réprimai un frisson.

— Ce n'est pas moi qui ai tué Dawn et Maudette, reprit-il. Par conséquent, si les trois meurtres ont été commis par une seule et même personne, mon innocence est évidente. L'inspecteur finira bien par le comprendre, même si c'est un Bellefleur.

À pas lents, nous revînmes vers la maison. J'aurais voulu que les lumières s'éteignent, que tous ces gens disparaissent, que tout redevienne comme avant, quand Granny était là, souriante et bien vivante.

Perdue dans mes pensées, je ne vis pas le coup arriver.

Mon frère apparut soudain devant moi et me donna une gifle. Ce fut si violent et si inattendu que je vacillai et tombai sur le sol. Dans un éclair, je vis Jason se pencher vers moi pour tenter de me frapper de nouveau, puis les mains de Sam et de Bill qui l'empoignaient pour l'éloigner. Les canines de Bill dépassaient de ses lèvres, lui donnant une expression effrayante.

Bellefleur arriva en courant pour séparer les trois hommes, tandis que je me relevais en chancelant, une main sur ma joue douloureuse.

— C'est bon, Compton, l'entendis-je dire. Il ne la frappera plus.

Je ne pouvais pas me connecter à l'esprit de mes deux sauveurs, mais je savais que Bill avait des envies de meurtre et que Sam n'en était pas loin. Mon frère sanglotait, incapable d'une pensée cohérente. Quant à Bellefleur, il nous haïssait tous et n'avait qu'une envie : boucler les quatre cinglés que nous étions, chacun à notre façon, sous n'importe quel prétexte.

Dans un brouillard, je regardai Bill suivre l'inspecteur vers la maison. Une immense lassitude s'empara de moi. Je m'appuyai sur Sam, prise de vertige. Cette effroyable nuit ne finirait donc jamais ?

— Je suppose que tu vas déménager, dit Maxine Fortenberry, qui était venue à la maison me donner un coup de main pour remettre la cuisine en état.

Je la regardai avec surprise.

— Pas du tout.

— Tu veux rester ici après ce qui s'est passé ? Tu n'y penses pas, ma chérie !

— J'ai plus de bons souvenirs que de mauvais, dans cette pièce.

Maxine me jeta un regard étonné.

— Je crois que tu as raison. C'est la meilleure façon de voir les choses. Tu es bien plus fine qu'on le pense, Sookie, ajouta-t-elle avec douceur.

— Merci, dis-je, ne sachant que répondre.

— Est-ce que ton ami va assister aux funérailles ?

— Vous parlez de Bill ? Non, bien sûr.

Elle parut perplexe.

— L'enterrement aura lieu en plein jour, expliquai-je.

Maxine ne semblait toujours pas comprendre.

— Il ne peut pas sortir à la lumière du jour.

— Oh ! Suis-je sotte ! Il brûlerait vraiment ?

— C'est ce qu'on dit.

— Tu sais, c'est une bonne chose qu'il ait donné cette conférence devant le Cercle. Cela permet aux gens d'ici de comprendre que tous les vampires ne sont pas des monstres. Pour ma part, je suis persuadée qu'il est innocent de ces trois meurtres, mais j'ai entendu dire qu'il recevait chez lui des vampires assez inquiétants…

Faisait-elle allusion à Diane, Malcolm et Liam ?

— Les vampires ne sont pas tous les mêmes, Maxine.

— C'est exactement ce que j'ai dit à Andy Bellefleur ! Bill Compton n'est pas comme les autres ; il essaie de s'intégrer, lui. La preuve, il est revenu s'installer sur la terre de ses ancêtres. Tiens, il paraît qu'il vient de finir de faire installer sa cuisine. J'espère qu'il a engagé l'ancien ouvrier de la menuiserie, celui qui…

Je laissai Maxine poursuivre son soliloque, trop épuisée pour lui donner la réplique. Tout de même, j'aurais bien aimé qu'on me dise quel usage un vampire pouvait faire d'une cuisine.

Les obsèques furent grandioses. Granny fut enterrée aux côtés de ma mère et de mon père, dans le caveau familial du cimetière de Renard Parish, entre Compton House et la maison qui était désormais la mienne.

Jason avait eu raison, du moins sur ce point. La propriété me revenait dans sa totalité, ainsi que le terrain et le revenu d'un puits de pétrole que Granny possédait. Son testament stipulait que le peu d'argent qu'il lui restait devait être partagé entre Jason et moi et que je devais céder à celui-ci ma part de la maison de nos parents si je voulais entrer en possession de la maison qu'elle me laissait.

Je songeai que les revenus du pétrole seraient les bienvenus pour faire face aux inévitables frais qui m'attendaient, impôts, taxes foncières et réparations de la maison, que Gran prenait jusqu'à présent à sa charge, du moins en partie.

Durant la cérémonie, Jason se tint à mon côté. Il semblait avoir recouvré son calme – du moins ne me manifesta-t-il aucune hostilité. Il n'eut aucun geste envers moi, ni d'agressivité ni de compassion.

J'éprouvais un sentiment de solitude extrême. Il me semblait que le monde entier m'avait abandonnée. Puis je levai les yeux et vis la foule qui avait envahi le cimetière. Non, je n'étais pas seule. Ils étaient tous là : Sam, dans un costume sombre qui lui donnait l'air étranger à lui-même, Arlène en robe à fleurs, René à son bras, Lafayette un peu plus loin, en compagnie de Terry Bellefleur et de Charlsie Tooten (le bar était donc fermé ?), ainsi que tous les amis de Granny, le vieux M. Norris, Maxine et les autres...

Du reste de la journée, je ne me souviens que d'un événement, qui demeure dans ma mémoire telle une île aux contours nets, surgissant de la brume.

Jason et moi nous trouvions dans le salon pour accueillir les condoléances de nos concitoyens, qui détournaient les yeux de ma joue encore tuméfiée. Une femme s'approcha de nous, maladroite mais pleine de bonnes intentions.

— Comme c'est triste pour vous, mes enfants.

Je la regardai, cherchant en vain à me remémorer son nom.

— Quand je vous vois là, tous les deux, si seuls, je ne peux pas m'empêcher de penser à vos pauvres parents.

Je réprimai un mouvement d'impatience. Où voulait-elle en venir ? Oh, non ! J'entendis ses pensées avant qu'elle ne les exprime, mais il était trop tard pour la faire taire.

— Ce que je ne m'explique pas, poursuivit-elle, c'est l'absence de votre grand-oncle, le frère de votre grand-mère Adèle. Il est toujours de ce monde ?

— Nous n'avons plus de relations avec lui, répondis-je d'un ton sec qui aurait découragé n'importe qui, sauf elle.

— Tout de même, c'était son unique frère ! Il devrait...

Le reste de sa phrase s'éteignit lorsqu'elle capta enfin mon regard furieux.

— Il faut informer l'oncle Bartlett du décès de Gran, dit Jason dès qu'elle eut disparu.

— Appelle-le si tu veux.

— Très bien.

Ce furent les seules paroles que nous échangeâmes de la journée.

7

Je restai à la maison durant les trois journées qui suivirent l'enterrement. Le temps me parut long, j'étais impatiente de reprendre mon travail. Néanmoins, j'avais besoin d'une pause pour ranger la maison et accepter la mort de Granny.

Les premiers jours, tout m'était souffrance – les livres empilés sur sa table de nuit qu'elle ne finirait jamais, les jardinières de pétunias qu'elle ne viendrait plus humer à la tombée de la nuit, et son parfum de rose un peu fanée qui flottait encore dans toutes les pièces de la maison…

Heureusement, Arlène vint m'aider à emballer toutes ses affaires. Je ne conservai rien de Granny, excepté ses bijoux, de faible valeur marchande mais si précieux à mes yeux.

Je mis à profit ces journées de repos forcé pour procéder à un grand ménage de la maison. Avec une muette prière d'excuse à Granny, je déplaçai des meubles, enlevai les rideaux, jetai ou donnai de nombreux objets auxquels je n'étais pas attachée. Cette maison ne devait pas devenir un mausolée; Gran ne l'aurait pas voulu.

Arlène me demanda ce que je comptais faire de la voiture de ma grand-mère, mais je repoussai à plus tard ma décision. Pour l'instant, je n'avais d'énergie que pour m'occuper de la maison. Le reste attendrait.

Nous défîmes le lit de Granny et retournâmes le matelas pour l'aérer. Il s'agissait d'un lit à baldaquin à l'ancienne, que j'avais toujours trouvé très élégant. Tout à coup, je pris conscience qu'il m'appartenait, désormais. Si je le voulais, je pouvais m'installer dans cette chambre et profiter de sa petite salle d'eau attenante, au lieu d'utiliser la salle de bains à l'autre bout du couloir.

En une seconde, ma décision fut prise. Il était temps de tourner la page et de quitter ma petite chambre d'enfant, avec ses meubles blancs et ses rideaux à fleurs.

Lorsque je fis part de mon idée à Arlène, elle sursauta.

— Ce n'est pas un peu tôt ?

Puis elle rougit, sans doute gênée de s'être montrée critique.

— Je préfère être ici que de l'autre côté du couloir, à penser à cette grande pièce vide.

— Tu as peut-être raison, admit-elle.

Nous chargeâmes les cartons remplis des affaires de Granny dans la voiture d'Arlène, qui devait les déposer en ville, dans un centre qui venait en aide aux nécessiteux. Puis j'embrassai chaleureusement mon amie.

— Passe à la maison un de ces jours, dit-elle. Lisa sera ravie de te voir.

— Embrasse-la de ma part, et Coby aussi.

— Promis.

Elle se détourna, sa masse de cheveux roux flottant sur ses épaules, et monta dans sa voiture.

Après un dernier signe de la main, elle tourna au coin de la cour pour s'engager dans l'allée.

Il me sembla en la voyant s'éloigner qu'elle emportait avec elle toute mon énergie. Je me sentis soudain épuisée, vieille, inutile. Je rentrai à pas lents dans la maison, songeuse. À quoi ressembleraient mes journées, à présent que Granny n'était plus là ?

Je n'avais pas faim, bien que l'heure du dîner ait sonné depuis longtemps. Je me débarrassai de mes vêtements couverts de poussière et pris une longue douche. J'en avais besoin, autant pour me laver que pour vider mon esprit de ses pensées moroses et détendre mon corps épuisé par ces trois journées de grand ménage.

On sonna à la porte alors que je venais de sortir de la douche et d'enfiler un pyjama propre. J'allai ouvrir, les cheveux encore humides, ma serviette et mon peigne à la main.

Avant d'ouvrir la porte, je jetai un coup d'œil par le judas. Bill se tenait sur le seuil. Étonnée par mon absence de réaction – je n'étais ni gaie ni triste de le voir –, je l'invitai à entrer.

Ce n'est qu'en croisant son regard surpris que je m'aperçus que c'était la première fois qu'il me voyait « nature », ni coiffée ni maquillée.

— Je ne te dérange pas ? Je peux revenir, si tu es fatiguée.

— Non, non. Entre, je t'en prie.

Une fois dans la maison, comme à son habitude, il observa autour de lui avec attention. Ses yeux se posèrent sur la pile de cartons qui attendaient dans l'entrée, emplis d'affaires de Granny qui pouvaient intéresser ses amis – photos jaunies, journaux anciens, petits souvenirs d'une époque que je n'avais pas connue.

— J'ai trié ses affaires aujourd'hui, expliquai-je à Bill. Je vais m'installer dans sa chambre.

Je me tus, ne sachant que lui dire. Sans un mot, il me prit le peigne des mains.

— Viens, dit-il en désignant le canapé, je vais te démêler les cheveux.

J'aurais pu refuser, mais j'obéis. Je crois que j'étais trop épuisée pour protester. Je m'assis sur un tabouret bas tandis que Bill prenait place sur le canapé. Puis mon compagnon entreprit de me coiffer.

Comme toujours, je retrouvai avec soulagement le silence de son esprit. C'était une sensation semblable à celle qui vous envahit lorsque vous posez les pieds dans l'eau fraîche d'une rivière après une longue marche par une journée d'été.

Je fermai les yeux pour savourer la douceur et la dextérité de Bill. Peu à peu, je me laissai gagner par une agréable torpeur. Le calme de la nuit était tombé sur la maison, tout était tranquille. Seuls les crissements du peigne dans mes cheveux résonnaient à mes oreilles.

Il me semblait presque entendre battre le cœur de Bill… ce qui était absurde, puisque son cœur ne battait plus.

— J'avais l'habitude de démêler les cheveux de ma sœur Sarah, expliqua Bill à mi-voix. Ils étaient très longs. Elle ne les a jamais coupés.

— Elle était plus jeune que toi ?

— Oui, c'était la plus petite de mes trois sœurs.

— Vous étiez nombreux ?

— Ma mère a eu sept enfants, mais elle en a perdu deux à la naissance. Puis mon frère Robert est mort. Il avait douze ans, et moi onze. Une mauvaise fièvre. Aujourd'hui, on lui aurait fait une injection de pénicilline et tout serait rentré dans l'ordre, mais à l'époque, on ne connaissait pas ça... Sarah et ma mère ont survécu à la guerre, mais pas mon père. Il est mort pendant que j'étais au front. Par la suite, j'ai compris qu'il avait été victime d'une attaque d'apoplexie.

— Oh, Bill ! murmurai-je. Tu as vu mourir tant de gens !

— Oui...

Il continua de me coiffer quelques minutes en silence, jusqu'à ce que le peigne glisse sans obstacle jusqu'aux pointes de mes mèches. Puis il prit la serviette que j'avais posée sur le canapé et entreprit de me sécher les cheveux. Je laissai échapper un soupir de bien-être. Que c'était agréable de m'abandonner ainsi à lui !

Soudain, son souffle me chatouilla le cou. Il posa ses lèvres au creux de ma nuque et me donna un baiser très tendre. Un frisson de plaisir me parcourut, qui s'accentua lorsque Bill me mordilla le lobe de l'oreille. Puis mon compagnon referma ses bras autour de moi et m'attira contre lui. Avec une facilité déconcertante, il me fit pivoter, avant de m'asseoir à cheval sur ses genoux.

Pour la première fois de ma vie, je percevais le désir que ressentait un homme, rien que son désir. Aucune pensée parasite ne venait gâcher la magie de l'instant. Il n'y avait plus que lui et moi, et la formidable attirance qui me poussait vers lui. Incapable de résister à la tentation, je me penchai vers lui pour lui offrir mes lèvres. J'en rêvais depuis si longtemps !

Ce baiser fut exactement tel que je l'avais imaginé – lent et impatient à la fois, tendre et brûlant, rassurant et délicieusement excitant...

Brusquement, Bill s'écarta de moi, me souleva et se leva.

— Où ? demanda-t-il simplement.

Sa voix était rauque de passion, et pourtant si mélodieuse qu'un frémissement sensuel me fit trembler de la tête aux pieds. Du menton, je désignai ma toute nouvelle chambre. Bill s'y rendit sans hésiter, puis me déposa sur le lit aux draps frais.

Dans la clarté lunaire qui passait par la fenêtre sans rideaux, sa haute silhouette se découpait, révélant la grâce virile de ses mouvements. Sans dissimuler ma curiosité, je le regardai se dévêtir. Peut-être attendait-il que j'en fasse autant, mais une soudaine timidité me retenait.

Au prix d'un effort sur moi-même, je m'assis sur le lit et ôtai mon pyjama, que je jetai sur le sol. Je n'osai toutefois enlever la simple culotte en coton que je portais – le dernier rempart de ma pudeur.

Je levai les yeux vers Bill qui, immobile au pied du lit, observait les courbes de mon corps presque nu avec un plaisir manifeste. C'était une expérience à la fois délicieuse et terrifiante – et tout à fait inédite pour moi – que d'être ainsi regardée par un homme visiblement prêt pour les jeux de l'amour. L'inquiétude me saisit lorsque je songeai que je n'avais pas la moindre idée de ce qu'il attendait de moi.

— J'ai tellement peur de te décevoir, Bill ! murmurai-je lorsqu'il s'étendit auprès de moi.

Il m'adressa un clin d'œil complice.

— Impossible.

Il me dévisagea avec gourmandise.

— C'est que... je n'ai pas beaucoup d'expérience, poursuivis-je.

— J'en ai pour deux, répliqua Bill, tout en posant sur moi une main autoritaire.

Je fermai les yeux. La paume de Bill m'effleura lentement, d'abord mon bras, puis mon épaule et mes hanches, avant de s'aventurer vers des régions de mon corps que personne n'avait jamais touchées. Je ne tardai pas à m'abandonner aux sensations nouvelles que ses doigts savants éveillaient en moi, et bientôt, je me surpris à cambrer les reins pour mieux accueillir ses caresses de plus en plus audacieuses.

Puis un long gémissement de plaisir m'échappa, suivi d'un petit soupir d'impatience. Les caresses de Bill ne me suffisaient plus. J'avais besoin de le sentir plus proche de moi... En moi.

— Est-ce que... ce sera différent? Je veux dire, par rapport à un homme ordinaire? demandai-je dans un souffle.

— Ce sera meilleur, répondit-il à mon oreille, avivant mon impatience.

D'un geste que je savais maladroit, je refermai ma main sur son membre durci par le désir. Bill gémit de plaisir. Je fermai les yeux, effrayée par les paroles que je m'apprêtais à prononcer.

— Maintenant?

— Oui, dit-il en roulant sur moi.

Quelques secondes plus tard, il comprenait enfin ce que j'avais voulu dire en le prévenant de mon inexpérience. Il s'immobilisa.

— Il fallait me le dire ! me gronda-t-il avec tendresse.

Pourquoi ne bougeait-il plus ? J'avais l'impression que j'allais mourir s'il s'arrêtait maintenant.

— S'il te plaît, continue... dis-je en fermant les yeux.

— Je ne veux pas te faire mal.

Pour toute réponse, je soulevai les hanches pour venir à sa rencontre. Il émit un hoquet de surprise ravie... et plongea en moi. Une soudaine douleur me traversa, rapidement remplacée par une vague de volupté.

Bill cessa de nouveau tout mouvement.

Lorsque j'ouvris les yeux, il était au-dessus de moi, immobile, tremblant, fiévreux, et me couvait d'un regard anxieux.

— Tu as mal ? demanda-t-il d'un ton coupable.

— C'est passé. Je t'en supplie, ne t'arrête pas...

Il parut hésiter, puis se retira légèrement, avant d'entrer de nouveau en moi. Quelques instants plus tard, j'eus la surprise de sentir une onde de plaisir naître au plus secret de mon corps et me gagner rapidement.

— Oh, Bill ! gémis-je, désarmée et émerveillée à la fois par ce prodige. Bill !

Quelques secondes plus tard, j'étais emportée par une formidable vague de jouissance. Je laissai échapper un cri de plaisir. Bill approcha ses lèvres de mon cou, où il planta ses canines avant de me rejoindre dans l'extase.

Je le serrai contre moi, éperdue de reconnaissance. Jamais je n'oublierais l'odeur de sa peau contre la mienne, la caresse de son souffle dans mon cou, le vertige qui m'avait saisie au moment le plus parfait de notre union...

Jamais je n'oublierais ma première fois.

Bill roula sur le côté et m'attira contre lui. Son torse se soulevait encore à un rythme saccadé, son cœur battait la chamade.

— Je suis le premier, dit-il simplement.

— Oui.

— Oh, Sookie !

Il déposa un baiser sur mon front.

— Je t'avais dit que je n'avais pas beaucoup d'expérience… J'espère que je ne t'ai pas trop déçu.

Bill eut un de ses petits rires silencieux.

— Déçu ? Tu veux rire ! Tu es merveilleuse.

Je posai la main sur mon ventre.

— Est-ce que je vais avoir mal pendant longtemps ?

— Un jour ou deux, si je me souviens bien… La seule jeune femme vierge que j'aie connue était mon épouse, et cela se passait il y a un siècle et demi.

— Il paraît que ton sang apaise la douleur, suggérai-je, un peu gênée par ma propre audace.

Dans la faible clarté qui baignait la chambre, je vis Bill hausser les sourcils.

— Exact. Tu en veux ?

Je hochai la tête. Alors, Bill se mordit l'avant-bras. Ce fut si soudain que je sursautai de surprise. Puis je le vis passer un doigt dans son sang et le glisser entre mes cuisses. Quelques instants plus tard, la douleur s'était évanouie.

— Merci, murmurai-je, un peu honteuse.

Pourquoi n'enlevait-il pas son doigt ?

— Je me sens mieux maintenant, Bill.

Mais il poursuivit sa tendre caresse, ses yeux dans les miens.

— Oh, tu veux encore… Déjà ? Tu peux ?

Il me décocha un clin d'œil coquin.

— Constate par toi-même, dit-il en roulant sur moi.

Effectivement, il n'avait pas menti.

— Dis-moi ce que tu veux de moi, murmurai-je.

Je repris le travail le lendemain. Au bar, rien n'avait changé. Je retrouvai le brouhaha des voix dans la salle, la cacophonie des pensées parasites, les plaisanteries des clients… C'était un jour comme tous les autres.

Pourtant, je parvins plus facilement à tenir à distance ce « bruit mental ». J'avais l'impression d'être une femme nouvelle, épanouie, plus sûre d'elle. Mon chagrin était encore vif, mais j'accueillis avec calme les condoléances de mes collègues et des habitués de *Chez Merlotte*.

Jason arriva à l'heure du déjeuner et commanda, en plus de son habituel hamburger, deux bières. Cela ne lui ressemblait pas. Jamais je n'avais vu mon frère boire un jour de travail. Cependant, de crainte de le mettre en colère, je m'interdis la moindre remarque. Je lui demandai seulement si tout allait bien.

— Les flics m'ont encore convoqué, maugréa-t-il.

— Que voulaient-ils ?

— Toujours la même chose ! Savoir si je voyais souvent Maudette, si j'allais faire le plein d'essence là où elle travaillait, quelles étaient mes relations avec elle…

Il but une gorgée de bière.

— Mon chef commence à en avoir assez, et moi aussi. J'ai perdu presque trois journées de travail à cause de cette histoire.

— Tu devrais peut-être prendre un avocat.
— C'est aussi ce que pense René.
— Que dirais-tu de Sid Matt Lancaster ?

Sidney Matthew Lancaster avait la réputation d'être l'avocat le plus agressif du coin. Pourtant, je l'aimais bien. Il me parlait toujours avec respect lorsqu'il venait au bar.

— Il est peut-être le plus indiqué, dit Jason, songeur.

Nous échangeâmes un regard. Jason savait aussi bien que moi que l'avocat de Granny ne ferait pas le poids si, par malheur, il était arrêté.

Si mon frère était trop absorbé par ses propres soucis pour prêter attention aux changements qui s'étaient opérés en moi, cela n'échappa pas à Arlène. À la première occasion, elle s'approcha de moi.

— Je me trompe, ou tu as pris du bon temps ?

Je rougis jusqu'à la racine des cheveux. Du bon temps ? Non seulement la formule me choquait par sa vulgarité, mais elle donnait à ma relation avec Bill un caractère léger qu'elle n'avait pas.

Je ne sus que répondre à Arlène. « Non, j'ai fait l'amour » ? Trop personnel. « Mêle-toi de tes affaires » ? Pas très aimable. « Mieux que ça » ? Impossible, je n'aurais pas osé. Je me contentai d'adresser à ma collègue et confidente un sourire entendu.

— On peut savoir qui est cet heureux homme ?
— Je… C'est-à-dire… Ce n'est pas un…
— Un gars d'ici ?
— Oui. Je veux dire, non. Enfin, si.

Arlène me jeta un regard perplexe.

— Ce n'est pas Sam, tout de même ? J'ai eu l'impression qu'il te tournait autour, ces derniers temps.

— Non.

— Alors, qui est-ce ?

Voilà que je me comportais comme si j'étais coupable. « Du nerf, Sookie Stackhouse ! Redresse le dos, regarde Arlène droit dans les yeux et dis-lui la vérité », m'ordonnai-je.

— C'est Bill.

Moi qui avais espéré qu'elle me gratifierait d'un clin d'œil complice ou d'une exclamation admirative, j'en fus pour mes frais. Son visage n'exprimait rien.

— Bill ?

Du coin de l'œil, je vis que Sam nous écoutait et que Lafayette s'était approché de nous. Même Charlsie Tooten avait comme par hasard des verres à ranger là où nous nous trouvions.

— Mais oui, Bill. Tu sais bien, insistai-je, mal à l'aise.

— Bill Auberjunois ?

— Non.

— Bill...

— ... Compton, dit Sam d'un ton grinçant, *alias* Bill le Vampire.

Arlène écarquilla les yeux.

— Chérie, tu ne pourrais pas fréquenter un type normal ? demanda-t-elle d'une voix étranglée par l'émotion.

— Aucun type normal ne me l'a proposé.

— Tu n'as pas peur ? demanda Charlsie. Bill Compton est... enfin, il est atteint de ce virus, tu sais.

— Merci pour l'information, dis-je d'un ton glacial.

Sam s'adossa au bar, les bras croisés, le visage blanc de colère. Je fixai mes collègues l'un après l'autre, les obligeant à affronter mon regard ou à détourner les yeux. S'ils avaient quelque chose à dire, c'était le moment.

Arlène prit la parole la première.

— Écoute, Sookie, ta vie privée ne me regarde pas, mais qu'il ne s'avise pas de te faire du mal, sinon je sors mes griffes !

— Après tout, c'est sûrement une expérience intéressante, commenta Lafayette avec un clin d'œil espiègle.

Je commençais à croire la partie gagnée lorsque Sam s'approcha de moi. D'un geste sec, il ouvrit l'échancrure de mon chemisier, que j'avais boutonné haut ce jour-là. Dans un silence de mort, tous les regards convergèrent vers la base de mon cou.

Là où Bill avait planté ses canines.

Je me tournai vers Sam, furieuse et dépitée. De quel droit me trahissait-il ainsi ?

— Je t'interdis de me toucher, sifflai-je. Et je t'interdis de te mêler de mes affaires.

Comme s'ils avaient senti l'orage gronder, Arlène, Charlsie et Lafayette se dispersèrent aussitôt. Je restai seule avec Sam, qui avait encore les mains sur le col de mon chemisier.

— Tu ne vois pas que je m'inquiète pour toi ? demanda-t-il. Que j'ai peur pour toi ?

J'éclatai d'un rire froid.

— Dis plutôt que tu es jaloux ! Alors, écoute bien, Sam Merlotte. Tu ne m'intéresses pas, compris ?

Sans attendre sa réponse, je m'éloignai pour reprendre mon travail. De loin, je vis Sam se diriger vers son bureau et s'y enfermer.

Bill passa *Chez Merlotte* ce jour-là, dès la nuit tombée. J'étais restée pour aider l'équipe du soir en attendant l'arrivée de ma collègue Susie, dont la voiture était tombée en panne. Bill fit son apparition à la mode vampire, se matérialisant tout à coup à l'entrée de la salle. Il marcha ensuite vers moi, me prit la main et la porta à ses lèvres. À présent, nul ne pouvait plus ignorer notre relation !

— À quelle heure finis-tu ? demanda-t-il à mi-voix.

— Dès que Susie sera là.

— Parfait. Tu passes me voir ensuite ?

— D'accord.

Il m'adressa un sourire, découvrant ses canines que le plaisir de me voir avait fait légèrement sortir. Je frissonnai au souvenir qu'évoquait cette vision et passai instinctivement la main sur mon cou. Déjà, l'excitation montait en moi à la perspective d'être de nouveau seule avec Bill.

Puis un mouvement se produisit à l'entrée du bar, et toute ma bonne humeur s'envola. Derrière Bill, je reconnus les deux silhouettes qui venaient de pousser la porte d'un geste brusque.

Malcolm et Diane.

Leur arrivée fracassante causa un certain émoi dans la salle. Le premier, très star de hard rock, portait un pantalon en cuir et une tunique métallique. La seconde était vêtue d'une combinaison en jersey jaune fluorescent qui semblait avoir été cousue sur elle et ne laissait rien ignorer des moindres détails de son anatomie.

Tous deux poussèrent un cri de surprise feinte lorsqu'ils remarquèrent Bill. Ils semblaient ivres, ou drogués. Bill accueillit avec son sang-froid coutumier l'arrivée de ces deux trouble-fête. Il leur adressa un « bonsoir » distant, puis s'approcha de moi et passa un bras autour de mes épaules dans un geste protecteur – pour ne pas dire possessif.

— Tiens, la poulette est toujours vivante ? demanda Diane d'une voix forte. Tu n'as pas encore consommé ?

— Un peu de respect pour elle, je te prie. Sa grand-mère est morte la semaine dernière.

— Non ? Que c'est drôle ! s'exclama la vampire avec un éclat de rire dément.

Une vague presque palpable de haine et de dégoût monta de la salle tout entière.

— Alors, qui va s'occuper de toi, maintenant, petite chose ? demanda Diane en soulevant mon menton du bout du doigt.

Je la repoussai vivement. Une lueur de rage passa dans ses yeux bruns. Je crois qu'elle se serait jetée sur moi si Malcolm ne l'avait pas retenue.

— Au fait, Bill, dit celui-ci d'un ton faussement désinvolte, tu sais que le personnel peu qualifié disparaît à une vitesse extraordinaire, dans ce bled ? Et voilà que j'apprends que ton amie et toi êtes allés fourrer votre nez au *Croquemitaine* pour poser des questions indiscrètes !

Son expression s'était faite si sérieuse qu'elle en était terrifiante. Derrière moi, j'entendis des murmures inquiets parcourir la salle. Puis une voix s'éleva.

— Si vous alliez voir ailleurs, messieurs-dames ? demanda René.

Je me retournai. René était accoudé au bar, une bière à la main.

Un silence tendu s'abattit sur la salle. Chacun retenait sa respiration. En l'espace d'un instant, la soirée pouvait virer au drame. Personne ici ne paraissait soupçonner la formidable puissance des vampires, ni leur capacité de destruction. Bill s'interposa entre Malcolm et moi, me faisant un bouclier de son corps.

— Il vaudrait mieux que vous sortiez, dit-il.

— Puisqu'on ne veut pas de nous... marmonna Malcolm d'un ton de regret. Ces braves gens ont envie d'être entre eux, Diane. Avec notre ancien ami Bill.

Puis il prit sa compagne par le bras, lui fit faire demi-tour et l'entraîna vers la sortie. Lorsqu'ils franchirent le seuil, je perçus avec acuité le soulagement de l'assistance.

Susie n'était toujours pas arrivée, mais je décidai de quitter le bar. Tant pis pour Sam. Pour une fois, il devrait se débrouiller sans moi. Après tout, pourquoi était-ce toujours à moi d'assurer l'intérim lorsqu'une collègue nous faisait faux bond ?

Je suivis Bill jusque chez lui, consciente que nous avions échappé de peu à une effusion de sang. Qui sait de quoi Diane et Malcolm auraient été capables si Bill ne les avait pas retenus ? Je me félicitai de l'attitude de ce dernier. Si seulement cela pouvait disposer en sa faveur les habitants de Bon Temps !

Compton House avait bien changé depuis la dernière fois que je l'avais vue. Les murs du salon étaient à présent recouverts d'un papier peint orné d'un délicat motif floral, et le parquet avait été décapé et verni. Bill me conduisit dans la cuisine, où trônait un réfrigérateur dernier cri.

Intriguée, j'ouvris la porte de l'appareil... avant de reculer, saisie de nausée. Des dizaines de bouteilles de sang synthétique s'alignaient sur les claies.

Je poursuivis ma visite par la salle de bains, installée au rez-de-chaussée. Le luxe de la pièce me surprit, d'autant plus qu'à ma connaissance, Bill n'était pas censé en avoir l'usage.

— J'aime prendre des douches, m'expliqua-t-il en désignant une cabine assez vaste pour contenir une famille entière.

Puis il pointa le doigt vers une immense baignoire ronde encastrée dans le sol au beau milieu de la salle et entourée de dalles de bois. De grandes plantes vertes en pot disposées çà et là accentuaient la touche luxueuse de l'endroit.

— Que c'est grand ! m'exclamai-je.

— Oui. Assez grand pour qu'on puisse s'y baigner à deux.

S'agissait-il d'une simple remarque ou d'une invitation en bonne et due forme ? Je n'eus pas le temps de poser la question : déjà, Bill avait ouvert les robinets.

— Tu veux l'essayer ? demanda-t-il en s'approchant de moi.

Mon cœur battit un peu plus vite. Pourtant, je ne fis rien lorsque mon compagnon entreprit de me déshabiller. À quoi bon jouer les prudes effarouchées ? Il me connaissait plus intimement que qui que ce soit au monde, y compris mon médecin.

— Je t'ai manqué ? demanda-t-il sans cesser de me dévêtir.

— Oui.

— Qu'est-ce qui t'a manqué le plus en moi, Sookie ?

Je répondis sans réfléchir :

— Ton silence.

Bill s'interrompit pour me regarder.

— Mon silence, répéta-t-il.

— Le fait de ne pas entendre tes pensées. Tu n'imagines pas comme c'est reposant !

Il sourit.

— J'avais pensé à autre chose.

Mes joues s'enflammèrent.

— Ça aussi, ça m'a manqué, dis-je précipitamment.

Tandis que nous parlions, il avait délacé mes chaussures, ôté mon short, et il était occupé à faire glisser mon slip sur mes cuisses.

— Bill ! S'il te plaît, non...

— Je n'insiste pas. Tu n'as pas envie de moi ?

— Si, mais je...

D'un geste autoritaire et tendre à la fois, il me fit pivoter pour dégrafer mon soutien-gorge.

— Alors, laisse-moi faire, murmura-t-il à mon oreille.

Il se plaqua contre moi, ne me laissant rien ignorer du désir qui le consumait, et joua avec mes seins quelques instants.

— Déshabille-moi, ordonna-t-il, alors que je commençais à m'abandonner aux douces sensations qu'il éveillait en moi.

Je me tournai vers lui et, consciente de ma maladresse, lui obéis, en m'attaquant d'abord à sa chemise, puis en continuant par son pantalon.

— Nous avons toute la nuit devant nous, Sookie chérie, dit-il en me voyant m'acharner sans succès sur le bouton de sa braguette.

Sa voix était si douce que je me détendis aussitôt et retrouvai mes moyens. Bientôt, le pantalon de Bill alla rejoindre sa chemise, sur les dalles de bois.

Je me penchai alors vers mon amant pour faire glisser son caleçon sur ses longues jambes musclées. Bill était à présent nu comme Adam, rayonnant de beauté et de sensualité virile.

Il me prit par la main et m'entraîna dans la baignoire.

8

Au cours de la nuit suivante, j'abordai avec Bill un sujet que j'avais occulté depuis de longues années. J'aurais donné cher pour ne plus jamais avoir à exhumer ce cadavre du placard de mes souvenirs d'enfance, mais par honnêteté envers mon amant, je me devais de dire la vérité. De plus, j'espérais que cela m'aiderait à aborder avec plus de sérénité ma future vie de femme.

Nous étions allongés sur le lit de Bill, dans ses draps imprimés de fleurs. Je me rappelle m'être demandé pourquoi il aimait tant les motifs floraux. Était-ce parce qu'il était privé de ce spectacle depuis des siècles, faute de pouvoir admirer de véritables fleurs à la lumière du jour ?

Nous étions allés au cinéma voir un de ces films où des extraterrestres tous plus vilains les uns que les autres se font abattre sans pitié par des terriens soucieux de la sauvegarde de l'humanité. Bill semblait avoir une prédilection pour ce genre cinématographique, peut-être parce qu'il se trouvait des affinités avec ces créatures d'ailleurs exterminées sans merci.

J'étais heureuse d'être la première à m'étendre à son côté dans ce lit tout neuf. Nous avions parlé de tout et de rien – du film que nous venions de voir, des prochaines élections municipales, d'anecdotes de nos enfances. Je compris soudain que Bill essayait désespérément de se rappeler ce que c'était que d'être humain.

— Tu n'as jamais joué au docteur avec ton frère ? demanda-t-il soudain. Aujourd'hui, les psychologues affirment que c'est parfaitement normal, mais je me souviens de la raclée que mère a donnée à Sarah et Robert le jour où elle les a trouvés cachés dans les fourrés...

— Non, dis-je.

Je me composai un visage inexpressif, mais ma voix m'avait trahie. La peur, encore vivace après toutes ces années, venait de se réveiller en moi.

Bill me regarda d'un air surpris.

— Tu mens, dit-il simplement.

— Non.

Je cherchai un autre sujet de conversation, sans succès.

— Bon, ce n'était pas avec ton frère. Avec qui, alors ?

— Je n'ai pas envie d'en parler.

Comment avait-il pu deviner ? Je détournai les yeux, mais Bill prit mon menton entre ses doigts pour m'obliger à le regarder.

— Réponds-moi, Sookie, murmura-t-il de sa voix si persuasive.

À quoi bon lutter ? Bill n'était pas homme... ou vampire à renoncer facilement.

— Tu sais, expliquai-je, il y a quelquefois des adultes qui s'en prennent aux enfants... de leur propre famille.

Bill haussa les sourcils, manifestement surpris.
— On t'a fait ça ?
Je hochai la tête.
— Qui ?
— Un de mes oncles.
Une expression d'horreur crispa les traits de mon compagnon.
— Continue.
— Il a commencé quand j'avais cinq ans. Il n'est jamais allé jusqu'à... l'acte sexuel, mais il m'a fait beaucoup de mal quand même. Le pire, c'est que chaque fois qu'il venait à la maison, je savais ce qu'il allait faire. Je le lisais dans ses pensées. Et je ne pouvais le dire à personne.
Incapable de supporter les souvenirs qui affluaient et que j'avais pourtant refoulés dans le tréfonds de ma mémoire depuis de longues années, je roulai sur le ventre et enfouis mon visage dans l'oreiller. Bill posa sa main sur mon épaule avec douceur.
— Tu ne l'as jamais dit à tes parents ?
— Maman ne m'a pas crue.
Je me rappelais l'expression d'incrédulité et de dédain que ma mère avait affichée le jour où je l'avais appelée à l'aide, et ses accusations de nourrir de « mauvaises pensées ».
— Et ton père ?
— Je lui en ai parlé, mais bien plus tard, peu avant sa mort. Je venais de comprendre que si je ne le dénonçais pas, l'oncle Bartlett continuerait à me harceler tous les quinze jours, à chacune de ses visites.
— Cet homme est toujours en vie ?
— Oui, il habite Shreveport. C'est le frère de Granny. Lorsque je me suis installée chez ma

grand-mère, je lui ai tout dit. Elle m'a crue, elle. Sur parole.

Je n'oublierais jamais l'immense soulagement que j'avais ressenti le jour où Gran m'avait solennellement promis que plus jamais l'oncle Bartlett ne franchirait le seuil de sa maison. Enfin, quelqu'un me croyait !

Et Granny avait tenu parole. Je n'avais plus revu l'affreux Bart, comme je le surnommais.

— Ce n'est pas un Stackhouse, n'est-ce pas, puisque c'est le frère de ta grand-mère ? demanda Bill.

— Non, bien sûr. C'est un Hale.

Bill parut s'absorber dans une profonde réflexion. Je l'avais choqué, c'était évident, avec ma sordide petite histoire.

— Je vais rentrer, dis-je en me levant pour rassembler mes affaires.

En un éclair, Bill sortit du lit, me rattrapa et me prit mes vêtements des mains.

— Non, dit-il, reste avec moi. Jusqu'à l'aube, si tu veux.

Je n'hésitai qu'un instant.

— D'accord. Seulement, il faudra que tu me laisses dormir un peu.

— Tout à l'heure, promit Bill en m'attirant vers le lit.

Lorsque je me réveillai le lendemain, j'étais seule. Soudain, je songeai que jamais je ne trouverais Bill à mon côté le matin. Jamais je ne partagerais un petit déjeuner avec lui, encore moins le repas de midi.

Jamais je ne verrais à la lumière du jour celui que j'aimais.

Jamais je n'aurais d'enfant de lui.

Jamais je ne vivrais avec lui.

Car comme chaque jour et jusqu'à la tombée de la nuit, la créature que j'aimais était étendue, sans vie, au fond de sa cachette.

Quelque peu abattue par ces tristes perspectives, je me levai, m'habillai et remis en ordre la chambre et la salle de bains. Pour me consoler, je m'obligeai à établir la liste des points positifs de notre relation.

Tout d'abord, et je n'avais aucun doute sur ce point, Bill éprouvait pour moi des sentiments sincères. Il se montrait affectueux et bienveillant, ce qui était rare de la part d'un vampire.

Ensuite, le plaisir qu'il me donnait était une expérience merveilleuse. Cela avait son importance, non ?

De plus, maintenant que notre liaison était connue de tous, j'étais certaine que plus personne ne se montrerait trop entreprenant avec moi. Quant à l'assassin de Granny, si c'était moi qu'il avait cherché à atteindre, il se tiendrait désormais sur ses gardes. On ne touchait pas à l'amie d'un vampire, sous peine de représailles terribles.

Enfin, cerise sur le gâteau, le silence qui émanait de Bill était pour moi le plus efficace des remèdes à ma fatigue et à ma tristesse.

Songeuse, je refermai la porte de Compton House derrière moi, descendis les marches de la véranda… et tombai nez à nez avec Jason, assis au volant de son pick-up.

— Alors, c'est vrai ? me dit-il par la vitre baissée.

Je lui répondis par un sourire.

— Monte avec moi, ajouta-t-il.

J'hésitai un instant, puis j'obtempérai. C'était la première fois que mon frère cherchait à renouer avec moi depuis sa terrible colère le jour du décès de Granny. Il me tendit un gobelet de café encore chaud, que j'acceptai avec plaisir.

— Il s'occupe bien de toi, au moins ?

Je hochai la tête, tout en soulevant le couvercle du gobelet en polystyrène.

— Tant mieux.

Puis, après un silence, il déclara :

— J'ai une mauvaise nouvelle à t'annoncer.

— Vas-y.

— Oncle Bartlett est mort cette nuit. Assassiné.

Je répétai, abasourdie :

— Assassiné ?

J'entendais les paroles de Jason, mais mon esprit refusait de les assimiler. Je laissai mon regard dériver par-delà les frondaisons, jusqu'au ciel matinal qui se teintait de rose à l'orient. Tout ceci me semblait encore irréel. L'oncle Bartlett était mort, me dis-je, comme pour m'en convaincre moi-même. Rayé de la surface de la terre. Disparu à jamais.

Tout à coup, j'eus l'impression qu'un poids venait de se soulever de ma poitrine. J'inspirai profondément, gagnée par une sensation de délivrance.

Plus jamais l'affreux Bart ne m'obligerait à le suivre dans ses jeux malsains. Plus jamais je n'aurais à subir son regard torve sur moi. Il était mort. J'étais libre !

Sans un mot, j'avalai le contenu du gobelet.

— Qu'il aille en enfer, murmurai-je.

— Sookie, je t'en prie !

— Tu peux parler ! Il ne t'a jamais ennuyé, toi.
— Évidemment !
Je me tournai vers Jason, choquée.
— Qu'est-ce que cela signifie ?
— Que tu es bien la seule qu'il ait touchée. En admettant que tu ne te sois pas raconté d'histoires. Avoue que tu n'as jamais manqué d'imagination !
Je retins une exclamation rageuse. De quel droit mon propre frère niait-il ainsi ma souffrance ?
— Il y a eu tante Linda, aussi, dis-je, ravalant ma colère.
Jason me regarda avec stupeur.
— Comment le sais-tu ?
— Granny me l'a dit.
— Elle ne m'a jamais rien dit, à moi.
Il y avait dans sa voix un tel dépit et une telle jalousie que je crus bon de m'expliquer.
— Je sais que tu aimais beaucoup oncle Bartlett, Jason. Mais si Granny a décidé de l'éloigner de nous deux, c'était aussi par précaution pour toi.
Jason garda le silence quelques minutes. Manifestement, mes paroles avaient fait mouche. J'attendis qu'il reprenne la parole.
— Je l'ai revu, au cours de ces deux dernières années.
— Vraiment ?
— C'était un homme vieilli, malade, fatigué… Il avait du mal à marcher.
— Ce qui a eu le mérite de l'empêcher de courir après les enfants de cinq ans.
— Sookie, il faut que tu oublies tout ça.
— Tu crois que c'est facile ?

J'avais presque crié, dans ma colère et mon indignation. Jason et moi nous regardâmes longtemps sans rien dire. Ce fut moi qui brisai le silence.

— Que lui est-il arrivé ?

— Il a été tué par un voleur, dans son appartement. L'homme lui a brisé la nuque en le jetant du haut de l'escalier.

— Très bien.

Je consultai ma montre.

— Il faut que j'aille prendre une douche et un petit déjeuner, sinon je vais être en retard au travail.

Jason me décocha un regard noir.

— C'est tout ce que tu as à dire ?

— Que veux-tu que je dise de plus ?

— Tu ne me demandes pas quand auront lieu les funérailles ?

— Non.

— Ni quelles sont ses dernières volontés ?

— Non.

— Comme tu voudras, dit Jason avec un soupir résigné.

— Et à part ça, quoi de neuf ?

— Sookie, ton grand-oncle est mort, ça ne te suffit pas ?

— Si, amplement. Merci pour le café, Jaz.

Ce n'est qu'une fois au travail que je pris pleinement la mesure des paroles de Jason. De stupeur, je laissai tomber le verre que j'étais en train d'essuyer. Qui avait tué l'affreux Bart ? Qui, sinon Bill… ou l'un de ses congénères agissant sur son ordre ?

J'aurais juré que Bill n'avait pas assassiné lui-même l'oncle Bartlett : nos ébats nous avaient menés jusqu'à l'aube. Mais il avait très bien pu appeler un autre vampire, profitant de l'un de mes moments d'assoupissement.

Avec un frisson de dégoût, je me baissai pour ramasser le verre que, dans ma surprise, j'avais laissé échapper. Puis je me concentrai sur mon travail, refusant de penser à toutes les conséquences qu'allait entraîner le décès du vieil homme. Je rentrai chez moi dans un état de tension extrême. Pour la première fois depuis que je m'étais installée chez Granny, je n'avais plus personne à qui confier mes inquiétudes.

J'étais seule au monde.

Je savais, bien sûr, que Bill avait déjà tué des gens. Mais cela s'était passé autrefois, à l'époque où il n'était encore qu'un jeune vampire affamé et inexpérimenté, incapable de boire un humain sans le mettre à mort. Je savais également qu'il était l'assassin des Rattray, ces deux monstres qui m'auraient envoyée *ad patres* s'il n'était pas intervenu, et pour qui, je dois l'avouer, je n'éprouvais guère de compassion.

Alors, pourquoi le meurtre du vieux Bartlett me choquait-il autant ? Après tout, mon oncle était responsable du cauchemar de mon enfance. Il m'avait souillée ; il aurait pu me détruire si je n'avais pas été plus forte. D'ailleurs, j'avais accueilli l'annonce de son décès avec un soulagement sincère.

Mes scrupules n'étaient-ils que la manifestation d'une hypocrite et tardive mauvaise conscience ?

Les nerfs tendus à se rompre, je garai ma voiture dans la cour de la maison et m'assis sur la plus haute marche de la véranda pour laisser libre cours à mes larmes. La nuit était tombée. J'étais seule dans l'obscurité qu'animait le chant des criquets. Soudain, quelqu'un s'assit à mon côté. Je levai les yeux et reconnus mon visiteur nocturne.

— Oh, Bill ! m'écriai-je en me jetant contre lui.

Il entoura mes épaules de son bras dans un geste protecteur.

— Sookie, que se passe-t-il ?

— Tu n'aurais pas dû faire ça.

Comme il ne répondait pas, je repris :

— Bien sûr, je suis heureuse d'être débarrassée de ce monstre, mais...

Bill ne tenta même pas de nier.

— Tu as peur que je te fasse du mal ? demanda-t-il très calmement.

— Non. Si bizarre que cela paraisse, je ne t'ai jamais craint.

— Alors, dis-moi ce qui te tracasse.

— J'ai peur... pour les autres. À présent, je vais redouter de te parler des gens qui m'ont fait du mal. Ce n'est pas ainsi qu'on règle ces questions.

— Je t'aime.

Je levai les yeux vers lui, émue. C'était la première fois qu'il prononçait ces mots.

— Moi aussi, murmurai-je. Je ne comprends pas pourquoi, mais moi aussi.

Je souris, avant de poursuivre :

— J'ai envie de te donner des petits noms idiots comme on le fait quand on s'aime, même si c'est particulièrement ridicule avec un vampire. J'ai envie de te dire que je t'aimerai toujours, même lorsque tu seras vieux, alors que je sais que ça n'arrivera jamais...

— Mais ?
— Mais je ne sais plus où j'en suis. J'ai besoin de temps.
— Ne me rejette pas, Sookie. Si tu savais à quel point tu es différente des autres, à mes yeux ! Si tu savais comme j'ai envie de te protéger !
— C'est un peu ce que je ressens aussi, mais pour l'instant, je ne suis pas prête à m'engager dans une relation.
— Qu'attends-tu de moi ?
— Que tu continues ta vie telle que tu la menais avant de me rencontrer.
— Ma vie... répéta-t-il, perdu. Je la consacrais surtout à essayer de retrouver ce qu'il y a d'humain en moi, dans la mesure du possible. À chercher un être qui accepterait de m'aimer et de me nourrir, pour ne plus jamais devoir boire ce fichu sang de synthèse.
— Pour l'instant, je n'y suis pas prête. Il faudra que tu trouves quelqu'un d'autre pour te nourrir. Tout ce que je te demande, c'est de choisir une personne qui vive loin d'ici, que je ne connaisse pas.
— Alors, je pose une condition. Que tu ne couches avec personne d'autre, toi non plus.
— Promis, dis-je, consciente que je ne m'engageais guère.
En effet, avec qui serais-je sortie, de toute façon ?
— Est-ce que... tu m'autorises à venir de temps en temps *Chez Merlotte* ?
— Non. Je ne veux pas qu'on sache que nous ne nous voyons plus pendant quelque temps. Je n'ai pas envie de parler de ma vie privée avec les autres.

Bill me serra contre lui.

— Embrasse-moi, murmura-t-il.

Vaincue, je lui tendis mes lèvres, qu'il prit en un baiser très doux. Peu à peu, je me laissai emporter par les sensations qu'il faisait naître en moi – la caresse de sa main sur mon dos, le vertige de son souffle mêlé au mien, la brûlure désormais familière qui s'éveillait au plus secret de mon corps...

Je repoussai Bill un peu brusquement.

— Non ! Il ne faut pas...

Il me jeta un regard où se lisait toute la peine du monde. Un instant, je fus tentée de me blottir contre lui et d'oublier mes résolutions entre ses bras. J'avais tellement besoin de lui !

Mais je savais qu'une séparation momentanée était la seule façon pour moi de faire le point. Alors, puisqu'il était inutile de prolonger la souffrance, je me levai et, d'un bond, rentrai dans la maison, avant de refermer la porte à clé derrière moi. Puis je m'adossai au battant, haletante, encore vibrante de désir pour Bill.

Il était temps d'affronter ma première nuit de solitude.

Au cours de la semaine qui suivit, je me jetai dans le travail à corps perdu. J'étais de l'équipe du soir, ce qui me convenait parfaitement. De retour à la maison, je redoublais de précautions pour ma sécurité, inspectant les alentours avec attention, vérifiant portes et fenêtres deux fois avant de me coucher.

Je reçus plusieurs appels de l'avocat chargé de gérer les affaires de Granny, et de celui d'oncle Bartlett. Ce dernier me léguait vingt mille dollars, que je faillis refuser. Puis, après avoir réfléchi, j'acceptai cet héritage, dont je fis don à une bonne œuvre en précisant que l'argent devait aller aux enfants victimes d'inceste et de viol.

Je dormis beaucoup, profitant de chaque occasion pour me reposer. Après quelques jours de ce traitement, mon état nerveux s'améliora, et je pus envisager avec sérénité de tourner la page de mon passé.

Ce n'est qu'à partir de cette époque que j'ouvris les yeux sur ce qui se passait autour de moi. Les habitants de la région commençaient à en avoir assez de Diane, Liam et Malcolm, qui s'étaient installés à Monroe. Les trois vampires semblaient n'avoir qu'un but : décourager leurs congénères qui, à l'instar de Bill, tentaient de s'intégrer pacifiquement à la population locale. Ils hantaient les bars, le verbe haut et l'humeur chatouilleuse, toujours prêts à chercher querelle.

Manifestement, leur toute nouvelle liberté de circulation, qui ne datait, il faut le rappeler, que de quelques années, leur tournait la tête, leur faisant perdre toute prudence. Malcolm mordait une entraîneuse de Bogaloosas, Diane dansait nue dans les bars de Farmerville, et Liam buvait deux femmes à la fois, une mère et sa fille à peine pubère, sans même se donner la peine d'effacer leurs souvenirs.

Un soir, je surpris René Lenier et Mike Spencer en grande discussion *Chez Merlotte*. À mon arrivée, ils se turent immédiatement, ce qui éveilla ma curiosité. Je fis une petite incursion dans les pensées de Mike. Les deux hommes projetaient, avec quelques autres, de se débarrasser des vampires de Monroe en les brûlant.

Je détestais ces trois monstres, mais la perspective de laisser se dérouler un triple assassinat m'était insupportable. Pour m'assurer qu'il ne s'agissait pas de propos d'ivrognes – Mike et René avaient un peu forcé sur la bouteille ce soir-là –, j'effectuai quelques sondages au hasard dans l'esprit des clients assis aux tables alentour.

Avec une angoisse croissante, je vis se confirmer les paroles des deux hommes. En revanche, je ne parvins pas à déterminer qui avait eu le premier cette idée.

Rien ne prouvait que Granny, Dawn et Maudette avaient été tuées par le même individu. D'ailleurs, on murmurait que c'était plutôt le contraire, d'après le rapport du coroner. Pourtant, la haine que s'étaient attirée les trois vampires avait atteint un tel seuil que tout le monde n'avait qu'une envie : faire payer à ceux-ci la fin atroce des trois femmes, dont on savait que les deux plus jeunes étaient des mordues.

C'était faire preuve, à mon sens, d'un déplorable amalgame, mais je n'avais pas les talents d'oratrice nécessaires pour inviter mes concitoyens à plus de modération, encore moins pour les faire changer d'avis. De plus, ma liaison avec Bill m'aurait fait perdre toute crédibilité si j'avais tenté d'intervenir.

Bill vint *Chez Merlotte* le septième soir qui suivit notre séparation. Il apparut soudain à sa table habituelle, visiblement hors de lui. Je m'aperçus qu'il était accompagné d'un jeune garçon – quinze ans tout au plus. Un vampire, comme lui.

— Sookie, je te présente Harlen Ives, de Minneapolis, dit Bill, très mondain.

— Enchantée, mentis-je.

— Harlen est de passage. Il doit se rendre à La Nouvelle-Orléans.

— Je suis en vacances, expliqua le jeune vampire. Il y a si longtemps que je rêvais de venir dans la région ! Pour les gens comme nous, c'est un vrai pèlerinage, vous comprenez ? On peut louer des cercueils ou s'installer chez un résident. C'est ce que j'ai fait, ajouta-t-il en désignant Bill du menton.

Je hochai la tête en m'efforçant de paraître naturelle.

— Eh bien, que prendrez-vous, messieurs ? demandai-je, me réfugiant dans une attitude toute professionnelle. Nous avons reçu de nouveaux sangs de synthèse dans plusieurs parfums : A négatif, O positif…

— Le premier sera très bien, répondit Bill.

— Apportez-moi la même chose, dit son compagnon.

— Tout de suite, fis-je en me dirigeant vers le réfrigérateur réservé au sang de synthèse.

Je préparai ma commande et l'apportai rapidement, sans me départir de mon sourire, bien décidée à traiter comme les autres ces deux clients un peu particuliers.

— Comment vas-tu, Sookie ? me demanda Bill.

— Oh, très bien ! répondis-je, faussement désinvolte.

J'avais envie de fracasser une bouteille sur sa tête. Ou plutôt, sur celle de son mignon. Car c'était bien ce qu'était Harlen, non ?

— Harlen aimerait rendre visite à Malcolm, expliqua Bill.

— Quelle bonne idée ! m'écriai-je, onctueuse. Malcolm va l'adorer !

— Oh, je suis déjà ravi d'avoir fait la connaissance de Bill, répliqua le jeune homme en adressant une œillade à son protecteur. Mais il paraît qu'il faut absolument rencontrer Malcolm.

Tout en luttant contre une féroce envie d'étrangler ce jeune crétin, je me tournai vers Bill.

— Fais attention, lui dis-je aussi discrètement que possible.

Malgré mon agacement – et, je dois l'avouer, ma jalousie – , je tenais à le prévenir du risque qu'il y avait à fréquenter les trois vampires de Monroe en cette période troublée. Après tout, il restait mon ami, n'est-ce pas ?

Je ne me montrai toutefois pas aussi explicite que je l'aurais pu, d'abord parce qu'il me semblait que le danger n'était pas encore imminent, ensuite parce que je n'avais pas envie d'entrer dans les détails en présence de l'insupportable Harlen. Aussi me contentai-je d'ajouter :

— Malcolm et les deux autres ne sont pas en odeur de sainteté, ces temps-ci.

Avant de m'éloigner, j'eus le temps d'intercepter le regard surpris de Bill. L'espace d'un instant, je fus tentée de lui en dire plus. Maudite fierté ! Les événements qui suivirent me donnèrent l'occasion de regretter amèrement de ne pas l'avoir fait.

Après le départ de Bill et Harlen, la tension monta parmi la clientèle. Un seul sujet retenait l'attention de tous : l'expédition punitive prévue contre les trois vampires de Monroe. Cependant, en dépit de mes tentatives, je ne parvenais toujours pas à identifier la personne qui était à l'origine du complot qui se tramait.

Jason fit une courte apparition, mais il se contenta de me saluer de loin. Visiblement, il ne m'avait pas encore pardonné ma réaction à l'annonce de la mort du vieux Bartlett.

Il s'en remettrait, me dis-je pour me consoler. Lui, au moins, ne voulait rien brûler… à part peut-être le cœur de Liz Barrett, une jolie brune aux airs d'elfe qu'il fréquentait depuis peu mais qui paraissait insensible à ses tentatives de séduction. En voilà une qui était plus fine que les autres !

Après leur avoir apporté leur commande, je balayai la pièce du regard. L'atmosphère avait changé depuis quelques minutes ; elle était plus tendue, presque électrique. Une colère sourde montait de l'assemblée. Tous les hommes présents paraissaient gagnés par une agitation qui ne fit que s'accroître à mesure que la soirée passait. Ils parlaient plus fort, buvaient plus vite, ne tenaient pas en place… J'éprouvais la désagréable impression qu'un orage couvait et n'allait pas tarder à éclater.

Peu à peu, je vis les hommes quitter le bar pour se rassembler sur le parking en petits groupes. Cela ne me plaisait pas du tout. Je jetai un coup d'œil à Sam. Lui aussi semblait nerveux.

— Qu'est-ce que tu en penses ? lui demandai-je lorsqu'il s'approcha de moi.

C'était la première fois que je lui adressais la parole depuis le début de la soirée, exception faite des échanges habituels du style « encore deux bières » ou « l'addition de la cinq ».

— J'en pense qu'ils sont trop excités à mon goût, marmonna-t-il. Cela dit, je serais étonné qu'ils aillent à Monroe tout de suite. Il est trop tard, la nuit est tombée. Les vampires sont levés et en pleine forme.

— Alors, ils attendront l'aube.

Sam me lança un regard indéchiffrable.

— Allons, cesse de jouer les Cassandre et rentre te coucher. La journée a été longue.

De fait, j'étais épuisée. Prenant Sam au mot, je quittai le bar quelques minutes plus tard.

J'observai attentivement la cour de la maison en me garant, dans l'espoir que Bill serait là, à m'attendre. Je commençais déjà à regretter de ne pas m'être montrée plus explicite, lorsqu'il était venu au bar. Si seulement j'avais pu le prévenir de ce qui se tramait !

Hélas, je ne vis pas trace de lui. J'envisageai un instant de me rendre chez lui, mais la perspective de le trouver en compagnie de Harlen m'était insupportable. Finalement, je décidai de lui téléphoner. Il était absent. Je raccrochai après lui avoir laissé un message. Je songeai à appeler chez les trois vampires, mais je n'avais aucune idée du nom à chercher dans l'annuaire.

J'étais si fatiguée que je me couchai sans même prendre une douche et sombrai immédiatement dans un sommeil lourd, peuplé de rêves désagréables.

Je fus réveillée tôt le lendemain matin par la sonnerie du téléphone. Bill avait eu mon message ! me dis-je, pleine d'espoir, en courant vers l'appareil.

Mais, à ma grande déception, ce fut la voix de Jason que j'entendis à l'autre bout du fil. Je regardai l'horloge du salon. Il était 7 h 30. Mon frère n'avait pas l'habitude de m'appeler à une heure aussi matinale.

— Un problème ? demandai-je, intriguée.

— Trois problèmes, répliqua mon frère d'un ton grave. Peut-être plus.

— Pardon ?

— La maison des trois vampires a été incendiée au lever du soleil. J'espère que le tien n'était pas avec eux.

Bill ? Pourquoi aurait-il été là-bas ? Mon cœur s'arrêta de battre. Harlen ! Bill lui avait promis de l'emmener voir Malcolm.

— Oh, non !

D'une main tremblante, je pris un calepin pour noter l'adresse de la maison des trois vampires.

— J'y vais ! dis-je avant de raccrocher.

Je n'eus aucun mal à trouver la maison. Des volutes de fumée noirâtre montaient du toit, ou du moins de ce qui en restait, la signalant à une centaine de mètres à la ronde. Une odeur âcre et écœurante flottait dans l'air.

Je me garai dans la rue et m'approchai. Il y avait là, sous les regards des curieux, des camions de pompiers et des voitures de police stationnés en désordre. Des soldats du feu braquaient leurs lances sur une partie de la maison d'où s'échappaient encore des flammes. Sur la pelouse, je vis les restes de quatre cercueils, ainsi qu'un sac destiné à contenir un cadavre. Je frissonnai et poursuivis mon chemin, repoussant sans ménagement quelques inconnus qui tentèrent de m'arrêter. Il fallait que je sache !

Je me penchai sur le premier cercueil, le cœur battant. Le couvercle avait été soulevé, dévoilant des restes méconnaissables. Le soleil montait dans le ciel. D'ici peu, ses premiers rayons allaient frapper le corps étendu sans vie sur son lit de soie imbibée d'eau.

Bill ? Impossible de le savoir. Sous l'action de la lumière, la dépouille se désintégrait lentement. Des fragments s'en détachaient et s'envolaient dans la brise matinale, ou bien se volatilisaient dans un nuage de fumée.

Les autres cercueils abritaient le même spectacle d'horreur.

Je reconnus soudain la silhouette de Sam, qui s'approchait de moi.

— Est-ce que c'est un meurtre, Sam ?

— Oui, du point de vue légal. Mais personne n'a l'air impatient de commencer l'enquête.

En effet, les policiers présents allaient et venaient sans paraître s'intéresser aux victimes étendues à nos pieds. Une faible odeur d'essence parvint à mes narines.

— Pourtant, l'incendie a été volontairement déclenché, poursuivit Sam. Et ce corps...

Il désigna le sac et son macabre contenu.

— ... est celui d'un être humain. Même si les flics feignent d'ignorer que le meurtre d'un vampire est aussi condamnable qu'un autre, ils devront bien mener une enquête.

— Pourquoi es-tu venu, Sam ?

— Pour toi.

Je poussai un soupir de découragement en parcourant du regard les cadavres alignés sur le gazon.

— Je ne saurai pas avant ce soir si Bill est parmi eux.

— Oui, dit-il simplement.

— Je ne supporterai jamais d'attendre jusqu'à la nuit ! m'écriai-je, désespérée.

— Dors.

— Je n'ai pas sommeil.

— Alors, prends des somnifères.

— Je n'ai pas ce genre de médicament chez moi. Je n'ai jamais eu de problèmes de sommeil.

— Passe chez un médecin, suggéra-t-il. Il te fera une ordonnance.

Je me demandais comment mettre un terme à cette conversation inepte lorsqu'un homme de haute taille apparut devant moi. Il était le policier chargé de l'enquête, m'annonça-t-il.

— Vous connaissiez ces gens, mademoiselle ? demanda-t-il.

— Oui, je les avais croisés.

— Vous pourriez identifier les restes ?

— Qui pourrait identifier ça ? demandai-je, incrédule.

— Je parle de la personne dans le sac.

— Oh ! Je peux regarder, si vous voulez.

À peine eus-je prononcé ces paroles que je les regrettai. Moi et ma fichue manie de toujours vouloir rendre service ! Mais il était trop tard pour me rétracter. Déjà, le policier s'était agenouillé dans l'herbe et découvrait le haut du sac. Je pris une profonde inspiration, puis posai les yeux sur le visage couvert de suie qui venait d'apparaître.

C'était une jeune fille d'environ mon âge, une parfaite inconnue. Je laissai échapper un soupir de soulagement.

— Je ne la connais pas.

Je voulus me détourner, mais tout à coup, mes forces m'abandonnèrent. Mes jambes ne me portaient plus. Je vacillai. Sam me retint juste à temps et me plaqua contre lui pour m'empêcher de tomber.

— La malheureuse ! dis-je, le front contre son épaule. Oh, Sam, si seulement je pouvais arrêter toute cette horreur !

Je restai toute la matinée dans le jardin de la maison des vampires, où je dus subir un interminable interrogatoire – l'inspecteur était trop content d'avoir mis la main sans effort sur un témoin qui avait connu les victimes !

Lorsqu'il découvrit que j'avais rencontré les trois vampires par l'intermédiaire de Bill, il voulut en savoir plus sur ce dernier. Je désignai les cercueils, toujours alignés sur la pelouse.

— Je n'ai aucune idée de l'endroit où il se trouve. Peut-être est-il là-dedans… Je ne le saurai pas avant la tombée de la nuit.

À ces mots, les larmes me montèrent aux yeux. Mes nerfs me lâchaient. Je me mis à pleurer sans retenue.

— Ça suffit, intervint Sam, qui avait assisté de loin à l'interrogatoire. Vous ne voyez pas qu'elle n'en peut plus ?

Puis, sans attendre l'autorisation du policier, il passa son bras autour de mes épaules et m'entraîna vers ma voiture. Après m'avoir installée sur le siège du passager, il prit place derrière le volant et me ramena chez moi.

Il était 11 heures du matin lorsque nous arrivâmes à la maison, après un trajet silencieux. Sam m'aida à m'allonger sur le divan du salon, puis passa quelques coups de téléphone pour qu'on s'occupe du bar en son absence. Je le vis ensuite s'approcher de moi.

— Ces vitres sont opaques de crasse, dit-il soudain.

— Pardon ?

— Les carreaux. Depuis quand n'ont-ils pas été nettoyés ?

Je regardai les fenêtres, auxquelles je n'avais toujours pas remis de rideaux depuis le décès de Granny.

— Depuis longtemps, murmurai-je.

— Va chercher du produit à vitres et des chiffons, ordonna Sam. Et fais-nous aussi du café. On va nettoyer tout ça.

J'obéis, trop ébranlée pour tenter de discuter.

Une fois les vitres faites, nous nous attaquâmes aux toiles d'araignées du plafond, à la suie qui salissait la cheminée, puis à la poussière des tapis. J'ôtai ensuite les housses des coussins du salon pour les laver, rangeai toutes les cassettes vidéo dans leurs boîtes, astiquai le grand miroir et tous les cadres fixés aux murs.

Sam m'entraîna dans la salle à manger où, après m'avoir aidée à cirer le parquet, la table et les chaises, il ouvrit le buffet et désigna l'argenterie.

— Depuis combien de temps ne l'as-tu pas astiquée ? demanda-t-il.

Je le regardai, interloquée. Je n'avais jamais astiqué l'argenterie. Granny s'en était toujours chargée. Nous prîmes donc toutes les boîtes en carton et les emportâmes dans la cuisine, pour procéder à un nettoyage en règle.

Sam travailla aussi dur que moi, ne me parlant que pour désigner la tâche suivante. Dans le courant de la journée, on lui ramena sa camionnette. Lorsque le soir tomba, j'avais la maison la plus rutilante de toute la région.

— Il va faire nuit, dit Sam en s'approchant de la fenêtre. Je m'en vais, Sookie. Je suppose que tu préfères rester seule ?

Je hochai la tête.

— Il faudra que je te remercie pour tout ce que tu as fait pour moi aujourd'hui. Une autre fois.

Il posa ses lèvres sur mon front. Quelques secondes plus tard, j'entendis le claquement de la porte d'entrée, suivi du ronronnement du moteur de la camionnette. Sam était parti.

Je restai assise devant la table de la cuisine jusqu'à ce que la pénombre envahisse la pièce. Alors, je me levai et, munie d'une lampe électrique, sortis sur la véranda.

Une pluie fine tombait, détrempant le sol, traversant peu à peu mes vêtements. Mais je m'en moquais. Je demeurai immobile dans la cour, à cligner des yeux pour tenter d'apercevoir la silhouette de Bill. En vain. Je me dirigeai alors vers le bois, tout en repoussant mes cheveux trempés qui ruisselaient sur mon visage et devant mes yeux.

J'eus un moment de panique en arrivant sous l'épais couvert des arbres. Il me semblait entendre à tout moment des grincements sinistres, des hululements bizarres. « Allons, ma fille, ce n'est que le craquement des branches et le souffle du vent », me réprimandai-je. Le cœur battant d'appréhension, je fis un pas dans le sous-bois, puis un deuxième, et un troisième…

J'eus la sensation désagréable que la forêt se refermait sur moi. Des branchages me giflèrent les joues, une ronce me griffa les chevilles, mais je m'obligeai à poursuivre mon chemin. Plus loin, je trébuchai sur une racine, tombai et me relevai toute tremblante, avant de repartir d'un pas plus rapide. L'air tout autour de moi me semblait hostile. J'accélérai encore mon allure.

Tout en marchant, je balayais les environs du rayon de ma lampe, sans rien distinguer de plus que des troncs aux silhouettes tortueuses et des branchages secoués par les bourrasques de vent. Bientôt, je me mis à courir. Au loin, une faible luminosité m'avertit que j'approchais de la clairière.

Je sortis du bois à la hauteur du cimetière. Bill ne m'avait jamais parlé de cet endroit, mais mon intuition me soufflait que c'était là, et non à Compton House, que je devais le chercher.

Je fis halte au beau milieu de la partie la plus ancienne du cimetière et mis une main en porte-voix.

— Bill ! appelai-je. Bill Compton, es-tu là ?

Je fis quelques pas, certaine que si je ne le voyais pas, lui, en revanche, pourrait m'apercevoir… s'il se trouvait bien là.

S'il n'avait pas disparu dans l'incendie de la maison de Monroe.

Seul le silence me répondit – ou, plus exactement, le sifflement du vent, ponctué par le crépitement de la pluie sur les dalles de pierre.

— Bill ! Je t'en prie, sors de ta cachette !

Je distinguai un mouvement sur ma droite. Aussitôt, j'orientai le faisceau de ma lampe dans cette direction et vis une main d'une blancheur d'albâtre jaillir de la boue, non loin de mes pieds. Le sol fut agité de secousses de plus en plus amples, jusqu'à ce qu'une silhouette sorte de terre et se dresse à quelques pas de moi.

— Bill ?

Cette fois-ci, j'avais parlé d'une toute petite voix. Le courage me manquait soudain. La créature s'approcha de moi, maculée de boue, les cheveux en bataille. Bill !

— Sookie ? Que fais-tu ici ?

Il fallait que je lui annonce la terrible nouvelle, que je lui dise à quel point j'avais eu peur pour lui, mais les mots refusaient de sortir de ma bouche.

— Chérie ? demanda-t-il d'un ton plus tendre.

Je me laissai tomber à genoux dans la boue, vaincue par les émotions de cette journée. Je ne voulais garder qu'une chose en tête : Bill était vivant… dans la mesure où un vampire pouvait l'être, bien entendu.

— Sookie ? Il s'est passé quelque chose ?

Je hochai la tête. Il s'agenouilla devant moi. Ce ne fut qu'à ce moment que je remarquai sa nudité. La pluie qui ruisselait sur sa peau couverte de boue y laissait des sillons plus clairs, achevant de lui donner l'air d'une statue de marbre qui aurait pris vie.

— Tu es nu, fis-je observer, consciente de l'étrangeté de ma remarque.

— J'enlève mes vêtements tous les matins avant de me coucher, pour ne pas les salir, expliqua Bill avec pragmatisme.

C'était assez logique, somme toute.

— Maintenant, reprit-il, dis-moi ce qui ne va pas.

— D'abord, promets-moi de ne pas me haïr.

— Qu'as-tu fait ?

— Moi ? Absolument rien ! C'est plutôt ce que je n'ai pas fait qui me tracasse.

D'un regard, il m'invita à poursuivre.

— J'aurais pu t'avertir, être plus précise. Je t'ai téléphoné, mais tu n'étais pas là. Tu n'as pas eu mon message ?

— Enfin, de quoi parles-tu ? De quoi voulais-tu m'avertir ?

Je pris son visage entre mes mains, consciente que j'avais failli le perdre ce matin-là, à l'aube.

— Ils sont morts. Les vampires de Monroe. Et une jeune fille avec eux.

Les yeux de mon compagnon s'écarquillèrent d'horreur.

— Harlen, murmura Bill. Il était avec eux. Entre Diane et lui, ça a été le coup de foudre.

— On les a brûlés.

— Volontairement ?

— Oui.

Bill leva les yeux au ciel. Durant un long moment, il demeura immobile. Je ne voyais pas son visage, mais je pouvais ressentir sa tristesse, sa colère... et sa faim. Une faim impérieuse, dévorante.

Il n'y avait plus rien d'humain en lui. Un frisson d'épouvante me parcourut. De sa gorge jaillit un long hurlement qui me glaça le sang. Prise de panique, je tentai de me lever. Trop tard. Bill m'avait déjà saisie par le bras et me retenait d'une poigne d'acier.

Je m'obligeai à me calmer, consciente qu'en me débattant, je ne ferais que l'exciter davantage. Puis une idée me traversa l'esprit. Il ne pouvait y avoir que deux exutoires à la fureur de Bill : la mort... ou l'amour.

De ma main libre, je caressai son torse, avant d'approcher mes lèvres de son sein. Sa peau était ruisselante de pluie, un peu salée, étrangement excitante. Je la léchai avec douceur, jusqu'à ce qu'une douleur fulgurante traverse mon épaule.

Là où Bill venait de planter ses crocs.

Puis il se jeta sur moi et me plaqua au sol de toute la force de son corps dur et musclé. Je lui ouvris mes jambes sans résister. Une seconde plus tard, il était en moi. Je n'eus que le temps d'agripper son dos : déjà, il allait et venait entre mes cuisses, m'arrachant un cri de douleur qui se transforma rapidement en gémissement de plaisir.

À chaque va-et-vient, il m'enfonçait un peu plus dans la terre humide et tiède. Bientôt, son souffle se fit plus rauque, tandis qu'il accélérait encore sa danse sauvage. Je le vis entrouvrir les yeux, avant de se pencher vers moi, toutes canines dehors.

La morsure, cette fois, ne fut pas douloureuse. Puis la jouissance m'emporta, aussi violente qu'inattendue. Bill me rejoignit dans un cri d'extase, avant de se laisser tomber sur moi de tout son poids.

Longtemps, nous restâmes immobiles, étendus dans la terre gorgée d'eau, sous la pluie qui n'avait pas cessé. À cet instant, je songeai que Bill aurait pu me tuer sans même le vouloir.

Enfin, il s'étira et roula sur le côté, puis il se leva et se baissa pour me soulever dans ses bras. Il me porta ainsi jusque chez lui et m'emmena directement dans la salle de bains. Là, il m'assit dans la baignoire et ouvrit les robinets en grand, en prenant soin de régler la température.

Mon corps était couvert de sang et de boue mêlés, mes muscles étaient endoloris, et mes pensées plus confuses que jamais. Je me laissai aller avec gratitude dans les remous de l'eau bienfaisante. Il me semblait être revenue d'entre les morts.

— Tous brûlés ? demanda Bill, le regard perdu.

— Oui, ainsi qu'une jeune fille, lui rappelai-je.

— Qu'as-tu fait de ta journée ?

— Le ménage. Sam est venu m'aider. Il fallait que je pense à autre chose.

— Ah, oui, Sam... Dis-moi, Sookie, peux-tu lire dans ses pensées ?

— Non, avouai-je, avant de m'immerger dans l'eau, tête comprise.

Lorsque je revins à la surface, Bill prit un flacon de shampooing sur le bord de la baignoire. Il en versa un peu sur mes cheveux, qu'il lava méticuleusement avant de les rincer. Je le laissai faire, ravie de m'abandonner à ses soins. J'avais l'impression que toute mon énergie m'avait désertée.

— Je suis désolée pour tes amis, Bill, dis-je en sortant de la baignoire. Et je suis heureuse que tu sois toujours là.

Il me drapa ensuite dans une grande serviette blanche, me peigna et me sécha les cheveux, puis me prit dans ses bras pour me déposer sur son lit. Je me souviens de l'odeur de lavande, de la fraîcheur des draps bien repassés, du moelleux d'un oreiller garni de plumes.

Là s'arrêtent mes souvenirs de cette soirée.

Je fus réveillée peu avant l'aube par un bruit de pas dans la chambre.

— Bill ? appelai-je en me redressant en sursaut.

— Je suis là, ma chérie.

Il s'assit sur le lit à côté de moi.

— Est-ce que tu vas bien ?

— Oui. Je suis allé marcher dehors.

Je me recouchai. Puis j'entendis le froissement de vêtements qu'on ôtait, et Bill s'étendit à mon côté.

— Quand je pense que tu aurais pu te trouver dans l'un de ces cercueils... murmurai-je, encore choquée par l'épouvantable vision qui m'avait accueillie à Monroe.

— Et moi, quand je pense que tu aurais pu te trouver dans le sac, à la place de cette jeune fille ! Imagine qu'ils s'en prennent à Compton House, maintenant ?

— Bill, il faut que tu t'installes chez moi. Ils ne viendront pas incendier ma maison. Tu y seras en sécurité.

— Pour attirer le danger sur toi ? Pas question.

— Si je te perds, je perds tout, répondis-je avec passion. Tu es ce qui m'est arrivé de mieux, Bill.

— Parfois, je crois au contraire que tu serais plus en sécurité sans moi...

— Que veux-tu dire ? Tu es déjà pressé de te débarrasser de moi ?

Il me serra contre lui avec fièvre.

— Jamais, dit-il, ses lèvres contre mes cheveux. Jamais !

— Écoute-moi, Bill. Je peux les obliger à t'accepter. J'en ai la force. Je sais que j'en suis capable.

— Ce serait un miracle, mais si quelqu'un peut le réussir, c'est toi, dit-il en s'étendant sur moi.

9

Bill et moi étions de nouveau ensemble. Nous nous installâmes dans une routine tissée de joie et de peur – la joie de nous être retrouvés après avoir frôlé le pire, la peur que le carnage recommence.

Lorsque je travaillais le soir, je rentrais directement à Compton House, où je passais la nuit. Si j'étais de l'équipe de jour, Bill me rejoignait chez moi après le coucher du soleil pour regarder un film ou jouer aux cartes avec moi.

Une nuit sur trois environ, nos ébats s'interrompaient, ou du moins je demandais à Bill de ne pas me mordre. Sans cette précaution, je risquais de m'affaiblir et de perdre la santé, ce que nous ne voulions ni lui ni moi.

Je tentai pendant quelque temps de pallier ce problème en prenant des comprimés de fer, mais je cessai bien vite. Bill détestait le goût que cela me donnait.

La nuit, durant mon sommeil, Bill s'occupait de ses propres affaires. Il lisait, se promenait, parfois même il travaillait dans mon jardin, à la lumière des réverbères. S'il lui arrivait de mordre quelqu'un d'autre, il avait la délicatesse de rester discret sur ce point, comme je le lui avais demandé.

Cependant, une certaine tension s'installa entre nous au fil des jours. Nous avions la sensation qu'à tout instant, un malheur pouvait s'abattre sur nous. Depuis l'incendie de Monroe, la colère et la peur habitaient Bill. Etre si puissant à l'état de veille et si vulnérable pendant le sommeil devait être éprouvant.

La haine de mes concitoyens envers les vampires allait-elle retomber, à présent que les trois « monstres de Monroe », comme on les surnommait, avaient disparu ? Je ne l'aurais pas juré. Bill n'en parlait jamais ouvertement, mais je compris vite qu'il craignait de me voir connaître une aussi triste fin que Dawn, Maudette et Granny. Après tout, leur assassin courait toujours.

Si les incendiaires de Monroe espéraient s'être débarrassés du meurtrier, ils se trompaient. D'après les résultats des autopsies, les trois victimes étaient toutes mortes par strangulation, et non à la suite d'une morsure de vampire. Dawn et Maudette avaient en outre eu des rapports sexuels avant d'être tuées. Et après.

Tout comme Arlène et Charlsie, je devenais nerveuse. J'évitais de traverser seule les parkings, je vérifiais avant d'entrer chez moi qu'il n'y avait aucune trace d'effraction, j'observais les voitures qui me suivaient lorsque j'étais sur la route.

Les jours passèrent, et comme cela arrive souvent dans de telles circonstances, notre attention finit par se relâcher. On ne peut pas rester à l'affût en permanence. Dans le cas d'Arlène et de Charlsie, c'était d'autant plus compréhensible qu'elles avaient une vie familiale – Charlsie avec son mari,

Ralph, et Arlène avec ses enfants et, épisodiquement, René Lenier.

Moi, en revanche, j'étais seule.

Jason venait *Chez Merlotte* chaque soir et semblait mettre un point d'honneur à m'adresser la parole. Je compris qu'il tentait de réparer ce qui s'était brisé entre nous, et je fis de mon mieux pour ne pas le décevoir. Il buvait de plus en plus, et ses conquêtes féminines défilaient trop vite pour que je me souvienne de leurs prénoms, mais je m'abstins diplomatiquement de toute remarque.

Nous réglâmes ensemble les détails de la succession de Granny et de celle de notre grand-oncle, cette dernière concernant plus Jason que moi, car le vieux Bartlett lui avait tout légué, à l'exception de la somme que j'avais reçue.

Un soir, Jason m'avoua qu'il avait dû se rendre encore deux fois dans les locaux de la police et que ces convocations à répétition l'exaspéraient. Il s'en était ouvert à Sid Matt Lancaster, qui lui avait proposé de l'accompagner s'il devait être entendu une nouvelle fois par les enquêteurs.

— J'aimerais bien savoir ce qu'Andy Bellefleur te reproche ! m'exclamai-je naïvement. Après tout, tu n'étais pas le seul à fréquenter Dawn et Maudette.

Jason eut soudain l'air mal à l'aise. Il me sembla même le voir rougir. Que lui arrivait-il ?

— C'est à cause des films, marmonna-t-il d'une voix à peine audible.

— Les films ? répétai-je sans comprendre. Quels films ?

D'un geste, il me fit signe de parler plus bas. Puis, après avoir regardé autour de nous comme pour s'assurer qu'on ne nous écoutait pas, il m'expliqua :

— On a tourné des vidéos.

Il ressemblait à un petit garçon pris en faute, si bien que, malgré la gravité des circonstances, je dus retenir un éclat de rire.

— Quel idiot ! Où avais-tu la tête ? Tu n'as pas pensé que c'était une véritable bombe à retardement ? Imagine qu'une de tes ex envoie une copie de ces cassettes à ta promise, le jour où tu voudras te caser ? Tu parles d'un cadeau de mariage !

— Je t'en prie, maugréa Jason.

— Excuse-moi. Mais tu as arrêté de jouer les Rocco Siffredi, j'espère ?

Il hocha vigoureusement la tête. Je n'eus même pas besoin de me connecter à son esprit pour savoir qu'il mentait.

— Tu as parlé de cette histoire à Sid Lancaster ?

Il acquiesça de nouveau, avec un peu moins d'énergie, toutefois.

— Tu penses que c'est à cause de ces vidéos qu'Andy Bellefleur te convoque aussi souvent ?

— Bien sûr.

— Quoi qu'il en soit, tu ne risques rien. Il leur suffira d'effectuer un prélèvement de sperme et une analyse ADN pour t'innocenter.

— C'est aussi ce que dit Sid, mais je n'ai pas confiance dans ces trucs-là.

— De quoi as-tu peur ? Tu crains qu'Andy n'essaie de fausser les résultats ?

— Non, il a l'air réglo. Mais moi, je ne connais rien à ces histoires d'ADN, bougonna Jason.

Je levai les yeux au plafond, agacée.

— Alors, n'en parlons plus, dis-je. De toute façon, j'ai du travail.

— Attends ! Je…

Jason parut hésiter. Il jeta un rapide coup d'œil vers les toilettes, où Liz Barrett s'était éclipsée un instant auparavant.

— Je voudrais te demander quelque chose.

— Oui ?

— Pourrais-tu lire dans les pensées des hommes qui viennent ici pour savoir si le meurtrier n'est pas l'un d'eux ?

Je souris.

— C'est beaucoup plus compliqué que ça, Jaz. D'abord, il faudrait que l'assassin pense à son geste au moment où il est ici, à l'instant précis où je l'écoute. Ensuite, je n'entends pas tout le monde de la même manière. Certaines personnes expriment des idées aussi clairement que si elles parlaient, d'autres n'émettent que des images confuses. De plus, il peut m'arriver d'entendre une pensée sans réussir à localiser sa source dans une assemblée.

Jason écarquilla les yeux, surpris. C'était la première fois que nous parlions si ouvertement de ce sujet.

— Comment fais-tu pour ne pas devenir dingue ? demanda-t-il.

J'allais lui répondre lorsque Liz Barrett réapparut. Aussitôt, je vis Jason endosser son rôle de séducteur, comme un manteau trop lourd dont il se serait débarrassé un instant. Pourquoi ne se laissait-il pas aller à plus de spontanéité ?

À l'heure de la fermeture, Arlène me demanda si elle pouvait me confier ses enfants le lendemain soir. Elle avait prévu une sortie à Shreveport avec René. J'acceptai aussitôt, mais elle semblait préoccupée par une question qu'elle n'osait me poser.

— Il y a autre chose ?
— Est-ce que... Bill sera avec toi ?
— Bien sûr. Je devais aller louer une cassette vidéo. À la place d'un film d'action, je choisirai un dessin animé.
Puis je compris le sens de ses paroles.
— C'est la présence de Bill qui te dérange ?
— Sookie, il faut me comprendre... Tu ne sais pas ce que c'est, tu n'as pas d'enfants. Je ne peux pas confier mes petits à un vampire. C'est inimaginable !
— Bill ne ferait pas de mal à un enfant, voyons !
— Qu'en sais-tu ? Tu ne le connais pas si bien que ça !
J'étais si choquée par ses insinuations que je partis sur-le-champ, en claquant la porte derrière moi. Au lieu de me rendre chez Bill, comme nous en étions convenus, j'allai chez moi. J'étais furieuse contre Arlène, inquiète pour Jason et déçue par Sam, qui depuis quelques jours me battait froid.
Quinze minutes après l'heure où j'aurais dû arriver chez Bill, celui-ci sonna à ma porte.
— Que se passe-t-il ? demanda-t-il, visiblement alarmé. Pourquoi n'es-tu pas venue ?
— Je suis d'une humeur massacrante.
Puis j'ajoutai, un peu confuse :
— Je suis désolée, tu as dû t'inquiéter pour moi.
Comment expliquer à Bill l'affront qu'Arlène venait de m'infliger ? Comment lui faire partager les angoisses que Jason avait éveillées en moi, à l'idée qu'il soit victime d'une erreur judiciaire ? Avec la violence d'un orage qui se lève, la colère

montait en moi. Il fallait que je passe mes nerfs sur quelque chose, sinon j'allais devenir folle !

— Je sors, annonçai-je.

— Où vas-tu ? demanda Bill d'un air surpris.

— Au jardin, creuser un trou, dis-je en descendant les marches de la véranda.

Une fois dans la cour, j'allai ouvrir la porte de la remise, où Gran rangeait ses outils, et j'en sortis une pelle. Puis je me dirigeai d'un pas rageur vers le jardin situé derrière la maison, plus précisément vers une bande de terre où l'on n'avait jamais rien planté.

Là, j'enfonçai la pelle dans le sol en m'aidant de mon pied, avant d'extraire une lourde pelletée de terre que je déposai sur le côté. Je répétai encore et encore la manœuvre, en ahanant de plus en plus, jusqu'à ce qu'un petit tas commence à monter et un trou à apparaître.

Je m'arrêtai un instant, le souffle court.

— J'y arriverai ! grommelai-je.

Bill, qui m'avait suivie, s'était assis sur une chaise longue, d'où il m'observait en silence. Sans un mot de plus, je m'attelai de nouveau à la tâche. Finalement, je creusai un trou assez large dans le sol. Je reculai d'un pas pour apprécier mon travail.

— Qu'as-tu l'intention d'enterrer ? me demanda Bill de sa voix tranquille.

— Rien. Je vais y planter un arbre.

— Intéressant. Quelle sorte d'arbre ?

— Un chêne, dis-je sur une impulsion.

— Tu sais que ça va mettre des dizaines d'années à pousser ?

— Et alors ? Qu'est-ce que ça change pour toi ?

Bill se leva, me prit la pelle des mains avec douceur et demanda :

— Dis-moi ce que je t'ai fait, Sookie.

En l'espace d'une seconde, toute ma colère retomba. De quel droit me montrais-je si agressive envers lui ?

— Rien. Excuse-moi, je suis odieuse.

— Tu ne veux pas me dire ce qui t'arrive ?

— Non. Dis-moi, Bill, que fais-tu quand tu es de mauvaise humeur ? De très mauvaise humeur ?

— J'arrache un ou deux arbres. Il m'est aussi arrivé de m'en prendre physiquement à quelqu'un.

Je souris.

— Dans ce cas, je préfère planter des chênes. C'est peut-être idiot, mais c'est plus constructif.

— J'ai autre chose à te proposer, dit Bill, une lueur espiègle dans les yeux.

Je l'interrogeai du regard.

— Faisons l'amour.

— Je n'en ai pas envie.

Il s'assit dans l'herbe et m'attira à lui.

— J'ai le droit d'essayer de te faire changer d'avis ?

Je dois reconnaître qu'il sut se montrer fort persuasif.

Ce qui restait de ma colère fondit sous les caresses de mon compagnon. Ensuite, je demeurai longtemps dans ses bras, le regard perdu dans les étoiles. J'étais encore un peu triste, car Arlène m'avait profondément blessée, mais, bercée par la respiration calme de Bill, je m'apaisai peu à peu. Il me caressait les cheveux et les démêlait entre ses doigts, un passe-temps qu'il semblait affectionner. Parfois, cela me donnait l'impression qu'il jouait à la poupée avec moi.

— Jason est venu au bar, ce soir.
— Que voulait-il ?
— Me demander de lire dans les pensées des clients pour découvrir l'assassin.
— Même si l'idée n'est pas réaliste, elle a du bon.
— Dans quel sens ?
— Si tu trouvais le meurtrier, cela nous mettrait hors de cause, Jason et moi. Et tu serais en sécurité.
— Je n'ai aucune envie d'entrer par… par effraction dans l'esprit des gens, répliquai-je. Ça ne se fait pas.
— Tu préfères vivre avec l'angoisse qu'on accuse ton frère ? Qu'on me fasse subir le même sort qu'aux autres vampires ?
Je réfléchis à ses paroles. Que voulait-il exactement ? Je n'avais pas l'étoffe d'un détective ! Chacun son métier, non ? J'allais lui en faire la remarque lorsqu'il reprit, d'une voix étrangement sérieuse :
— Au fait, Sookie… Éric m'a demandé de t'amener à Shreveport.
Éric ? J'eus une seconde de perplexité.
— Oh, tu veux parler du vampire viking ?
— C'est un très vieux vampire, précisa Bill d'un ton révérencieux que je ne lui connaissais pas.
Je le regardai, intriguée.
— Il t'a demandé de m'amener à Shreveport… ou il te l'a ordonné ?
— Il est plus vieux que moi. Et nettement plus fort. Je ne peux pas lui désobéir.
— Alors, c'est lui le chef vampire ?
— En quelque sorte.
— Que se passera-t-il si je ne me présente pas à sa convocation ?

— Il t'enverra chercher.

— Par sa garde rapprochée ?

Il hocha la tête. Je réfléchis un instant. Je n'avais pas l'habitude qu'on me donne des ordres, qu'on ne me laisse pas le choix. Mais je n'avais pas non plus l'habitude de mettre dans l'embarras ceux que j'aimais.

— Donc, tu serais obligé de te battre contre eux ?

— Oui.

— Tu sais ce qu'il me veut ?

Une réponse évidente me vint soudain à l'esprit, m'arrachant un cri d'horreur.

— Oh, mais je ne veux pas, moi !

— Je ne le laisserai pas te toucher, dit Bill avec une froide détermination. Tu es à moi.

— Et il le sait très bien... Donc, il veut autre chose.

— C'est probable, seulement, j'ignore ce que ça peut être.

— Puisque ce n'est en rapport ni avec mes charmes ni avec mon sang, ça doit avoir quelque chose à voir avec mon... handicap.

— Tu veux parler de ton talent ?

Je souris.

— Quand sommes-nous attendus ?

— Demain soir.

— Très bien. Je suppose que je n'ai pas le choix.

Bill me serra contre lui.

— Je t'aime.

— Moi aussi.

— Sookie... je pense que tu devrais boire un peu de mon sang, ce soir.

— Merci, mais je vais très bien.

— Si tu en bois, tu seras au meilleur de tes capacités demain soir.

— Toi, en revanche, tu seras affaibli.

— Je m'arrangerai pour mordre quelqu'un d'autre dans la journée.

Alors, il le faisait ? C'était une chose de le supposer, c'en était une autre de l'entendre le dire aussi clairement. Il dut deviner ma déception, car il ajouta aussitôt :

— Sookie, je le fais pour nous. Je t'ai donné ma parole que je n'avais de relations sexuelles avec personne d'autre.

— Je sais. Bon, si tu penses qu'il est vraiment nécessaire que je boive de ton sang... ajoutai-je avec un soupir.

— J'en suis persuadé. Nous aurons besoin de toutes les ressources possibles.

— D'accord. Comment dois-je m'y prendre ?

— Tu as le choix. Tu peux boire au cou, au poignet, à l'aine...

— Au cou, ce sera très bien, dis-je précipitamment, pressée d'en finir avec ce rituel un peu écœurant.

— Approche-toi, dit-il en levant la tête.

— Et ensuite ?

— Mords.

J'eus un mouvement de recul. Mordre celui que j'aimais ?

— Je ne peux pas !

— Mords, ou je prends un couteau.

Il ne me laissait pas le choix. J'approchai mes lèvres tremblantes de sa gorge et plantai mes dents dans sa peau sans réfléchir une seconde de plus. Aussitôt, un flot âcre et tiède envahit ma bouche. Je toussai, incapable de l'avaler.

— Bois, ordonna Bill.

Alors, je pris une deuxième gorgée, puis une troisième, grisée peu à peu par les sensations nouvelles qui m'envahissaient et me plongeaient dans un état second.

Je m'aperçus soudain que Bill m'avait pénétrée. Sans détacher mes lèvres de son cou, je refermai les mains sur ses hanches pour guider ses mouvements. Des visions et des impressions inédites s'imposèrent à moi – des silhouettes blanches qui sortaient de terre, des cieux illuminés par des milliards d'étoiles, une faim dévorante, l'odeur du sang, une course à travers bois à la poursuite d'une proie, les battements de cœur de l'humain traqué... Dans un cri de jouissance, Bill fut agité d'un spasme.

Je détachai mes lèvres de sa gorge et me redressai pour accueillir la vague de noire volupté qui déferlait en moi.

10

Dès le lendemain matin, je constatai que le petit supplément de vitamine bu la veille faisait son effet. J'étais plus alerte que jamais, j'avais l'esprit vif et les réflexes prompts. Étrangement, je me trouvais plus jolie.

Ce soir-là, alors que je me préparais pour me rendre à mon « entretien avec un vampire », Bill s'éclipsa pour se nourrir. Je savais qu'il était plus raisonnable qu'il morde quelqu'un d'autre, mais j'en éprouvais malgré tout une certaine jalousie.

Je choisis une tenue ni trop sexy – il n'était pas question d'aguicher Éric – ni trop négligée. Je passai un jean, un tee-shirt qui laissait voir les marques de crocs qu'avait imprimées Bill dans mon cou, et je me chaussai de simples sandales en cuir. Après réflexion, je glissai un foulard dans mon sac, ainsi qu'une chaînette d'argent. J'aurais ainsi de quoi me protéger des regards inquisiteurs des humains... et des regards gourmands des vampires.

Bill frappa à la porte alors que je finissais de me maquiller.

— Tu as changé, dit-il.

— Tu penses que les autres peuvent s'en rendre compte ?

— Je ne sais pas.

Il me prit par la main et nous sortîmes de la maison. Sa voiture était garée dans la cour. Lorsqu'il m'ouvrit la portière du passager, je le frôlai et fronçai le nez.

— Qu'y a-t-il ?

— Rien.

Je tentai de me raisonner en me disant que je n'avais pas plus de raisons d'être jalouse de la personne que Bill avait mordue qu'il n'en avait de l'être de la vache qui avait fourni mon lait du matin, mais je n'y parvins pas.

— Tu sens l'odeur de quelqu'un d'autre, marmonnai-je, un peu honteuse de me montrer si possessive.

— Dans ce cas, tu sais ce que je risque d'éprouver si Éric te touche.

Le reste du trajet se déroula en silence. Nous étions tous les deux tendus à la perspective de la soirée qui nous attendait. Trop tôt à mon goût, nous arrivâmes au *Croquemitaine*. Cette fois-ci, Bill se gara derrière le bar. Luttant contre une folle envie de prendre la fuite, je descendis de voiture. D'autres véhicules étaient stationnés là – modèles de luxe aux vitres teintées, bolides de course à la carrosserie rutilante, décapotables blanches aux sièges recouverts de cuir... Vous ne verrez jamais un vampire au volant d'un tacot d'occasion !

Agrippée au bras de Bill comme à une bouée de sauvetage, je me laissai entraîner vers la porte de service. Je me souviens de l'odeur de bitume mouillé qui montait de la cour, du nom *Le Cro-*

quemitaine peint au stencil sur la porte en bois et du regard encourageant que Bill me lança au moment d'entrer.

Ce fut la vampire blonde qui nous ouvrit, celle qui était assise à la table d'Éric la première fois que nous étions venus. Elle nous guida à travers une remise assez semblable à celle de *Chez Merlotte*, puis nous fit entrer dans une petite pièce. Si Bill avait été humain, il aurait gémi de douleur tant je le serrais fort.

Éric était là, assis derrière un bureau, occupant tout l'espace de sa formidable présence. Bill ne s'agenouilla pas pour baiser son anneau, mais il s'en fallut de peu. Grande Ombre, le barman, était présent également, vêtu d'un jean et d'un tee-shirt vert bronze sans manches qui collait à sa peau et rehaussait son teint cuivré.

Eric se chargea des présentations.

— Bill, Sookie, vous connaissez Pam, dit-il en désignant la vampire blonde. Voici Bruce.

Bruce était un humain. Manifestement, il était encore plus effrayé que moi. Je le trouvai tout de suite sympathique. Assis sur une chaise face à Éric, il paraissait plus petit qu'il ne devait l'être en réalité.

Grande Ombre et Pam étaient adossés au mur derrière nous, près de la porte. Bill alla les rejoindre. Je m'apprêtais à le suivre lorsque Éric me retint.

— Sookie ? Tu devrais écouter Bruce.

Je regardai Bruce un instant, avant de comprendre le réel sens des paroles d'Éric.

— Que veux-tu savoir ? demandai-je d'une voix tendue.

— Soixante mille dollars ont disparu de la caisse.

Une envie de meurtre passa dans l'air, presque palpable.

— Et plutôt que de torturer ou de tuer tous nos employés humains, poursuivit Éric, j'ai pensé que tu pourrais lire dans leur esprit pour nous dire qui est le coupable.

Il avait dit « torturer ou tuer » aussi calmement que j'aurais dit « une bière ou un soda ».

— Et ensuite ?

Éric ouvrit de grands yeux innocents.

— Ensuite ? Je demanderai à la personne de me rendre l'argent.

— Et ?

— Si je peux prouver le vol, je remettrai le coupable à la police, bien sûr.

Il mentait.

— Faisons un marché, dis-je, sans m'encombrer de diplomatie.

Éric haussa les sourcils, visiblement surpris.

— Je t'écoute.

— Si tu tiens parole et laisses la justice s'occuper du voleur, je t'aiderai, cette fois-ci et à l'avenir.

Une expression de stupéfaction totale se peignit sur son visage. Il se n'était pas attendu à une telle réponse de ma part. La tension ambiante monta d'un cran. Il me semblait sentir sur ma peau le poids du regard de Bill.

— Je sais, dis-je, tu as les moyens de m'obliger à t'aider. Seulement, ne penses-tu pas qu'il vaut mieux que je coopère volontairement ? Que nous puissions nous faire confiance ?

Un silence de mort suivit ma petite tirade. À vrai dire, j'étais la première surprise de mon audace. Je négociais avec un vampire... et pas n'importe lequel ! Sans le vouloir, je m'insinuai dans les pensées d'Éric. Il songeait qu'il pourrait me forcer à lui obéir, par exemple en menaçant Bill ou une autre personne qui m'était chère. Par ailleurs, il souhaitait s'intégrer à la société, rester autant que possible dans les limites de la légalité. Il n'avait pas envie de tuer, du moins pas tant qu'il pourrait l'éviter.

Ce ne fut qu'un flash, mais assez puissant pour me faire frissonner d'effroi. J'avais l'impression d'être tombée dans un nid de serpents.

J'ajoutai précipitamment, dans l'espoir qu'Éric n'aurait pas eu le temps de remarquer que j'avais lu dans ses pensées :

— D'ailleurs, qui te dit que le coupable est un humain ?

Un mouvement de stupeur se fit derrière moi, qu'Éric calma d'un battement de cils.

— Voilà une hypothèse intéressante. Pam et Grande Ombre sont mes associés depuis longtemps, mais je suppose que si aucun humain n'est responsable, il faudra effectivement chercher de leur côté.

— Ce n'est bien sûr qu'une éventualité, dis-je.

— Bien sûr.

Si un iceberg pouvait parler, il ne s'exprimerait pas plus froidement, songeai-je, mal à l'aise.

— Commence par cet homme, ordonna Éric en désignant Bruce.

Je me tournai vers mon voisin, consciente d'être le point de mire de tous les regards. Jamais je n'avais écouté les pensées de quelqu'un de façon aussi ostensible. Sur une impulsion, je décidai d'improviser un petit rituel.

Je m'agenouillai devant Bruce et pris son poignet. Le contact physique me permettrait de mieux me concentrer sur lui et de rendre plus tangible mon intervention. Je pressentais confusément l'importance de cette petite mise en scène, qui renforcerait le peu de pouvoir dont je disposais.

Je plongeai mon regard dans celui de Bruce.

« Je n'ai pas pris l'argent, je ne sais pas qui l'a volé. Qui serait assez fou pour nous mettre en danger comme ça ? Que feront Lillian et les petits si on me tue ? Quel imbécile j'ai été de venir travailler pour des vampires ! C'était de la folie. Si j'en réchappe, plus jamais je ne mettrai les pieds dans un endroit pareil. Et au fait, j'aimerais bien savoir comment cette cinglée peut deviner qui a pris l'argent, et si elle est aussi une vampire. Elle a un drôle de regard. Est-ce qu'elle va me dénoncer, même si ce n'est pas moi ? J'aurais mieux fait de chercher tout seul le coupable au lieu d'en parler à Éric... »

Je libérai son poignet, étourdie par le flot de pensées qui émanait de son esprit.

— Ce n'est pas lui, dis-je en me relevant.

Sur un regard d'Éric, Pam escorta le pauvre garçon, en état de choc, vers la sortie, puis fit entrer le suspect suivant.

Il s'agissait d'une barmaid toute vêtue de noir, avec un décolleté avantageux et de longs cheveux blonds. Une mordue, comme en témoignaient les multiples traces de dents imprimées dans son cou et ses bras. Elle s'assit sur la chaise face au bureau, croisa les jambes façon Sharon Stone et adressa un sourire radieux au vampire blond. Puis elle parut prendre conscience de l'atmosphère lourde qui régnait dans la pièce, car je la vis regarder Éric d'un œil soucieux.

— Oui, maître ?

— Ginger, cette femme a des questions à te poser.

La barmaid me jeta un regard plein de mépris. Je procédai comme je l'avais fait avec Bruce, mais elle rejeta ma main avec brusquerie.

— Ne me touchez pas ! s'écria-t-elle.

J'eus l'impression d'entendre un chat cracher.

— Pam, retiens-la, ordonna Éric.

Sans un mot, celle-ci s'approcha de Ginger et lui immobilisa le bras. La barmaid tenta de se dégager, mais ne réussi qu'à faire se resserrer la poigne de Pam.

Je refermai ma main autour de son poignet.

— Avez-vous volé l'argent ? demandai-je en la regardant droit dans les yeux.

Une lueur d'horreur passa dans son regard brun. Puis elle émit un hurlement de possédée, avant de vomir un flot d'injures. Je me connectai à son esprit, du moins à ce qui s'en rapprochait le plus. La pauvre fille n'avait pas plus de cervelle qu'un étourneau. Ses pensées n'étaient qu'une suite incohérente d'images et de sensations, qu'aucune parole, ou presque, ne venait éclairer. Bien qu'elle ne répondît pas à ma question, je sus rapidement à quoi m'en tenir.

— Elle connaît le coupable, dis-je en haussant la voix pour couvrir son raffut.

À cet instant, la malheureuse barmaid cessa ses imprécations et fondit en larmes. Avec une grimace d'écœurement mêlé de pitié, je me tournai vers Éric.

— Celui-ci l'a mordue, poursuivis-je en désignant les marques sur son corps, mais elle ne sait plus de qui il s'agit.
— Hypnose, commenta Pam.
— Qui est sa meilleure amie ? demandai-je.
— Elle s'appelle Belinda, elle travaille ici.
— Appelons-la, suggérai-je.
— Faut-il qu'elle reste dans la pièce ? me demanda Pam en désignant Ginger.
— Il vaut mieux la faire sortir. Elle risquerait de tout gâcher.
Pam entraîna la malheureuse, toute tremblante, hors de la pièce. J'aurais pu profiter de cet intermède pour chercher le regard de Bill, mais je n'en fis rien, de peur de perdre courage.
Pam revint en compagnie d'une autre barmaid, plus âgée que Ginger et manifestement plus intelligente. Une fois la femme assise, je renouvelai mon petit rituel, puis Éric posa la question que je lui avais suggérée.
— Belinda, sais-tu qui a fréquenté Ginger, ces temps-ci ?
La barmaid fut assez raisonnable pour se prêter de bonne grâce à cet interrogatoire un peu particulier et répondre avec franchise.
— Tous ceux qui veulent bien d'elle, répliqua-t-elle.
Nous étions maintenant tout près du but. Je vis une image passer dans l'esprit de Belinda, mais il me fallait un nom pour que la réponse fût sans appel.
— L'un d'eux est-il dans cette pièce ? m'entendis-je demander.
Alors, tout se déroula très vite. Je n'avais pas achevé ma phrase que j'avais déjà la réponse.

Aussitôt, mon regard se porta de l'autre côté de la pièce. Grande Ombre s'était déjà élancé vers moi, de toute la force de son corps de félin.

Je me jetai au sol devant Belinda, mais le vampire bondit par-dessus la chaise et roula sur moi, tous crocs dehors. J'eus juste le temps de lever mon bras pour protéger ma gorge. Une douleur fulgurante traversa mon poignet lorsque ses dents acérées s'y plantèrent, mais je n'eus pas la force de crier, tant la surprise m'avait coupé le souffle.

Grande Ombre était prêt à me tuer pour que son nom ne franchisse pas mes lèvres.

Je fus envahie par une peur panique. Le vampire pesait sur moi de tout son poids, menaçant de me briser la nuque. Par-dessus mon bras levé, j'entrevoyais son regard fou.

Nous demeurâmes immobiles, les yeux dans les yeux, pendant ce qui me parut durer une éternité. Puis les prunelles de Grande Ombre se ternirent, un voile passa sur son visage, et enfin, un flot de sang jaillit de sa bouche, éclaboussant mon visage et mes lèvres.

Alors, j'assistai au spectacle le plus effroyable qu'il m'ait jamais été donné de voir.

En quelques secondes, les yeux de Grande Ombre prirent une consistance gélatineuse, son front et ses joues se racornirent comme un parchemin jeté dans les flammes, puis des poignées de cheveux noirs se détachèrent de son crâne et tombèrent sur moi. Je les chassai aussitôt dans un frisson d'horreur.

Enfin, des mains me saisirent pour me dégager du corps en décomposition. Il n'y eut bientôt plus au pied du bureau d'Éric qu'un amas noir répugnant. Nous observâmes dans un silence hébété les restes du vampire qui, moins d'une minute auparavant, s'appelait encore Grande Ombre.

J'étais au bord de la nausée.

Soudain, je remarquai qu'Éric tenait un maillet à la main. L'arme ruisselait de sang. Je regardai autour de moi. Tout le monde semblait pétrifié par l'horreur. Bill, qui m'avait libérée de mon agresseur, me serrait encore contre lui. Près de la porte, Pam retenait d'une poigne de fer Belinda, dont l'expression de totale stupeur ne devait pas être très différente de la mienne.

Sur le sol, le tas immonde s'était liquéfié. Il ne restait plus à présent qu'une flaque d'apparence visqueuse qui se résorbait à vue d'œil. Puis, dans un grésillement de bougie qui s'éteint, le liquide s'évapora, ne laissant derrière lui qu'une tache noirâtre.

— Tu vas devoir t'acheter un nouveau tapis, dis-je tout à trac.

Il fallait que je rompe le silence oppressant qui s'était abattu sur la pièce.

Éric leva les yeux vers moi, comme distrait d'un rêve désagréable.

— Tu as les lèvres toutes rouges, dit-il.

Je m'essuyai la bouche du revers de la main.

— Oui, il a perdu du sang sur moi.

— Tu en as avalé ?

— Sans doute. C'est important ?

— D'habitude, dit Pam d'une voix un peu rauque, c'est nous qui buvons le sang humain. Pas l'inverse.

Éric me dévisagea. Dans ses yeux brillait une lueur de concupiscence qui me fit frissonner.

— Eh bien, Sookie, voilà une question résolue, dit-il.

Il avait parlé sans la moindre émotion. Jamais on aurait cru qu'il venait d'exécuter un vieil ami.

— Dans ce cas, Bill et moi allons vous laisser.

J'aurais aimé consulter Bill du regard avant de parler, mais je n'osais pas détacher mes yeux de ceux d'Éric. Je poursuivis donc :

— N'oublie pas ta promesse. Pas de mesures de rétorsion contre Ginger, Belinda ou Bruce, n'est-ce pas ?

Je me dirigeai vers la porte à reculons, avec une assurance que j'étais loin de ressentir. Éric ne me quittait pas du regard.

— Tu as un fumet différent des autres, Sookie, murmura-t-il.

Je feignis de ne pas l'avoir entendu.

— Tu viens, Bill ? On s'en va.

Pourquoi ne répondait-il pas ? Je me tournai vers lui… et mon cœur manqua un battement. Bill semblait transformé en statue, les pupilles dilatées, la mâchoire pendante, les canines sorties, le regard fixé sur Éric.

Il fallait que je réagisse tout de suite.

— Pam, dis-je d'un ton calme et posé, si tu appelais Ginger ?

Aussitôt, celle-ci apparut, comme si elle n'avait attendu que cela.

— Ginger ? Éric te demande, expliquai-je à la jeune femme.

La barmaid vola aux pieds de son maître, prête à satisfaire tous ses caprices. Pam, elle, semblait partagée entre l'envie de céder à l'excitation presque palpable qui régnait dans la petite pièce et la crainte de déplaire à Éric en me laissant m'enfuir.

C'était le moment d'agir.

Je m'approchai de Bill et le pris par le bras pour l'entraîner. Sans le moindre résultat. Autant essayer de soulever un chêne ! Je lui donnai une vigoureuse bourrade, cette fois-ci avec plus de succès.

Il ne parut retrouver un peu ses esprits qu'après être sorti du bureau. Comprenant enfin qu'il était urgent de quitter *Le Croquemitaine*, il s'élança à ma suite vers le parking.

Une fois à l'air libre, je ralentis l'allure. J'étais couverte de sang, mes vêtements étaient froissés, et je dégageais une odeur étrange. Je me dégoûtais. Je levai les yeux vers Bill, m'attendant à trouver dans son regard la même répugnance.

Il était fou de désir pour moi.

— Ah, non ! Je te préviens tout de suite, je ne suis pas d'humeur. On rentre, j'ai besoin de prendre une douche.

À peine eus-je fini de parler qu'il m'enlaça et lécha le sang qui commençait à sécher sur mon visage. Furieuse et effrayée, je le repoussai de toutes mes forces.

— Pardon, murmura-t-il, comme s'il émergeait d'un mauvais rêve.

Puis il inspecta les alentours avec inquiétude et ajouta :

— Sauvons-nous vite.

Ce ne fut qu'après avoir quitté Shreveport et roulé de longues minutes en silence que je posai la question qui me tracassait.

— Pourquoi Grande Ombre a-t-il volé cet argent à Éric ? Ils n'étaient pas amis ?

— Si, depuis plus de cent ans. Grande Ombre devait avoir des dettes, et il aura préféré se servir dans la caisse plutôt que de demander à Éric de l'aider. Il était d'une fierté maladive.

— Moi qui ai toujours cru que les vampires étaient plus intelligents que les humains...

Lorsque nous arrivâmes à l'entrée de Bon Temps, je demandai à Bill de me déposer chez moi. J'avais besoin de solitude. Après l'horreur de cette soirée, je n'étais pas disposée aux plaisirs de l'amour. Mon compagnon me glissa un regard déçu, mais il obtempéra.

11

Ce ne fut que le lendemain, en me préparant à partir au travail, que je pris conscience des changements qui s'étaient opérés en moi. Tout d'abord, je ne voulais plus entendre parler de vampires. Bill compris. Ensuite, et c'était plus préoccupant, il me sembla en me regardant dans le miroir que je n'étais plus tout à fait la même...

Après avoir bu pour la première fois du sang de Bill, le soir où les Rattray m'avaient attaquée, j'avais repris des forces et du courage avec une rapidité surprenante, mais sans remarquer de réelle modification dans mon apparence.

La deuxième fois, j'avais noté un accroissement de force et de vivacité indéniable. Je m'étais sentie plus sûre de moi, de ma séduction, de ma capacité à réagir aux événements les plus imprévus.

Mais le fait d'avoir avalé sans le vouloir un peu de sang de Grande Ombre m'avait changée de façon évidente, presque choquante. Mes dents étaient plus blanches et plus pointues, mes cheveux plus lustrés, mes yeux plus brillants. Je rayonnais d'une vitalité qui évoquait irrésistiblement une énergie pure, animale... pour ne pas dire sauvage. J'en étais à la fois heureuse et inquiète. Avais-je entamé la lente transformation d'un être humain en vampire ?

Alors que je m'apprêtais à quitter la maison, un petit incident se produisit, qui renforça le trouble que ces changements éveillaient en moi. Mon sac à main ouvert me glissa des doigts et tomba sur le parquet. Plusieurs pièces de monnaie s'en échappèrent et roulèrent sous la commode. Machinalement, je me baissai et soulevai le meuble pour les ramasser. Ce ne fut qu'en le reposant que je pris conscience de ce qui venait de se passer.

J'avais toujours éprouvé les plus grandes difficultés à déplacer ce meuble en chêne massif, qui datait du mariage de Granny. Pourtant, je n'avais eu qu'à tendre une main pour le lever, comme s'il s'était agi d'un fragile tabouret !

Je me redressai, émerveillée par la force toute neuve qui courait dans mes muscles. C'était incontestable, je n'étais plus la même. Je me tournai vers la fenêtre ouverte, prise d'un doute. Non, la lumière du jour ne me blessait pas les yeux. Et je n'avais pas la moindre envie de mordre qui que ce soit. Je laissai échapper un soupir de soulagement.

Je devais être devenue une sorte d'être humain amélioré.

Chez Merlotte, tout était prêt pour le service. Il ne restait plus qu'à trancher les citrons destinés à accompagner les cocktails et les tasses de thé. Je sortis les fruits du grand réfrigérateur de la cuisine, puis allai chercher une planche et un couteau à découper.

— Tu t'es fait des mèches ? me demanda Lafayette, tout en nouant son tablier autour de sa taille.

— Non, dis-je, mon couteau à la main
Puis, comme son regard demeurait perplexe, j'ajoutai :
— Ce doit être le soleil qui a éclairci mes cheveux.
Je baissai les yeux vers la planche… et réprimai un cri de surprise. Les citrons étaient déjà tranchés. Comment était-ce possible ? Je regardai mes mains. Elles ruisselaient de jus de citron. Je venais de couper une quinzaine de fruits en moins de dix secondes, sans même m'en apercevoir.
— Je rêve ! s'exclama Lafayette, les yeux fixés sur mes mains.
— Exactement, répliquai-je avec un aplomb qui me surprit moi-même. Tu as rêvé, Laf' !
Sans un mot de plus, je fis glisser les tranches de citron dans une boîte que j'allai ranger dans le petit réfrigérateur du bar. Lorsque je me retournai, Sam se tenait derrière moi, les sourcils froncés.
— Qu'est-ce qui t'est arrivé ?
Je suivis son regard, posé sur mon poignet avec insistance. J'avais pourtant pris la précaution de couvrir d'un bandage la morsure que m'avait infligée Grande Ombre.
— Oh, c'est un chien qui m'a mordue.
— Il était vacciné, au moins ? s'enquit Sam d'un ton inquiet.
— Oui, bien sûr.
Les yeux de Sam brillaient d'une lueur intense. Chose étrange, je percevais avec une acuité inédite l'énergie qui émanait de lui – son souffle court, les battements de son cœur qui s'accéléraient, le désir qui montait en lui… Aussitôt, mon corps répondit à cet appel primitif.

Instinctivement, je fis un pas vers lui.
Il en fit un autre.
Et nous bondîmes tous les deux en arrière en entendant claquer la porte de service.
— Salut, tout le monde ! s'écria Charlsie en entrant dans le bar, un sourire radieux aux lèvres. Devinez ce qui m'arrive ? Je vais être grand-mère !
Je la félicitai dûment, en me réjouissant intérieurement de son irruption. Quelques instants plus tard, nous étions tous autour d'elle pour écouter les détails concernant l'heureux événement. Puis ce fut le coup de feu du déjeuner, et l'incident fut clos.
Alors que je prenais mes premières commandes, la requête de Jason me revint en mémoire. Mais je n'avais pas très envie d'écouter les pensées de tous les gens qui m'entouraient, encore moins de me plonger de nouveau dans les souvenirs douloureux des trois meurtres qui nous avaient tous profondément choqués.
Par ailleurs, j'avais promis à mon frère de faire ce qui était en mon pouvoir pour tenter d'identifier le coupable. Je n'avais pas le droit de reculer, maintenant. Un peu gênée, je me connectai à l'esprit du client le plus proche.
Le vieux M. Norris était triste, car il était persuadé que Jason était l'assassin de Maudette. Il se demandait avec effroi si mon frère avait également tué notre grand-mère. Il se disait que les jeunes étaient mieux éduqués, de son temps.
Le shérif, qui déjeunait avec lui, me regardait en songeant : « Pas de diplôme, un job sans avenir, des relations malsaines avec un vampire... C'est vraiment la lie de la société ! »

Choquée et blessée, je me détournai. Je poursuivis mon travail, sans m'accorder un instant de repos. Prudemment, je repris mes investigations. Par chance, la plupart des clients n'étaient pas aussi malveillants. En général, ils songeaient au travail qui les attendait l'après-midi, aux réparations à faire chez eux ou aux factures à payer.

Arlène était soulagée – tout compte fait, elle n'était pas enceinte.

Charlsie réfléchissait à la fête qu'elle allait organiser pour célébrer la grossesse de sa fille.

Lafayette se disait que je devenais un peu bizarre depuis quelque temps, mais que j'étais de plus en plus jolie.

L'agent Kevin Prior se demandait à quoi sa collègue Kenya employait ses week-ends. Lui-même avait passé son dimanche à ranger le garage de sa mère et avait pesté toute la journée contre cette perte de temps.

Certains s'interrogeaient sur mes cheveux – avais-je fait une couleur ? – et mon pansement – comment m'étais-je blessée ? Nombre de clients masculins me trouvaient plus désirable, mais la plupart, surtout ceux qui avaient participé à l'expédition punitive de Monroe, songeaient qu'ils n'avaient aucune chance avec une fille comme moi... une fille qui préférait les vampires. En général, ceux-ci regrettaient déjà leur impulsivité, qui les avait poussés à commettre le pire, le matin du triple meurtre.

Je gardai leurs noms en mémoire – pas question d'oublier qu'ils auraient pu faire disparaître Bill de la surface de la terre, même si, à ce moment précis, la communauté vampire ne figurait pas en tête de la liste de mes priorités.

Andy Bellefleur et sa sœur Portia déjeunaient ensemble, comme chaque semaine. Celle-ci songeait qu'à sa brillante carrière d'avocate célibataire, elle aurait préféré une médiocre carrière d'avocate mariée et mère de famille…

Quant à son frère, il se demandait ce que je pouvais bien trouver à Bill Compton et s'interrogeait sur les capacités sexuelles des vampires. J'appris également qu'il s'apprêtait à ordonner l'arrestation de Jason, ce qui le navrait. Il savait que les charges contre mon frère n'étaient pas plus solides que celles qu'il aurait pu retenir contre bien d'autres hommes, mais se disait que Jason semblait si nerveux qu'il avait nécessairement un poids sur la conscience. D'autant que ces vidéos de ses ébats en compagnie de Dawn et de Maudette n'arrangeaient pas son cas.

— Sookie, je prendrai une autre bière, dit Andy.

— Tout de suite. Je vous apporte du thé, Portia ?

Celle-ci secoua la tête et me remercia poliment. Elle se souvenait des années de lycée, où elle aurait vendu son âme pour une nuit avec le beau Jason Stackhouse. Elle se demandait ce qu'il devenait et si ses prestations au lit pourraient lui faire oublier son manque de culture. Elle n'avait pas entendu parler des vidéos.

J'en déduisis qu'Andy n'avait pas trahi le secret professionnel. Un bon point pour lui, pensai-je en allant chercher sa bière.

À la fin de mon service, non seulement je n'avais rien appris d'intéressant sur l'identité de l'assassin de Granny, Dawn et Maudette, mais j'étais plus inquiète que jamais pour Jason.

J'étais épuisée, et j'avais l'impression d'être seule au monde.

À qui aurais-je pu parler du souci que je me faisais pour mon frère, de ma relation si particulière avec Bill, ou encore de mon « infirmité », qui m'interdisait toute relation normale avec un homme ? Mes collègues ne comprenaient pas ce que je vivais, et les mordues que j'avais pu rencontrer étaient décidément trop malsaines à mon goût...

Une fois de retour à la maison, toute ma confiance en moi s'était envolée. Je passai l'après-midi à dormir, puis je grignotai une part de pizza sans appétit. Lorsque le soir tomba, après une hésitation, j'enfilai un jean et un tee-shirt... et je pris la direction de *Chez Merlotte*.

C'était sans doute la première fois que j'y venais en tant que simple cliente. Jason était au bar et, ô surprise, le tabouret voisin du sien était vide. Je m'y assis sans hésiter.

— Qu'est-ce que tu fiches ici ? demanda-t-il d'un ton indigné.

— Un whisky Coca, Sam ! commandai-je, sans regarder mon patron dans les yeux.

Puis je me tournai vers mon frère.

— Tu devrais être content de me voir, dis-je à voix basse. J'ai fait ce que tu m'as demandé. Je suis venue ce soir pour continuer mon enquête.

Une expression de gratitude se peignit sur son visage.

— Merci, Sookie. Excuse-moi, je suis un peu tendu ces temps-ci. Tiens, tu as fait une couleur à tes cheveux ? demanda-t-il en sortant de sa poche de quoi payer le verre que Sam venait de déposer devant moi.

Nous n'avions pas grand-chose à nous dire, ce qui me permit de me concentrer sur les pensées des clients. Je m'intéressai en premier lieu à ceux que je ne connaissais pas, mais je n'entendis rien de suspect. L'un songeait à sa femme, avec qui il s'était disputé, l'autre se disait que ce bar était vraiment sympathique, le troisième essayait de rester droit et se demandait s'il parviendrait à retrouver le chemin du motel.

Je commandai un autre verre.

— Tiens, s'exclama soudain Jason, notre ami Compton ! Et en bonne compagnie, on dirait.

Bill ? Avec une femme... ou un autre mignon ? Je m'interdis de pivoter sur mon tabouret – j'étais d'ailleurs trop ivre pour procéder à une telle opération sans tomber sur le sol. Je n'avais pas l'habitude de boire de l'alcool, et les deux whiskies que je venais d'avaler affectaient considérablement la précision de mes mouvements.

Je posai les mains bien à plat sur le bar, descendis de mon siège et me tournai avec précaution vers l'entrée. Je croisai le regard de Bill, qui était effectivement accompagné d'une femme. Une humaine. Brune, mince, insignifiante. Il était surpris de me trouver là ce soir. Je ne pouvais pas entendre ses pensées comme je l'avais fait avec Éric, mais il me suffisait de lire les émotions qui se succédaient sur son visage pour le comprendre.

— Salut, Bill le Vampire ! lança Hoyt.

Bill hocha la tête à son adresse sans un mot et se dirigea vers moi, sa compagne au bras.

— À quoi est-ce qu'il joue ? me demanda Jason à mi-voix.

— Aucune idée.

Une folle envie de gifler la brune me démangeait, mais je n'en laissai rien paraître. J'avais ma dignité. J'aurais aussi volontiers frappé Bill pour le punir de cette inutile provocation... ce qui aurait été aussi ridicule que dangereux. À grand-peine, je me contins.

Bill, qui avait à présent traversé la salle, n'était plus qu'à quelques pas de moi. Je m'aperçus alors que les conversations avaient cessé. Tous les regards étaient braqués sur nous.

— Sookie ? dit Bill. Je te présente le cadeau qu'Éric m'a fait livrer à domicile, ajouta-t-il en désignant la jeune femme qui l'accompagnait.

Je le regardai, les sourcils froncés.

— Pour ton anniversaire ?

— Non. C'est une récompense.

— Ah, oui, une boisson gratuite.

Jason posa une main sur mon épaule.

— Ne te fatigue pas, petite sœur. Il ne le mérite pas.

Bill me regardait avec intensité. Dans la lueur des néons, il était plus blanc que jamais, signe qu'il n'avait pas mordu la fille aux cheveux bruns.

— Viens dehors, il faut que nous discutions.

— Avec elle ?

Je n'avais pas parlé, j'avais sifflé. Si je ne m'étais pas retenue, j'aurais sauté à la gorge de la fille, qui glissait à Bill des œillades enamourées.

— Non, juste toi et moi. Il faut que je la rende à son propriétaire.

L'insulte, pourtant destinée à la fille, me fit frémir. L'intéressée, en revanche, ne réagit pas. Sans lâcher son coude, Bill l'entraîna avec lui et retraversa la salle sous les regards de l'assemblée.

Ce n'est qu'une fois dehors que je vis que Jason nous avait suivis.

— Salut, lui dit la fille en battant des cils. On s'est déjà vus, non ? Je m'appelle Désirée.

— Qu'est-ce que tu fais ici ? lui demanda mon frère avec un calme qui ne présageait rien de bon.

— Éric m'a offerte à Bill. Je ne sais pas pourquoi, ça n'a pas eu l'air de lui faire plaisir.

— Qui est Éric ?

— Un vampire de Shreveport. Il tient un bar là-bas.

— Il l'a déposée sur mon paillasson, expliqua Bill d'un ton navré. Ce n'est pas moi qui le lui ai demandé.

Je lui jetai un regard méfiant.

— Que comptes-tu faire ?

— Je te l'ai dit, la renvoyer à Éric ! J'ai besoin de te parler, Sookie.

— Je peux la ramener à Shreveport, proposa Jason.

— Tu ferais ça ? demanda Bill, visiblement surpris. Je veux bien. Il faut absolument que j'aie une discussion avec ta sœur.

— Pas de problème.

Jason avait un air trop innocent pour être honnête. Qu'avait-il en tête ?

— C'est bien la première fois qu'on me rend sans consommer, maugréa Désirée.

— Je suis vraiment désolé, lui dit Bill avec une gentillesse confondante. Je suis sûr que tu es un morceau de roi, mais je n'ai pas besoin de tes services.

Désirée me lança un regard noir.

— Elle est à toi ? demanda-t-elle en me désignant du menton.

Bill hocha la tête.
— Oui.
Désirée me parcourut d'un regard empli de dédain.
— C'est ma sœur, expliqua Jason d'une voix où se mêlaient la honte et la fierté.
— Elle a un drôle de regard. On dirait qu'elle lit dans vos pensées. Tu as l'air plus normal, ajouta Désirée en se tournant vers lui. Au fait, comment t'appelles-tu ?
— Stackhouse, répondit Jason en la prenant par la main pour l'entraîner vers son pick-up. Jason Stackhouse.
Je les regardai partir, intriguée. Pourquoi Jason se montrait-il si coopératif ? Mystère. Je me tournai vers Bill.
— Je t'écoute, dis-je, sans me donner la peine de dissimuler mon agacement.
— Pas ici. Allons chez moi.
— Non.
— Chez toi, alors.
— Non plus.
— Très bien. Où veux-tu aller ?
Je réfléchis un instant.
— Chez mes parents, dis-je.
Jason ne rentrerait pas avant un bon moment de sa virée à Shreveport. Nous aurions tout le temps de parler, Bill et moi.
— Parfait. Je te suis.
Nous nous séparâmes, et chacun monta dans sa voiture.
La maison de mon enfance, un ranch modeste que Jason entretenait avec soin, était située à la sortie de Bon Temps. Je me garai sur le gravier de la cour et fus bientôt rejointe par Bill.

Je lui fis signe de me suivre, puis contournai la maison et descendis la petite allée qui menait à une mare que mon père avait fait creuser vingt ans auparavant. Sur un petit ponton en bois se trouvaient deux transats et une couverture. Bill prit le plaid et l'étendit sur l'herbe.

Je m'y assis, mal à l'aise. Bill savait très bien ce qu'il faisait. Être près de lui me donnait envie de l'être plus encore, et il jouait de ma faiblesse avec un art consommé. Je restai assise en tailleur tandis que Bill s'étendait à mon côté, les mains croisées sur sa poitrine, en une attitude qui disait clairement : « Tu vois, je n'essaie même pas de te toucher. »

— Tu as eu peur, la nuit dernière, dit-il après un long silence.

— Pas toi ?

— Si. Pour toi. Parce que je t'aime.

Je n'osais tourner mon visage vers lui. Je savais que si je croisais son regard, je me jetterais dans ses bras.

— Et toi, Sookie ? Est-ce que tu m'aimes ?

Je hochai la tête, le regard obstinément fixé sur un point de l'autre côté de la mare.

— Alors, pourquoi me fuis-tu ?

Une larme brûlante roula sur ma joue, suivie d'une autre.

— J'ai peur des autres vampires, et je ne peux pas vivre sous la menace permanente d'Éric. Qui sait ce qu'il exigera de moi, la prochaine fois ? Que je tue quelqu'un ? Il en est bien capable !

En un éclair, Bill s'assit et passa son bras autour de mes épaules.

— Ne pleure pas, murmura-t-il. Écoute, Sookie, j'ai une nouvelle à t'annoncer, qui risque de ne pas te faire plaisir.

La seule nouvelle qui m'aurait fait plaisir en cet instant était la disparition du chef vampire.

— Éric s'intéresse beaucoup à toi. Il a compris que tu possèdes des pouvoirs très rares chez les humains ; il se demande quel goût tu as. Et il te trouve très belle. Il ne sait pas que tu as déjà pris trois fois de notre sang.

— Tu as vu que Grande Ombre avait saigné sur moi ?

Bill hocha la tête.

— Plus tu bois de notre sang, plus tu deviens désirable à nos yeux. En fait, aux yeux de tout le monde, humains compris.

— Serais-tu en train de m'expliquer qu'Éric me désire ?

— C'est exactement ça, dit Bill avec gravité.

— Il n'y a aucun moyen de l'empêcher de parvenir à ses fins ?

— Si. Le respect des convenances.

Je laissai échapper un ricanement dubitatif.

— Ce n'est pas un point négligeable, insista Bill. Nous devons observer ces convenances plus que quiconque, nous qui sommes condamnés à vivre ensemble pendant des siècles.

— Et… à part les bonnes manières ?

— Je ne possède pas la puissance d'Éric, mais je ne suis pas non plus un débutant. J'ai assez de force pour le blesser en cas de combat.

— C'est tout ?

— Non, il nous reste une troisième ressource.

— Laquelle ?

— Toi.

J'interrogeai Bill du regard.

— Si tu peux lui être utile d'une autre façon et s'il sait que tu ne souhaites pas te donner à lui, il acceptera peut-être de te laisser tranquille.

— Je n'ai aucune envie d'être utile à ce monstre d'égoïsme !

— N'oublie pas que tu lui as promis hier soir de l'aider de nouveau, me rappela Bill.

— Oui, à condition qu'il remette le voleur à la police. Et qu'a-t-il fait ? Il l'a tué !

— Pour te sauver la vie.

Je me réfugiai dans un silence boudeur. Je ne voulais plus entendre parler des vampires, encore moins du plus exécrable d'entre eux.

— C'est la première fois que j'assiste à un règlement de comptes aussi brutal entre gens de notre communauté, dit Bill, songeur. Je commence à trouver qu'Eric va beaucoup trop loin.

— Personne ne peut le retenir ?

— Pam, peut-être... C'est lui qui a fait d'elle une vampire, il y a des siècles. Ils sont très attachés l'un à l'autre.

— Tant mieux pour eux, qu'ils se débrouillent. En ce qui me concerne, je ne veux plus avoir affaire aux vampires.

— Même à moi ? demanda Bill avec une tristesse infinie.

— Écoute, tu es le seul que je veuille fréquenter, mais si j'ai bien compris, il faut vous prendre en lot. Désolée, ça ne m'intéresse pas. Tu te consoleras avec Désirée.

— Je me moque de cette fille, maugréa Bill. C'est Éric qui me l'a envoyée pour tester ma fidélité envers toi. Il est capable de l'avoir empoisonnée pour m'affaiblir.

Je frémis à cette idée. Les humains n'étaient-ils que du bétail aux yeux des vampires ? C'était à désespérer !

— Il sera toujours plus fort que toi ? demandai-je.

— Bien sûr, puisqu'il est plus âgé.

Mais après un silence, il ajouta, pensif :

— Quoique...

Il s'absorba dans une profonde réflexion.

— Oui... murmura-t-il d'une voix à peine audible. Oui, ce serait possible... à condition que...

Je n'en entendis pas plus et ne posai pas de questions. Après un long moment, je vis le visage de mon compagnon s'éclairer.

— Je t'aime, dit-il, comme si ces paroles étaient la conclusion logique de sa méditation.

— Moi aussi. Seulement, j'ai l'impression que tout est contre nous. Rien ne sera possible tant que nous serons soumis aux caprices d'Éric. Il faudrait aussi que l'enquête aboutisse et que l'on démasque le meurtrier. Jusque-là, nous ne pourrons pas vivre en paix, toi et moi.

Je comptai sur mes doigts.

— Maudette, Dawn, Granny... sans parler de tes trois amis.

De nouvelles larmes me montèrent aux yeux. Avec le temps, je m'étais habituée à trouver la maison vide à mon retour du travail, mais l'absence de Gran restait douloureuse.

— Qui te dit qu'une seule et même personne est responsable des trois assassinats et de l'incendie de Monroe ?

— Les gens d'ici ne sont pas des brutes. Ils n'auraient jamais envisagé de commettre un acte d'une telle barbarie si on ne les y avait pas fortement poussés. Je suis persuadée que c'est le tueur qui leur a suggéré de mettre le feu à la maison des vampires.

Bill réfléchit un instant.

— Tu as peut-être raison… Tu n'as pas essayé d'écouter les pensées des personnes autour de toi, récemment ?

— Si, mais ça n'a rien donné. Pour l'instant.

— Tu es une optimiste, Sookie.

— Je n'ai pas le choix.

Je lui caressai la joue. Depuis que Bill était entré dans ma vie, j'avais plus de raisons que jamais d'être optimiste.

— Alors, continue d'écouter, si tu penses que cela peut nous être utile. En ce qui me concerne, je vais attaquer le problème par un autre biais. Je pourrais… Non, il vaut mieux que je t'explique mon idée une autre fois. Je passerai chez toi demain soir. Si tu es d'accord.

— Bien sûr.

J'étais curieuse de connaître le plan que Bill avait échafaudé, mais puisqu'il ne semblait pas disposé à m'en dire plus, je m'interdis de poser la moindre question.

Sur le chemin du retour, je songeai que les semaines qui venaient de s'écouler, si éprouvantes qu'elles aient été, auraient tourné au cauchemar si je n'avais pas eu à mes côtés la présence rassurante de Bill Compton.

Tout en longeant l'allée en sous-bois qui menait de la route à la maison, je regrettai que Bill ne m'ait pas raccompagnée jusque chez moi. Les nuits où j'étais seule, j'étais d'une extrême nervosité – j'allais d'une pièce à l'autre pour vérifier que portes et fenêtres étaient bien fermées, je sursautais au moindre craquement dans les bois alentour. La perspective de la nuit solitaire qui m'attendait n'était pas pour me réconforter.

Avant de descendre de voiture, j'observai la cour, tout en me félicitant d'avoir pensé à allumer la lampe de la véranda avant de quitter la maison. Rien ne bougeait. Je ne vis même pas Tina. Depuis la disparition de Granny, la chatte avait pris l'habitude de venir à ma rencontre lorsque je rentrais du travail. Elle devait être partie chasser dans les bois, songeai-je en ouvrant ma portière.

Je traversai rapidement la cour, insérai la clé dans la serrure, ouvris la porte et rentrai dans la maison en un temps record. Puis je m'appuyai contre le battant en bois, haletante.

Bon sang, ce n'était pas une façon de vivre ! À peine eus-je formulé cette idée qu'un choc sourd fit trembler la porte dans mon dos. Dans un sursaut de frayeur, je me ruai loin de la porte.

Je tendis l'oreille, mais ne perçus aucun autre bruit. J'aurais dû regarder par la fenêtre, voire ouvrir la porte pour comprendre ce qui s'était passé, mais je n'en eus pas le courage. Je décrochai le téléphone sans fil posé près du canapé. D'une main tremblante, je composai le numéro de Bill. Pourvu qu'il ne soit pas en ligne ! Il m'avait dit qu'il avait des coups de téléphone à passer ce soir. Non, Dieu merci, il était là !

— Oui ? demanda-t-il d'une voix tendue.

— Bill ? Il y a quelqu'un dehors !

J'entendis le combiné retomber sur son socle. Moins d'une minute plus tard, Bill était là. Domptant ma peur, je m'étais postée à une fenêtre, derrière le store que je soulevais d'une main, pour observer la cour.

En voyant Bill sortir du bois, qu'il avait traversé avec une extraordinaire rapidité, je m'en voulus de l'avoir dérangé. J'aurais pu me débrouiller sans lui. Mais n'était-il pas naturel que j'appelle mon amant à l'aide ?

En retenant mon souffle, je regardai Bill inspecter les abords de la maison, puis gravir la volée de marches qui menait à l'entrée. Juste devant la porte, il se pencha, comme s'il avait vu quelque chose d'inhabituel. L'angle était trop aigu pour que je distingue ce qu'il avait trouvé. Puis il se redressa, un objet à la main, le visage totalement dénué d'expression.

Cela ne me disait rien de bon. Inquiète, j'allai lui ouvrir la porte.

Bill tenait dans ses bras le cadavre de mon chat.

— Tina ? demandai-je d'une voix chevrotante. Est-ce qu'elle est… morte ?

Bill hocha la tête.

— Comment ?

— Probablement étranglée. Je suis désolé, Sookie.

J'essuyai les larmes qui avaient commencé à couler sur mon visage sans même que je m'en aperçoive.

— Suis-moi, dis-je en passant devant Bill et en descendant les marches.

Nous contournâmes la maison jusqu'au trou que j'avais creusé dans le jardin. Je n'y planterais pas de chêne, finalement. Avec précaution, Bill déposa son petit fardeau. J'allai chercher une pelle pour combler l'excavation, mais à la première pelletée de terre que je jetai sur mon chat, tout mon courage m'abandonna.

Sans un mot, Bill s'empara de l'outil et acheva la sinistre besogne.

— Rentrons, dit-il ensuite, en me prenant par la main avec douceur.

Une fois dans la maison, je me jetai dans les bras de Bill et le serrai contre moi avec ferveur. Et si lui aussi m'était enlevé ? Je ne le supporterais pas ! Bill, lui, paraissait furieux. Son regard noir brillait de colère.

— Tu n'as rien vu dans la cour ? lui demandai-je.

— Il est passé ici. Je l'ai senti, dit-il avec un frémissement de narines.

— Qui ?

— L'assassin.

— Ça ne te dérange pas de rester ici cette nuit ?

— Bien sûr que non.

Si j'en jugeais par sa voix, il l'aurait fait même si je ne le lui avais pas demandé. Je posai ma tête sur son épaule. Si je devais n'avoir qu'un seul ami au monde, je n'en voulais pas d'autre que lui.

12

L'indignation d'Arlène et de Charlsie, le lendemain, lorsque je leur expliquai ce qui était arrivé à Tina, me réconforta quelque peu, sans toutefois atténuer ma colère et mon chagrin. Sam, lui, réagit de façon plus pragmatique.

— Tu devrais appeler le shérif, ou bien Andy Bellefleur.

Après réflexion, je choisis la première option. Je n'avais pas très envie de parler à l'inspecteur, surtout depuis que je connaissais ses soupçons envers Jason. Je m'installai dans le bureau de Sam pour passer mon appel tranquillement.

— En général, marmonna Bud Dearborn lorsque je lui eus exposé les faits, ce genre d'acte n'est pas isolé. Pour l'instant, on ne m'a pas rapporté d'autres cas de chats étranglés. Je crains qu'il ne s'agisse d'une vengeance personnelle, Sookie.

Puis, après une hésitation, il demanda :

— Ton vampire, il aime les chats ?

Je m'obligeai à prendre une profonde inspiration, puis à expirer lentement. Ce n'était pas le moment de perdre mon calme.

— Bill Compton était chez lui quand Tina a été projetée contre ma porte, probablement par celui qui l'a tuée. J'ai aussitôt téléphoné à Bill, et il a répondu dès la première sonnerie.

En face de moi, Sam, occupé à trier des factures, m'interrogea du regard. Je grimaçai une mimique furieuse pour lui faire comprendre mon agacement.

— Et c'est lui qui t'a dit que le chat avait été étranglé, reprit Bud.

— Oui.

— Mais il n'a pas pu te montrer le lien qui avait été utilisé.

Bon sang, où voulait-il en venir ?

— Non, répondis-je en dissimulant mon impatience.

Bud poussa un soupir lourd de signification.

— Qu'as-tu fait du cadavre ?

— Nous l'avons enterré.

— Nous ?

— Bill et moi.

— Bien sûr. C'était son idée ?

— Pas du tout, c'était la mienne !

Le shérif observa un petit silence avant de poursuivre :

— Il se peut que nous devions exhumer le corps de ton chat. L'inspecteur voudra sans doute l'examiner, pour voir si la méthode de strangulation correspond à celle employée pour les meurtres de Dawn et de Maudette. Je suis désolé, Sookie.

— Je comprends. Je n'avais pas pensé à ça.

Je raccrochai quelques minutes plus tard, un peu trop brusquement. Sam me jeta un regard interrogateur.

— Je hais cet homme, marmonnai-je, un peu gênée.

— Bud n'est pas un mauvais bougre, Sookie. Il est juste dépassé par la situation. La police n'a pas l'habitude de traiter ce genre d'affaires, par ici.

— Je suppose que tu as raison. Je n'aurais pas dû me mettre en colère, même si je n'aime pas sa façon de poser des questions.

— Tu n'es pas obligée d'être parfaite, Sookie.

— Bonne idée. Désormais, je vais être grincheuse et acariâtre.

Je me levai, maussade. J'avais passé une mauvaise nuit, en proie à une longue insomnie entrecoupée de cauchemars, avant de sombrer à l'aube dans un sommeil lourd. Je n'avais qu'une hâte : finir mon service et rentrer me coucher.

Je m'étirai en étouffant un bâillement. En laissant retomber mes bras, je surpris les yeux de Sam, posés sur mes hanches. Je reculai, mal à l'aise.

— Allez, au travail ! m'exclamai-je avec un enthousiasme factice, pressée de me soustraire au regard de mon patron.

Je quittai la pièce d'un pas raide, en prenant bien soin de ne pas adopter une démarche aguichante.

— Sookie, me demanda Arlène en fin de service, tu pourrais garder les enfants, ce soir ?

Elle avait parlé d'un ton prudent. Elle devait se souvenir de notre querelle, le jour où elle m'avait fait la même demande, quelque temps auparavant. Quant à moi, je n'avais pas oublié sa méfiance envers Bill, ni ses craintes à l'idée de laisser ses enfants en compagnie d'un vampire. Essayait-elle de me faire comprendre qu'elle acceptait mon si étrange compagnon ?

— Bien sûr. Je serai ravie de les avoir tous les deux à la maison. À quelle heure ?

— Vers 6 h 30, si c'est possible. René m'emmène au cinéma à Monroe.

— Pas de problème. Je leur prépare à manger ?

— Inutile, ils auront dîné. Ils vont être tout excités à l'idée de revoir tatie Sookie.

— Et moi donc ! À tout à l'heure, Arlène.

— Merci, Sookie.

Elle parut sur le point d'ajouter quelque chose, mais elle se ravisa et s'éloigna. Il était presque 17 heures, ma journée de travail était finie. Je rentrai chez moi, me changeai et grignotai un sandwich sans grand appétit. La maison me semblait grande, vide et triste. Je fus soulagée de voir arriver René, en compagnie de Lisa et Coby.

— Arlène est occupée à se faire les ongles, expliqua-t-il, mais les gosses trépignaient d'impatience, alors j'ai préféré les amener chez toi tout de suite.

— Tu as eu raison.

René portait encore ses vêtements de travail. Je connaissais assez Arlène pour savoir qu'ils ne partiraient pas au cinéma tant qu'il ne se serait pas douché et changé.

— Vas-y, ajoutai-je en prenant les enfants par la main. Ne fais pas attendre Arlène.

Lisa avait cinq ans, et Coby huit. Ils étaient à l'âge où une bonne crème glacée fait partie des grandes joies de l'existence.

— Direction la cuisine ! déclarai-je en les entraînant vers l'arrière de la maison.

— On repassera les prendre vers 22h30, 23 heures au plus tard, dit René, la main sur la poignée de la porte.

— Entendu. Amusez-vous bien, tous les deux !

J'emmenai Lisa et Coby dans la cuisine. Quelques secondes plus tard, j'entendis la voiture de René quitter la cour. Je soulevai Lisa dans mes bras.

— Que tu es lourde ! m'exclamai-je. Bientôt, c'est toi qui me porteras ! Et toi, Coby, il va falloir que je songe à t'offrir ton premier rasoir. Vous grandissez à vue d'œil !

Deux sourires radieux me répondirent. Une minute plus tard, nous étions attablés tous les trois devant un pot de glace à la vanille. Il ne fallut pas moins d'une vingtaine de minutes à Lisa et Coby pour me dresser la liste de leurs progrès à l'école depuis leur dernière visite à la maison.

Puis Lisa me demanda un livre pour me montrer tous les mots qu'elle connaissait. Coby, qui ne voulait pas être en reste, demanda un autre livre pour prouver sa supériorité dans le domaine de la lecture. Ensuite, ce fut l'heure de l'émission préférée des deux petits. La nuit tomba avant que je ne m'en aperçoive.

— Mon ami va passer, ce soir, expliquai-je. Il s'appelle Bill.

— Maman dit qu'il est un peu spécial, déclara Coby. Il a intérêt à être gentil avec toi.

Coby bomba le torse et exhiba ses muscles, prêt à me protéger contre mon ami « un peu spécial » au cas où la gentillesse de ce dernier n'aurait pas correspondu à ses critères personnels en la matière.

— Oh, il l'est ! m'empressai-je de répondre.

— Est-ce qu'il t'offre des fleurs ? s'enquit Lisa d'un ton inquiet.

— Il ne l'a pas encore fait. Vous pourriez peut-être le lui suggérer discrètement ?

— Oui ! répondirent deux voix à l'unisson.

— Il t'a demandé de te marier avec lui ?

— Non. Remarque, je ne lui ai pas non plus posé la question.

Bill choisit précisément cet instant pour frapper à la porte.

— J'ai des invités, expliquai-je en l'invitant à entrer.

Je le pris par la main et le guidai jusqu'à la cuisine.

— Bill, je te présente Coby et Lisa.

— Ravi de faire votre connaissance, dit Bill en s'inclinant.

Les petits le regardèrent avec gravité.

— Lisa et Coby, est-ce que vous êtes d'accord pour que je vous tienne compagnie, à vous et à votre tante Sookie, ce soir ?

— Ce n'est pas notre vraie tante, en fait, expliqua Coby. C'est une très bonne amie de maman.

— Oh, vraiment ?

— Oui, et elle dit que tu lui offres pas de fleurs, répliqua Lisa.

Bill me coula un regard en biais.

— Ils m'ont posé la question, expliquai-je, mal à l'aise.

— Je vois. Eh bien, voilà un oubli qu'il faudra que je répare. Merci de me l'avoir signalé, Lisa. Tu connais la date de l'anniversaire de tante Sookie ?

La petite secoua la tête.

— Ce n'est vraiment pas la peine… commençai-je, de plus en plus gênée.

— Et toi, Coby ? poursuivit Bill, comme s'il ne m'avait pas entendue. Aucune idée ?

À son tour, le gamin fit non de la tête, manifestement vexé d'être pris en défaut.

— Mais je sais que c'est en été, parce que la dernière fois que maman a invité tatie au restaurant pour son anniversaire, c'était pendant les grandes vacances. Nous, on est restés à la maison avec René et il nous a appris à jouer aux cartes.

— Je vois que tu es un garçon intelligent, commenta Bill d'un ton admiratif.

— Et encore, tu sais pas tout ! Devine ce que j'ai appris l'autre jour à l'école ?

Quelques instants plus tard, Coby avait repris l'interminable énumération de ses exploits, en classe comme dans la cour de récréation. Durant tout ce temps, Lisa ne quitta pas Bill des yeux.

— Pourquoi tu es tout blanc, Bill ? demanda-t-elle soudain, de sa petite voix flûtée.

Bill ne se démonta pas.

— C'est ma carnation naturelle, dit-il.

Les deux enfants échangèrent des regards inquiets, d'où il ressortait clairement que pour eux, la « carnation naturelle » était une très grave maladie... ce en quoi ils n'étaient peut-être pas loin de la vérité.

Par la suite, ils s'abstinrent de toute question gênante. Les enfants font parfois preuve d'un tact parfait.

À mesure que la soirée s'écoulait, Bill se détendit. J'étais épuisée et je lui aurais volontiers confié les petits, mais par respect pour Arlène, je restai éveillée jusqu'à son retour, un peu avant 23 heures.

Arlène aidait les enfants à monter dans la voiture tandis que Bill et René discutaient quand je vis sortir du bois un vampire que je ne connaissais pas.

Grand, brun, les cheveux peignés en arrière en une improbable banane, il adressa à Bill un signe de la main et se dirigea vers René et lui, comme s'il était attendu.

Depuis la plus haute marche de la véranda, j'assistai à la scène, intriguée. Bill présenta son ami à René, qui serra la main du nouveau venu avec un naturel dont je lui fus reconnaissante. Mais, très vite, je remarquai que René regardait l'inconnu comme s'il avait l'impression de l'avoir déjà croisé quelque part. Alors qu'il semblait sur le point de lui poser une question, Bill lui lança un regard sévère, et René parut ravaler l'interrogation qui lui brûlait les lèvres. Que cela signifiait-il ?

J'observai le vampire avec attention. Il portait un jean râpé, un tee-shirt à l'effigie d'Elvis Presley et une paire de santiags usées aux talons. Incroyable. Le King avait des fans jusque chez les morts vivants !

Le vampire tenait négligemment à la main une canette de sang synthétique qu'il portait de temps à autre à ses lèvres, qu'il avait épaisses et sensuelles. Je ne saurais dire si c'était la réaction de René qui avait insinué le doute en moi, mais il me semblait à mon tour reconnaître le personnage. Nom de nom, où l'avais-je vu ? Je tentai d'imaginer sa version humaine – teint plus coloré, corpulence plus forte… Oh, non !

Il ne s'agissait pas d'un fan du King, mais du King en personne.

Tandis que René s'éloignait, Bill invita notre visiteur à me rejoindre avec lui sur la véranda.

— Bill m'a dit qu'on avait tué votre chat, déclara le King avec un accent du Sud très prononcé.

Je hochai la tête, incapable d'articuler un mot.

— Désolé. J'adore les chats, dit-il d'un ton ambigu.

Qu'entendait-il exactement par « adorer » ? Je n'osai poser la question.

— Sookie, dit Bill, je te présente Bubba.

— Bubba, répétai-je, interdite.

— C'est ça, Bubba, dit l'autre avec un grand sourire. Ravi de vous rencontrer, mademoiselle.

Tel un automate, je pris la main qu'il me tendait. Bonté divine ! Si on m'avait dit qu'un jour, je *lui* serrerais la main ! Car c'était bien lui, en chair et en os !

— Bubba, ça ne t'ennuie pas de nous attendre ici un instant ? Je n'ai pas encore eu le temps d'exposer notre plan à Sookie.

— Pas de problème, mec, répondit Bubba en s'asseyant sur la balancelle de la véranda.

Je suivis Bill dans le salon.

— J'avais prévu de tout t'expliquer avant son arrivée, murmura celui-ci en désignant la porte du menton.

— Est-ce qu'il s'agit bien de… qui je pense ?

— Oui. Maintenant, tu sais qu'une partie des rumeurs à son sujet ont un fondement de vérité. Mais ne l'appelle jamais par son nom. Contente-toi de Bubba. Sa transformation ne s'est pas très bien passée, peut-être à cause de toutes les substances qu'il avait dans le sang.

— Alors, c'est vrai ? Il n'est pas mort ?

— Non, pas tout à fait. L'un de nous travaillait à la morgue, un de ses fans. Quand il a compris qu'il restait une étincelle de vie en lui, il l'a transformé.

— En vampire ?

— Exactement. Le problème, c'est que le malheureux ne s'est pas bien réveillé. Toutes ces drogues dans son sang, je suppose... Quoi qu'il en soit, il est à peu près aussi intelligent qu'un ver de terre, et complètement imprévisible. Impossible de le sortir en public.

— Je comprends, murmurai-je, encore mal remise de ma surprise.

— De plus, il possède une force colossale. N'oublie jamais qu'il peut être dangereux, et ne l'appelle que Bubba. En ce qui concerne la raison de sa présence ici...

Bill chercha ses mots.

— Écoute, je dois m'absenter quelque temps.

Comprenant qu'il ne m'en dirait pas plus, je ne lui demandai pas pourquoi.

— Et... Bubba ? Tu l'emmènes avec toi ?

J'avais posé la question à tout hasard, mais je connaissais – hélas ! – déjà la réponse.

— Il va veiller sur toi pendant mon absence. D'accord, ce n'est pas une lumière, mais il est très fort. Tant qu'il sera ici, personne n'entrera chez toi.

— Et lui ? Il n'essaiera pas de forcer la porte ?

— Je le lui ai strictement interdit. Il doit rester dans le bois, d'où il surveillera ta maison pendant la nuit. Il n'est même pas censé t'adresser la parole.

— Tu aurais quand même pu me demander mon avis avant de l'appeler à la rescousse. Et puis, tu es sûr que c'est bien nécessaire ?

La perspective de passer plusieurs nuits sous le regard de ce personnage me rendait nerveuse.

— Ma chérie, dit Bill d'un ton patient, pardonne mes maladresses, mais je fais de mon mieux pour comprendre de quelle façon les femmes du XXIe siècle veulent être traitées, et je peux te dire que ce n'est pas une sinécure. Et je t'assure que je n'ai pas d'autre choix que de t'imposer ce garde du corps un peu inhabituel.

— Je suppose que tu as raison.

D'ailleurs, je ne pouvais qu'accepter. Je n'avais aucun moyen de chasser Bubba, à présent que Bill l'avait convoqué. Quant à la police municipale, qui n'était pas équipée pour capturer un vampire ordinaire, qu'aurait-elle fait du personnage assis sur la balancelle de ma véranda, sinon le regarder avec des yeux ronds de stupeur en se demandant s'il était bien celui qu'il semblait être ?

Bill avait agi au mieux. Je ne pouvais que le remercier.

— Je comprends, dis-je en posant ma tête sur son épaule. Où dois-tu aller ?

— À La Nouvelle-Orléans. J'ai réservé une chambre à *Nuit Blanche*.

J'avais entendu parler de ce tout nouvel hôtel situé dans le Quartier français et exclusivement destiné à une clientèle de vampires. J'aurais tout donné pour accompagner Bill, mais puisqu'il ne me le proposait pas, j'en déduisis qu'il avait de bonnes raisons de me tenir à l'écart de son expédition.

— Tu pars ce soir ? lui demandai-je.

— Tout de suite.

Je le serrai contre moi.

— Sois prudent, Bill.

Il déposa sur mon front un baiser léger comme la brise nocturne et s'en fut sans un bruit. Je demeurai immobile, telle une petite fille perdue. Jamais je ne m'étais sentie aussi seule.

Chez Merlotte, le lendemain, les premiers mots d'Arlène furent pour me demander la raison de la présence de Bubba chez moi.

— Bill a dû s'absenter quelques jours, et il se faisait du souci pour ma sécurité, expliquai-je d'un ton aussi désinvolte que possible.

— Tu veux dire que ton homme a loué les services d'un garde du corps rien que pour toi ? demanda Charlsie d'un ton rêveur.

— Euh... en quelque sorte.

— C'est tellement romantique ! s'exclama-t-elle en joignant les mains.

— Et attends de voir le gorille ! lui dit Arlène. C'est le portrait craché de...

Je m'empressai de l'interrompre.

— Mais non ! Il suffit de lui parler pour voir la différence. D'ailleurs, il déteste qu'on prononce ce nom devant lui. Cela le rend nerveux.

— Oh, fit Arlène en baissant la voix, comme si Bubba s'était trouvé juste derrière elle.

— En tout cas, tu remercieras René, dis-je. Il s'est montré charmant avec Bill, hier soir.

— C'est d'autant plus méritoire qu'il a une dent contre les vampires, sans jeu de mots, répondit Arlène en s'esclaffant. Tu savais que Cindy, sa sœur, était sortie avec l'un d'entre eux ?

— Non. Comment va-t-elle, au fait ?

— Il y a longtemps que je ne l'ai pas vue. René

m'a dit qu'elle avait trouvé un job à la cafétéria de l'hôpital de Monroe.

— Elle ne serait pas intéressée par une place ici ? demanda Sam, qui s'était approché de notre petit groupe. Je commence à manquer de personnel.

— Je lui en parlerai, promit Arlène.

— Merci. À propos, Sookie, tu peux me rendre un service ? Quand tu auras le temps, passe dans mon bureau pour regarder les candidatures. Tu connais mieux que moi les gens d'ici.

De fait, Sam n'était à Bon Temps que depuis cinq ou six ans, et il passait le plus clair de ses journées derrière le bar ou enfermé dans son bureau. En dehors de son travail, il se mêlait peu à notre petite communauté. Je ne savais rien – pas plus que les autres, d'ailleurs – de sa vie avant son arrivée ici.

Un peu plus tard dans la journée, je m'attelai à la tâche. Très rapidement, je séparai les fiches des candidates en deux tas – « déjà recrutées ailleurs » et « bonnes recrues ». Après réflexion, j'ajoutai deux piles : « mauvaises recrues » (pour cause d'incompatibilité d'humeur avec moi-même) et « décédées ».

Parmi les postulantes appartenant à ce dernier groupe se trouvaient Dawn et Maudette. Je laissai échapper un soupir de tristesse – pour les deux jeunes femmes, mais aussi pour mon naïf de frère, qui avait eu l'idée géniale de filmer ses ébats avec elles.

J'en étais là de mes réflexions lorsque Sam entra dans le bureau.

— Eh bien, ton verdict ? demanda-t-il en posant les yeux sur les liasses de candidatures.

Je pris un dossier sur le dessus de la deuxième pile et le lui tendis.

— Amy Burley, dis-je. Elle est disponible et elle connaît bien le métier. Demande son avis à Charlsie, elle a travaillé avec elle au *Good Time Bar*.

— Merci, Sookie. J'apprécie beaucoup ton aide.

— Je t'en prie.

— Tu as l'air distante, ces temps-ci, dit-il après un silence. Ça ne va pas ?

Je le regardai avec attention. Il avait exactement la même expression que d'habitude. Encore une fois, son esprit m'était complètement fermé. Comment faisait-il cela ? Il n'existait qu'une autre personne au monde dont je ne pouvais pénétrer les pensées : Bill, parce qu'il était un vampire. Sam, pourtant, était tout ce qu'il y avait d'humain… non ?

— Si, dis-je, saisie d'un inexplicable malaise. Bill me manque, c'est tout.

— Tu le verras ce soir.

Je faillis lui expliquer que « mon homme », comme disait Charlsie, était parti pour quelques jours, mais je m'abstins, prise d'une soudaine méfiance. Le reste de la journée se déroula sans incident. À plusieurs reprises, toutefois, je surpris sur moi les regards curieux d'Arlène et de Charlsie.

Je rentrai chez moi le cœur lourd, inquiète de savoir Bill si loin de moi. Je tentai de joindre Jason, d'abord chez lui, puis, plus tard, *Chez Merlotte*, sans succès. En errant dans la maison, j'aperçus depuis la fenêtre du salon la silhouette de Bubba entre les arbres, à la tombée de la nuit.

Je frémis en songeant à la force qu'il possédait. Était-ce à lui que Bill avait fait appel pour envoyer l'oncle Bartlett *ad patres* ? Je préférais ne pas le savoir.

Ayant renoncé à lire – tous les livres me tombaient des mains – et à regarder la télévision – les films étaient plus ineptes les uns que les autres –, je m'apprêtais à me coucher lorsque la sonnerie du téléphone me fit sursauter. C'était Terry Bellefleur, qui tenait le bar ce soir-là en l'absence de Sam. Jason était arrivé *Chez Merlotte* et souhaitait me parler.

— J'arrive ! répondis-je, refusant de penser qu'il me faudrait par la suite rentrer dans une maison vide – ou, en tout cas, qu'il était préférable que je trouve vide à mon retour.

Lorsque j'arrivai *Chez Merlotte*, je me garai sur le parking des employés – la force de l'habitude, je suppose. Un chien errant se trouvait là. J'en voyais souvent dans le coin. Les gens abandonnaient les pauvres bêtes dans les bois ou les « perdaient » sur la route qui venait de La Nouvelle-Orléans, et il n'était pas rare que Sam doive faire intervenir la fourrière.

Je caressai machinalement l'animal et poussai la porte de service.

Terry se trouvait derrière le comptoir.

— Où est Jason ? demandai-je en me hissant sur l'un des tabourets de bar.

— Jason ? Pas vu ce soir. Je te l'ai déjà dit au téléphone, fillette.

— Mais tu m'as rappelée pour me dire qu'il était arrivé et me demandait.

— Pas du tout.

Je le regardai, surprise. Il était dans un de ses mauvais jours, l'esprit empli des cauchemars que lui avaient laissés ses années dans l'armée et ses nuits sous l'emprise des stupéfiants. Le pauvre Terry était confus, maladroit... pitoyable.

— Tu es sûr ? demandai-je avec diplomatie.

— Certain ! tonna Terry.

Je battis en retraite. J'éclaircirais cette question plus tard, songeai-je en balayant la salle du regard. Le chien se trouvait à la porte de service, les yeux posés sur moi. Il jappa doucement.

— Tu as faim, mon vieux ?

Lorsque je m'approchai de lui, l'animal remua la queue. Il avait l'air gentil. Je l'observai attentivement. Son poil lustré et son regard intelligent indiquaient qu'il avait été bien dressé. L'abandon devait être récent. J'envisageai un instant d'aller faire un tour à la cuisine demander s'il y avait des restes à lui donner, mais je me ravisai.

— Et si tu venais à la maison ? Je sais que Bubba veille au grain, mais avec toi, je serai plus rassurée. Seulement, il faut me promettre de ne pas faire pipi sur les tapis !

Comme s'il m'avait comprise, il s'assit et émit un petit jappement.

— Tu es un bon toutou ! Allez, viens, dis-je en quittant le bar. Je t'emmène à la maison.

Le chien sur mes talons, je traversai le parking. En ouvrant la portière de ma voiture, j'eus un instant d'hésitation. N'étais-je pas en train de commettre une erreur ? Si cet animal avait un maître, malgré tout ? S'il était moins pacifique qu'il n'en avait l'air ?

Mais avant que j'aie eu le temps de me raviser, le chien bondit dans la voiture et s'assit sur le siège passager, comme s'il avait fait cela toute sa vie. C'était un signe, décidai-je en refermant la portière, avant de m'installer au volant. Je quittai le parking et pris la route de la maison.

— Il va falloir que je te trouve un nom. Que dirais-tu de... Buffy ?

Un aboiement enthousiaste me répondit.

— C'est entendu. Alors, écoute-moi bien, Buffy. Quand je me serai garée dans la cour, on se dépêchera de courir dans la maison, toi et moi, d'accord ?

De nouveau, l'animal émit un jappement. Cela me faisait un bien fou d'avoir quelqu'un à qui parler. Et avec lui, me dis-je, inutile de contrôler mon esprit. N'étant pas un être humain, il ne m'assaillirait pas de pensées parasites... Décidément, Buffy serait un compagnon parfait.

De retour chez moi, je coupai le moteur de la voiture et pris dans ma main la clé de la maison.

— On y va ! m'écriai-je.

À peine eus-je ouvert ma portière que Buffy bondit par-dessus mes genoux et sauta dans la cour. Je le vis faire un tour sur lui-même, les oreilles dressées, la truffe levée pour humer l'air. Puis il émit un grondement sourd.

— Ce n'est que Bubba, expliquai-je. Il est gentil, c'est lui qui surveille ma maison. Allons, viens, Buffy !

Comme à regret, le chien me suivit jusqu'en haut des marches de la véranda. Je me hâtai de le faire entrer et de verrouiller la porte derrière nous.

Buffy commença par parcourir le salon en flairant meubles et tapis. Je lui laissai le temps de s'habituer à cette demeure nouvelle pour lui, puis je me rendis dans la cuisine. Je remplis un bol d'eau que je déposai par terre, puis je vidai dans une assiette creuse une boîte de nourriture pour chats de Tina.

Buffy s'approcha des deux récipients, qu'il renifla prudemment avant de me jeter un regard déçu.

— Désolée, mon vieux, je n'ai pas de croquettes pour chiens. Si tu te plais ici, je t'achèterai ce qu'il te faut.

Après une dernière hésitation, Buffy approcha sa truffe de l'assiette. C'était gagné ! Je m'assis pour le regarder manger, heureuse de l'avoir avec moi. Une fois son repas terminé, je l'entraînai dans ma chambre et lui désignai le tapis. Docilement, il s'y assit.

Il s'y trouvait encore lorsque je sortis de la douche, vêtue d'une chemise de nuit.

— Couché ! dis-je, d'un ton que j'espérais autoritaire.

Buffy jeta un coup d'œil envieux à la courtepointe, mais je restai ferme. Granny se retournerait dans sa tombe si elle savait qu'un chien dormait sur son lit ! Il me semblait encore l'entendre déclarer de sa voix ferme : « Les animaux, dehors ! » Je poussai un soupir. Les temps avaient bien changé. À présent, j'avais un vampire dans ma cour et un chien au pied de mon lit.

Finalement, Buffy huma le tapis, tourna sur lui-même et se coucha avec un grognement d'aise. J'éteignis ma lampe de chevet et m'allongeai. J'étais épuisée. J'avais conscience que mon nouveau compagnon à quatre pattes n'était pas encore suffisamment attaché à moi pour me protéger en cas de danger, mais sa présence était rassurante.

Alors que je sombrais dans le sommeil, je sentis un poids sur mes pieds. Buffy était monté sur le lit. Je n'eus pas le courage de l'obliger à en descendre. Je posai la main sur sa fourrure chaude et m'endormis paisiblement.

Je fus réveillée à l'aube par un concert de pépiements d'oiseaux. Je m'étirai paresseusement. Sans me retourner, je posai la main sur la tête de Buffy pour le caresser. Celui-ci s'approcha de moi, renifla ma nuque, puis posa son bras sur moi.

Son bras ?

Dans un hurlement, je bondis hors du lit.

Sam se redressa négligemment sur un coude et me décocha un regard amusé. Il était nu comme un ver.

— Oh, non !

Je me retournai en cachant mon visage entre mes mains.

— Que fais-tu ici ? m'écriai-je. Et où est Buffy ? Je ne l'ai pas entendu aboyer !

— Ouaf ! fit Sam.

Je le regardai sans comprendre.

Ou plutôt, en refusant de comprendre.

Ce n'était pas possible ! Sam et Buffy n'étaient qu'une seule et même… Que fallait-il dire ? Créature ? Je fermai les yeux, prise de vertige. Tout ceci n'était qu'un rêve. J'allais me réveiller, et la vie reprendrait son cours normal…

Les secondes passèrent, rythmées par le chant des oiseaux. Je rouvris les yeux. Sam était toujours sur mon lit.

Je songeai au fantôme d'Elvis qui montait la garde dans mon jardin, au vampire que j'aimais et qui dormait à La Nouvelle-Orléans dans un hôtel pour morts vivants, à tous les phénomènes étranges que la vie avait mis sur mon chemin ces derniers temps… Après tout, pourquoi Sam ne pouvait-il pas être une sorte de loup-garou, version canine ? Je n'en étais plus à un prodige près !

Sam se leva du lit et s'approcha de moi. J'eus le temps d'apercevoir sa toison rousse, qui se déployait sur son large torse avant de filer en ligne droite vers… Je fermai de nouveau les yeux.

— Arlène m'a dit que tu étais seule, expliqua Sam. Je n'ai pas voulu te laisser.

— Elle ne t'a pas parlé de Bubba ?

— Le vampire qui ressemble à…

— Bubba ! coupai-je précipitamment. Ne l'appelle jamais autrement que par ce nom. Et méfie-toi de lui, il adore boire le sang des animaux.

Lorsque je rouvris les yeux, je vis que Sam avait pâli. Bien fait pour lui !

— Dans ce cas, je suppose que j'ai de la chance que tu m'aies laissé entrer.

Je souris. Puis je posai la question qui me brûlait les lèvres.

— Qui es-tu, Sam ?

— Eh bien… tu as déjà entendu parler des loups-garous ?

Je hochai la tête. C'était bien ce que je pensais !

— C'est un peu mon cas, poursuivit-il. Sauf que je peux prendre l'apparence de n'importe quel animal.

— Quand tu veux ? Tu peux choisir ?

— Pas tout à fait. Quoi que je fasse, je me transforme à la pleine lune. Je prends alors l'apparence du dernier animal que j'ai vu. Tous les mois, je laisse sur ma table de chevet la photo d'un colley. C'est un chien solide mais pas menaçant. Le reste du temps, je peux me transformer si je le désire, mais cela me demande beaucoup d'énergie.

— Tu as déjà pris la forme d'un oiseau ?

— Oui, et j'ai failli finir rôti sur une ligne à haute tension.

J'éclatai de rire. Je commençais presque à trouver la situation naturelle. Granny disait souvent qu'on s'habitue à tout. Elle ne savait pas à quel point elle avait raison…

— Tu n'étais pas obligé de me dire tout ça.

— J'avais prévu de partir avant ton réveil. Cela dit, je ne regrette pas d'être resté. Je dois avouer que j'étais curieux de voir ta réaction. Tu t'es accoutumée si facilement au fait que Bill soit un vampire… presque trop !

Je lui jetai un regard indigné.

— Qu'essaies-tu de me dire ?

— Que tu ne peux pas raisonnablement envisager de finir ta vie avec un homme qui est mort il y a plus d'un siècle, Sookie.

— Bill est vivant ! Et si tu t'imagines que tu vas me séparer de lui…

Sam leva les mains en signe d'apaisement.

— Je n'essaierai même pas, dit-il d'un ton conciliant. Quoique… Au fond, je ne me plaindrais pas si cela arrivait.

Il m'adressa un de ses rares sourires, brillant et lumineux comme un lever de soleil. Il me semblait qu'il était plus détendu avec moi, maintenant qu'il m'avait dévoilé son secret.

— Alors, que veux-tu, Sam ?

— Veiller sur toi. Tant que l'assassin ne sera

pas derrière les barreaux, tu seras en danger. Je ne supporterais pas qu'il t'arrive du mal. Mon seul but est de te protéger.

— En te couchant nu dans mon lit ?

— Je suis désolé si je t'ai choquée. Mais je n'avais pas d'autre solution que de me transformer en animal pour que tu acceptes ma présence.

— Tu sembles oublier Bubba.

— Ah, oui, ton gorille ! Bill a dû lui rendre de sacrés services dans le passé, pour qu'il ait accepté de te surveiller. C'est bien connu, les vampires sont des monuments d'égoïsme.

— Possible...

Je ne voulais pas m'attarder sur les relations qui unissaient Bill à Bubba. Une autre réflexion s'imposait à mon esprit, autrement plus passionnante.

— Des vampires, des loups-garous... Je commence à me demander quels autres êtres fantastiques la nature a créés, murmurai-je.

L'abominable homme des neiges ? Le monstre du Loch Ness ? Entre nous, j'avais un faible pour Nessie.

— Je suppose qu'il vaut mieux que je rentre chez moi, maintenant, dit Sam.

Il me regarda d'un air interrogateur. Qu'attendait-il ? Il me fallut quelques secondes pour comprendre.

— Oh, bien sûr ! m'écriai-je en rougissant. Je vais voir s'il me reste des vêtements de Jason à te prêter.

Par chance, je trouvai dans le placard du couloir un jean et une chemise propres. Je les tendis à Sam et me dirigeai vers ma salle de bains.

— Je te laisse t'habiller, dis-je avant de refermer la porte derrière moi.

J'envisageai un instant de tourner la clé, mais je me ravisai. Sam n'était pas une brute, et je l'aurais insulté en montrant une telle méfiance envers lui. Je passai un jean et un tee-shirt en un temps record. Je finissais de me coiffer lorsqu'un bruit dans la cour attira mon attention. Une voiture venait de se garer.

Je sortis de la salle de bains en priant pour que Sam ait eu le temps de s'habiller. Il avait fait mieux. Lorsque j'ouvris la porte, Buffy se tenait devant moi, les oreilles dressées, la tête inclinée sur le côté.

Je le caressai entre les oreilles avec reconnaissance, puis je me penchai à la fenêtre.

— Nous avons un visiteur, annonçai-je. Andy Bellefleur.

J'allai ouvrir, Buffy sur mes talons.

— Vous avez l'air épuisé, Andy. On dirait que vous n'avez pas fermé l'œil de la nuit. Entrez, je vais faire du café.

— Ce n'est pas de refus, dit l'inspecteur en étouffant un bâillement.

Buffy émit un grondement.

— Vous avez un bon chien de garde, commenta Bellefleur en me suivant dans la cuisine.

Je m'abstins de tout commentaire. À l'évidence, Andy n'était pas là pour me parler de la pluie et du beau temps.

— Venez-en au fait, Andy, dis-je en lui tendant une tasse de café, quelques minutes plus tard.

— Sookie, avez-vous passé la nuit ici ?

— Bien sûr.

— Et Bill Compton ? Il était avec vous ?

— Non, il est à La Nouvelle-Orléans. Il est descendu dans ce nouvel hôtel pour vampires.

— Vous en êtes bien sûre ?
— C'est ce qu'il m'a dit. Je n'ai aucune raison de ne pas le croire.
Andy se mordit les lèvres, comme pour retenir des paroles douloureuses.
— Andy, si vous me disiez pour quelle raison vous êtes ici ?
— Il y a eu un meurtre cette nuit, murmura-t-il.
— Amy Burley ?
— Comment diable…
— Le diable n'a rien à voir avec cela, Andy. Vous l'avez pensé tellement fort que je ne pouvais que l'entendre. Je suis désolée pour Amy.
Amy, qui travaillait au *Good Time Bar*. Amy, dont j'avais donné le dossier à Sam, la veille. Amy, qu'on ne reverrait plus jamais à Bon Temps… Buffy, couché à mes pieds, geignit doucement. Il semblait sincèrement touché par cette triste nouvelle. Je lui grattai la tête pour le consoler.
— Même scénario que pour les autres, je suppose ? demandai-je.
— Identique, à part que les morsures étaient récentes.
Je me laissai tomber sur une chaise, plus ébranlée que je ne voulais le montrer. Amy était jeune, jolie, elle avait la vie devant elle. Et à présent, tout était fini pour elle. Il était temps que quelqu'un mette un terme à cette horreur.
— Bill est parti avant-hier, dis-je.
— Avez-vous eu des nouvelles de votre frère ?
— Non.
Sur une intuition, je ne lui parlai pas du mystérieux coup de téléphone de Terry, la veille. Je

venais de comprendre. L'auteur de l'appel n'était autre que Sam, qui m'avait tendu un piège pour m'attirer au bar ! Un regard en direction de Buffy me confirma que j'avais raison.

— Toutes ces femmes… dit Andy d'un ton las. Elles se ressemblent tellement, quand j'y pense.

En quelques mots, je résumai les pensées qu'il n'osait exprimer.

— Peu diplômées, employées de bar, ne refusant pas à l'occasion une nuit avec un vampire… Un peu comme moi, n'est-ce pas ?

Bellefleur hocha la tête en détournant les yeux.

— Ne soyez pas mal à l'aise, Andy. C'est votre boulot de chercher les points communs entre tous ces meurtres. D'ailleurs, je suis persuadée que ce n'était pas ma grand-mère qu'on visait, mais moi. Il semble que je sois la seule qui ait échappé au meurtrier.

— C'est possible.

Il paraissait si épuisé que je crus qu'il allait s'endormir sur sa chaise. Si je le laissais prendre le volant dans cet état et qu'il avait un accident, la vieille Mme Bellefleur ne me le pardonnerait jamais, et Portia non plus.

— Andy, pourquoi n'iriez-vous pas vous reposer quelques heures dans la chambre d'amis ? J'ai une course à faire, je vous réveillerai à mon retour.

Une expression de surprise éclaira son visage. Manifestement, il ne s'attendait pas à la moindre bienveillance de ma part. Il m'adressa un sourire reconnaissant.

— Cela ne vous ennuie pas ? demanda-t-il, presque timide.

— Je préfère vous savoir chez moi que dans le fossé. Allons, venez, je vous montre le chemin.

Je refermai la porte de la chambre d'amis un instant plus tard, laissant derrière moi un Andy Bellefleur déjà endormi. Puis je me tournai vers Buffy.

— Et maintenant, je te ramène chez toi ! murmurai-je.

Après avoir fait monter le chien sur la banquette arrière de ma voiture et posé à côté de lui le sac qui contenait les vêtements de Jason, je pris la route de *Chez Merlotte*. Lorsque je me garai sur le parking du personnel, Sam était assis à l'arrière, correctement vêtu, l'air innocent.

Ce ne fut qu'en coupant le moteur que je remarquai, stationné non loin de là, un pick-up noir orné de flammes roses et bleues. Jason était donc *Chez Merlotte* ?

— Que fait-il ici ? murmurai-je, intriguée.

— Qui ? demanda Sam.

— Jason. Son pick-up est garé devant nous.

Tout en parlant, je crus apercevoir une silhouette dans le véhicule. Celle de mon frère ? Pourquoi ne bougeait-il pas ? Saisie d'un mauvais pressentiment, j'ouvris ma portière et me dirigeai vers le pick-up. Malgré le bruit de mes pas sur le gravier, Jason ne réagit pas.

Je m'approchai de la vitre. Mon frère était inconscient, le menton sur la poitrine, le front barré d'une longue estafilade. Sa chemise était tachée de sang. À côté de lui, sur la banquette, se trouvait une cassette vidéo.

— Sam ! Viens vite !

En un éclair, celui-ci me rejoignit. Il m'écarta avec douceur et ouvrit la portière du pick-up. Une bouffée d'air tiède me parvint, chargée de senteurs lourdes – l'odeur du sang, de l'alcool et du sexe.

— Il faut appeler une ambulance ! m'entendis-je dire d'une voix étranglée par l'angoisse.

— Pas de précipitation, dit Sam en prenant le pouls de Jason.

— Enfin, tu vois bien qu'il est… qu'il est…

Les mots moururent dans ma gorge.

— Il va se réveiller. Et il aura peut-être sur la conscience des choses qu'il préférerait garder…

Sam s'interrompit. Une voiture venait de s'engager sur le parking des employés. Bientôt, Arlène nous rejoignit. Sam s'éloigna en maugréant pour appeler les secours.

Avec le recul, je n'en reviens pas d'avoir été si naïve. Laissant derrière moi des agents inspecter le pick-up de Jason, je suivis l'ambulance qui emmenait mon frère jusqu'à l'hôpital local, sans prendre garde à la voiture de police qui nous escortait. Je n'éprouvai pas une once de méfiance lorsque le médecin me renvoya chez moi en me promettant qu'on m'appellerait dès que Jason se réveillerait.

À aucun instant je ne mesurai les conséquences de mon manque de réflexion. Si seulement j'avais écouté Sam !

Je rentrai chez moi et me retrouvai désœuvrée. Andy Bellefleur, qui s'était réveillé en mon absence, m'avait laissé un mot pour me remercier.

Ce n'est que plus tard que j'appris que l'inspecteur se trouvait à l'hôpital en même temps que moi et qu'il s'était empressé, à peine avais-je eu le dos tourné, de menotter mon frère aux barreaux de son lit.

13

Sam passa chez moi vers 11 heures du matin pour m'annoncer la nouvelle.

— Ils vont le mettre en état d'arrestation dès qu'il se réveillera, c'est-à-dire très bientôt, m'expliqua-t-il d'un ton grave.

Je le regardai, éberluée. Pourquoi la police s'en prenait-elle à mon frère ? Que lui reprochait-on ? Jason n'était pas un délinquant. C'était une erreur judiciaire ! Et Bill qui ne rentrait pas ! Des larmes de rage et de désespoir ne tardèrent pas à rouler sur mes joues.

— Ils pensent que Jason a tué Amy Burley dans un moment de démence, avant de s'enivrer ou de prendre de la drogue.

— C'est ridicule !

— Peut-être, mais pour l'instant, aucun élément ne semble innocenter ton frère.

Sam ne me dit pas de quelle source il tenait ses informations, et je me gardai bien de lui poser la question. J'avais eu mon compte de surprises pour la journée.

Après le départ de mon patron, j'appelai les renseignements pour connaître les coordonnées de l'hôtel *Nuit Blanche* à La Nouvelle-Orléans. Je composai le numéro de l'établissement d'une main tremblante de nervosité. Bill serait-il contrarié que je cherche à le joindre ?

— *Nuit Blanche,* votre cercueil quand vous êtes loin de la maison ! annonça une voix d'un ton un peu mécanique.

— Bonjour. J'aimerais laisser un message pour l'un de vos pensionnaires, s'il vous plaît.

— De qui s'agit-il ?

— M. Compton.

— De la part de qui ?

— Sookie Stackhouse, de Bon Temps. Il faudrait dire à M. Compton de revenir dès que possible.

— C'est noté, mademoiselle. Nous allons lui faire parvenir votre message au plus vite.

Je remerciai poliment mon interlocuteur, puis je raccrochai. Après un moment de réflexion, j'appelai Sid Matt Lancaster, qui me promit de se rendre en fin d'après-midi à l'hôpital pour assister Jason. Je lui demandai de me tenir au courant et raccrochai.

Que faire, à présent ? Je me sentais désespérément impuissante. Sur une impulsion, je pris ma voiture et roulai jusqu'à l'hôpital. On refusa de me laisser voir mon frère, sous prétexte qu'il ne s'était pas encore réveillé. J'eus la désagréable impression que l'on me mentait, mais je dus m'incliner. Je n'avais pas le choix.

Alors que je quittais le hall, j'aperçus une silhouette familière. Andy Bellefleur. En me reconnaissant, il fit demi-tour, comme s'il ne m'avait pas vue. Le salaud !

La vue brouillée par les larmes, je rentrai chez moi. Tout mon univers s'écroulait. Pourquoi ne me laissait-on pas voir Jason ? Que lui reprochait-on ? D'avoir assassiné toutes ces jeunes filles ? J'éclatai d'un rire sans joie. Pourquoi ne pas l'accuser d'avoir tué Granny, au point où on en était ?

Puis je songeai avec effroi que les enquêteurs prenaient sans doute cette hypothèse très au sérieux. J'éprouvais l'oppressante sensation de me débattre dans un piège qui se refermait un peu plus à chacun des mouvements que je faisais pour m'en libérer.

À mesure que les heures passaient, je pris conscience que sans mon incroyable naïveté, j'aurais pu épargner à Jason cette humiliation. J'avais commis tant d'erreurs ! Si j'avais porté mon frère jusqu'au mobile home de Sam pour le laver, si j'avais subtilisé la cassette pour la détruire, si je n'avais pas insisté pour que Sam appelle les secours...

Sam avait tout compris, dès la première seconde. Mais je ne l'avais pas écouté.

Sid Matt Lancaster sonna chez moi vers 16 h 30. Il m'annonça sans préambule :

— Jason est inculpé de meurtre.

Je fermai les yeux, sous le choc. Lorsque je les rouvris, Sid m'observait avec avidité. Il ressemblait à un charognard, songeai-je, mal à l'aise.

— Il a avoué ?

— Il a seulement reconnu qu'il avait passé la nuit dernière avec Amy.

— C'est tout ?

Sid poussa un soupir résigné.

— Oui. Il dit que c'était la première fois depuis longtemps. Ils sortaient ensemble autrefois, mais elle était si jalouse de ses relations avec d'autres jeunes femmes qu'il avait cessé de la voir. Elle lui a fait des avances hier soir au *Good Time Bar* ; il n'a pas résisté. D'après lui, elle s'est montrée différente, comme si elle avait une idée en tête ou qu'elle obéissait à un plan bien précis. Il se rappelle avoir eu des rapports sexuels avec elle, puis avoir bu de l'alcool. Ensuite, il n'a aucun souvenir, jusqu'à son réveil dans son lit d'hôpital.

— On l'a drogué, affirmai-je avec gravité.

J'avais l'impression de jouer dans un mauvais téléfilm.

— Évidemment, répondit Sid avec autant d'assurance que s'il s'était chargé lui-même d'administrer le narcotique à Jason.

Qui sait, peut-être était-ce le cas ? Je secouai la tête. Voilà que je devenais paranoïaque !

— Écoutez, je peux admettre à la limite que mon frère soit l'assassin d'Amy, de Dawn et de Maudette, bien que je n'y croie pas un seul instant, mais personne ne me persuadera qu'il a tué notre grand-mère de ses mains !

— Il y a une autre hypothèse. Jason pourrait être responsable de la mort de ces jeunes femmes, et Compton de celle de votre grand-mère.

Je le regardai, indignée.

— Bill ? Il aurait tué Granny ?

— Elle n'a pas tenté de vous séparer ?

Avec tout le calme dont j'étais capable, je toisai Lancaster.

— Granny adorait Bill. Elle était ravie que je sorte avec lui.

L'espace d'un instant, l'avocat laissa tomber son masque d'impassibilité. Ses pensées déferlèrent sur mon esprit avec la force d'une rivière en crue. Il serait fou de rage et d'inquiétude si sa propre fille fréquentait un vampire. Il fallait être inconscient pour permettre une telle abomination. Ces vampires étaient des êtres tellement répugnants ! D'ailleurs, aucun jury ne croirait que feu Mme Stackhouse avait fermé les yeux sur les relations que sa cinglée de petite-fille entretenait avec un… un refroidi !

— Dites-moi, Sid, avez-vous déjà rencontré Bill ?

Il secoua la tête d'un air dégoûté.

— Le Seigneur a bâti un mur entre ces créatures et nous, et Il ne permettrait pas qu'on le fasse tomber. Qu'on laisse ces morts là où ils sont, voilà mon avis !

— Le problème, voyez-vous, c'est qu'Il m'a créée à cheval sur ce mur.

Depuis mon enfance, j'avais consacré la majeure partie de mon énergie à refouler mes talents de télépathe ou à les dissimuler à mon entourage. Il était temps que cela cesse. J'avais le droit de vivre telle que le destin, ou le Seigneur, ou qui que ce soit m'avait faite, et j'étais prête désormais à le clamer haut et fort… à plus forte raison si cela pouvait m'aider à sauver Jason des griffes d'une justice aveugle.

— J'ai entendu parler de votre… handicap, dit Lancaster en rajustant ses lunettes. Pour ma part, je suis persuadé que si le Seigneur vous en a affligée, c'est pour que vous appreniez à le mettre à Son service.

Je me promis de méditer cette idée dès que j'en aurais le loisir. Pour l'instant, j'avais d'autres priorités.

— Nous nous éloignons du sujet, et je m'en voudrais de vous faire perdre votre temps, Sid. Jason peut-il être libéré sous caution ? À ma connaissance, son implication dans le meurtre d'Amy n'a pas été formellement démontrée, n'est-ce pas ?

— Sookie, votre frère a admis qu'il était la dernière personne à avoir vu Amy vivante, et la vidéo qu'on a retrouvée à côté de lui montre ses ébats de la nuit avec la victime, quelques minutes avant le décès, si on en croit l'heure indiquée sur le film. Reconnaissez que c'est accablant.

— C'est même très accablant. Presque trop.

— Qu'entendez-vous par là ?

— Qu'on ne s'y prendrait pas autrement si on voulait le faire accuser à la place du vrai coupable. Écoutez, je connais Jason. Il a ses défauts, mais il ne boit que de la bière. Or, il empestait l'alcool. Je suis prête à parier qu'on a vidé sur lui une bouteille de whisky. Est-ce qu'on lui a fait un test d'alcoolémie, au moins ?

Lancaster secoua la tête, visiblement vexé d'être pris en défaut par une pauvre fille de mon espèce.

— Dix contre un qu'on ne trouvera rien, poursuivis-je.

— Si j'ai bien suivi votre raisonnement, le véritable assassin aurait manipulé votre frère pour qu'il soit accusé à sa place ?

— Oui.

— Pourquoi Jason et pas un autre ?

Je décidai de jouer cartes sur table.

— D'abord, parce que mon frère doit être proche du meurtrier. Ensuite, parce qu'il est assez stupide pour s'être vanté un soir au bar de ses tournages classés X. Cela a dû donner des idées au tueur, qui a décidé de lui faire payer ses crimes.

Je marquai une pause.

— Entre nous, Sid, mon frère n'est pas un ange. Filmer ses exploits au lit était aussi malsain que ridicule. Mais cela ne fait pas de lui un meurtrier. Il y a des limites que Jason ne franchirait jamais. Vous avez vu son dossier ?

— Casier judiciaire vierge, membre de la communauté bien intégré et estimé de ses concitoyens, grande stabilité professionnelle, récita Lancaster, prouvant qu'il avait étudié l'affaire avec soin. Oui, j'ai peut-être des chances d'obtenir sa libération sous caution... Mais attention ! S'il en profite pour s'enfuir, je ne pourrai plus rien pour lui.

Voilà une hypothèse que je n'avais pas envisagée. Je ne savais rien de la mise en liberté sous caution et n'avais aucune idée des démarches que cela impliquait, mais j'étais prête à tout pour faire sortir Jason de prison. J'avais l'impression que son séjour derrière les barreaux ne pourrait que jouer contre lui lors du procès... si le véritable assassin n'était pas démasqué entre-temps.

— Tout ce que je vous demande, c'est de faire votre possible pour lui rendre sa liberté, dis-je d'une voix ferme. Et de m'aider à le voir. On ne m'a pas laissée l'approcher, pour l'instant.

— C'est lui qui a refusé que vous veniez.

— Quoi ? Mais pour quelle raison ?

— Il a honte.

Je réprimai un éclat de rire surpris. C'était bien la première fois que Jason manifestait un tel sentiment !

— Dans ce cas... Tenez-moi au courant de vos démarches.

— Promis. À bientôt, Sookie.

L'avocat me quitta, visiblement soulagé que notre discussion se termine. Ma présence le mettait mal à l'aise.

À la tombée de la nuit, je descendis dans la cour pour m'assurer que Bubba était à son poste. Je trouvai mon garde du corps assis sous un arbre, un flacon de sang à moitié vide à la main. À ses pieds, j'aperçus quelques cadavres de bouteilles.

— Salut, mon chou ! dit-il en levant son flacon dans un geste de bienvenue. Vous venez me tenir compagnie ?

Je secouai la tête en frémissant de dégoût.

— Je suis juste sortie m'assurer que vous ne manquiez de rien.

Il agita son flacon, dont le contenu rouge et visqueux moussa un instant, me soulevant le cœur.

— On fait aller, dit-il de son accent traînant. Pas de chat dans les parages ?

— Non, désolée. Bill sera bientôt de retour, et vous pourrez rentrer chez vous, ajoutai-je avec toute la politesse dont j'étais capable. Bonsoir.

Pressée de retrouver la sécurité de ma maison, je m'éloignai en me demandant à quoi le vampire assis dans ma cour occupait ses longues nuits de veille. À fredonner *Love Me Tender* ?

— Et le chien ? demanda Bubba derrière moi.

— Je l'ai rendu à son propriétaire, dis-je sans me retourner.

— Dommage…

Une fois à l'abri derrière ma porte verrouillée, j'allai à la cuisine chercher de quoi grignoter, puis je m'installai devant la télévision. Après avoir changé de chaîne une dizaine de fois, je renonçai. Ce soir, je n'avais envie de rien. Mon frère était en prison, ma grand-mère était morte, on avait tué mon chat, et je ne savais pas quand Bill rentrerait de La Nouvelle-Orléans. J'étais plus seule que jamais.

Bill ne répondit pas à mon message. Il devait prendre du bon temps avec une de ces mordues qui rôdaient autour de l'hôtel *Nuit Blanche* en quête de sensations fortes, songeai-je dans un moment de déprime.

Si j'avais été portée sur l'alcool, je me serais soûlée. Si j'avais été portée sur le sexe comme Jason, j'aurais appelé JB du Rone et couché avec lui. N'étant rien de cela, je passai la soirée à manger de la crème glacée devant de vieilles séries télé ineptes. Je me couchai tôt, pressée de mettre fin à cette journée calamiteuse.

Au beau milieu de la nuit, je fus réveillée par un cri strident. Cela venait du bois. Je m'assis sur mon lit en tendant l'oreille. J'entendis un bruit de pas, puis des coups étouffés, suivis d'un grognement.

— Reviens ici, fumier!

Le silence retomba, plus inquiétant que les cris. Je me levai, passai un peignoir et allai ouvrir la porte. Rien ne bougeait dans la cour, éclairée par la lampe de la véranda. Après quelques minutes d'observation, j'aperçus un mouvement à la lisière du bois. Je reconnus la lourde silhouette de Bubba.

— Qu'y a-t-il?

Le vampire se tourna vers moi.

— C'est une espèce de fils de p..., sauf vot'respect, mademoiselle, qui tournait autour de la maison. J'ai bien cru que j'allais l'attraper, mais il s'est sauvé dans le bois. Il avait garé sa camionnette sur le bord de la route.

— Vous pourriez le reconnaître ?
— Pas vu sa figure, marmonna Bubba.
— Et son véhicule ?
— Non plus. La carrosserie était sombre.
— Tant pis. Merci quand même, Bubba. Vous m'avez sans doute sauvé la vie.

Il me répondit par un sourire. Je le regardai, troublée. Avec son visage rejeté en arrière et ses traits sensuels, il était le portrait craché de... de l'homme qu'il avait été autrefois. Je faillis l'appeler par son nom. Je refermai précipitamment la porte en me mordant les lèvres.

Jason fut libéré le lendemain.

Sa libération coûta une fortune. En signant tous les papiers que Sid Matt Lancaster me présenta, je compris que les biens personnels de mon frère – sa maison, sa camionnette et son bateau de pêche – servaient de caution. C'était une chance que Jason n'ait jamais eu affaire à la justice auparavant. S'il avait commis la moindre infraction dans le passé, l'avocat n'aurait pu faire aboutir la requête de mise en liberté.

Debout sur les marches qui menaient au tribunal, je le vis s'approcher de moi. Malgré l'heure matinale, il faisait déjà une chaleur éprouvante. Je me souviens que je transpirais dans mon tailleur bleu marine et que je n'avais qu'une envie : rentrer chez moi pour prendre une douche fraîche.

Jason descendit les marches puis s'arrêta, les bras ballants, à ma hauteur. Une vague de pitié m'envahit. Il avait les épaules voûtées, le regard vide. En quelques heures, il avait vieilli de plusieurs années.

— Ne me pose pas de questions, dit-il d'une voix lasse. Tout ce que je peux dire, c'est que je suis innocent de ces meurtres.

Il détourna le regard.

— Je n'ai jamais pensé que tu étais coupable, Jason. Je m'en veux d'avoir appelé les secours, hier matin. Si j'avais compris que ce sang sur toi n'était pas le tien, j'aurais été plus maligne. J'aurais effacé toutes les traces qui t'accusaient, je t'aurais protégé.

Les larmes me montaient aux yeux.

— Je suis désolée, repris-je. J'ai paniqué.

Jason m'adressa un sourire machinal. Son esprit n'était que tumulte. J'y entendais un bouillonnement d'émotions confuses – humiliation d'avoir été arrêté, honte que ses pratiques sexuelles aient été révélées publiquement, indignation à l'idée qu'on ait pu le croire capable d'avoir tué sa propre grand-mère, culpabilité d'avoir malgré lui associé notre nom à toutes ces horreurs…

— On va s'en sortir, dis-je.

— On va s'en sortir, répéta-t-il sans conviction.

Combien de temps nous faudrait-il pour oublier ? Jason ne retrouverait pas avant des années son sourire arrogant et cette assurance à toute épreuve qui le rendaient irrésistible.

S'il les retrouvait un jour.

Nous nous séparâmes devant le tribunal. Nous n'avions plus rien à nous dire. Tout l'après-midi, je restai derrière le bar, incapable de travailler. Je me connectai mentalement à chaque client qui poussait la porte, dans le seul but de savoir ce que l'on pensait de Jason. À mon soulagement, je n'entendis que peu de jugements négatifs sur mon frère.

Je vis René et Hoyt apparaître derrière la vitre, puis battre en retraite. Ils m'évitaient. J'étais devenue une fréquentation un peu gênante, je suppose.

Finalement, Sam me renvoya à la maison en disant que j'avais une mine de déterrée et que j'allais faire fuir sa clientèle. Lorsque j'ouvris la porte de service, le soleil était déjà très bas sur l'horizon. Je songeai à Bill, à Bubba, à toutes ces créatures des ténèbres qui s'apprêtaient à sortir de leur sommeil pour marcher à la surface de la terre.

Sur le chemin du retour, je m'arrêtai à Grabbit Kwik pour faire quelques courses. Le nouveau caissier, un boutonneux à grosses lunettes rondes, m'observa sans cacher sa curiosité. Pensez donc, il avait sous les yeux la sœur du tueur en série présumé de Bon Temps !

Je lui retournai son regard sans aménité. Il était pressé de me voir partir pour pouvoir appeler sa petite amie et lui annoncer le scoop. Il regrettait de ne pas voir de marques de morsures sur mon cou. Il se demandait si les vampires étaient plus doués au lit que les humains.

Voilà le type de pensées que je devais supporter la plupart du temps. J'avais beau être blindée, j'en souffrais.

Je rentrai chez moi à la nuit tombée. Après avoir déposé mon sac de courses dans la cuisine, j'ôtai mon uniforme de serveuse et enfilai un jean et un tee-shirt. Comment occuper ma soirée ? J'étais trop nerveuse pour lire ou même suivre un film à la télévision. Je cherchai sans conviction une cassette vidéo, mais aucune de celles que je possédais ne convenait à mon humeur, et je n'avais pas le courage de reprendre la voiture pour aller en louer une autre.

Je venais de me rendre dans la salle de bains pour me démaquiller lorsqu'un miaulement déchirant me fit sursauter. Que se passait-il ? Je coupai le robinet et me figeai, aux aguets. Je restai longtemps immobile, à guetter les bruits de la nuit, en vain. Le cri inhumain ne se reproduisit pas.

Il fallait que je sache ce qui se passait. À pas de loup, je me dirigeai vers la porte d'entrée, que j'entrebâillai. Pas un mouvement, pas un son.

— Bubba ? murmurai-je.

Il ne me répondit pas. Je l'appelai de nouveau, sans plus de succès. Un silence absolu régnait dans la cour et les bois environnants. Même les oiseaux et les insectes de la nuit s'étaient tus. Pourtant, dans l'obscurité, je sentais une présence. Quelqu'un, ou quelque chose, rôdait.

Je demeurai pétrifiée quelques instants, comme frappée de paralysie. Mon cœur battait à tout rompre, mais mon esprit refusait de fonctionner. Enfin, je m'arrachai à ma torpeur et me dirigeai vers le téléphone. Je devais appeler la police !

La ligne était coupée.

Je me tordis les mains avec angoisse. Que faire ? Enfin, je parvins à rassembler mes esprits. Deux solutions s'offraient à moi : soit je me terrais chez moi en attendant la catastrophe, soit je courais me mettre à l'abri dans les bois. Sans réfléchir une seconde de plus, je fis le tour de la maison pour éteindre toutes les lumières, puis je cherchai l'issue la plus sûre pour opérer ma sortie.

J'optai finalement pour la porte de service qui, située sur l'arrière de la maison, était la plus proche de l'orée du bois. Là, je pourrais me cacher dans les fourrés en attendant le jour, ou peut-être marcher jusqu'à la maison de Bill. J'avais un double de sa clé, et son téléphone devait fonctionner.

Je glissai mon trousseau de clés dans la poche de mon jean, ainsi qu'un coupe-papier que Granny conservait sur la console de l'entrée et qu'elle utilisait pour ouvrir les paquets. Sur une impulsion, j'ajoutai une petite lampe de poche.

C'est alors que je me souvins du petit revolver que Granny rangeait dans la penderie. L'arme avait appartenu à mon père autrefois, et Gran s'en servait pour tuer les serpents. Moi aussi, j'avais un serpent à affronter. J'ouvris le grand placard.

Le revolver avait disparu.

Je tâtonnai sur les rayonnages, en vain. Ce n'était pas le moment de perdre du temps. À regret, je m'éloignai vers l'arrière de la maison. Tout en attachant mes cheveux pour ne pas les avoir dans les yeux, je passai en revue la liste des personnes qui étaient venues à la maison récemment. Il y en avait un certain nombre : Bill, Jason, Arlène, René, les enfants, Andy Bellefleur, Sam, Sid Matt... Je les avais tous laissés seuls à un moment ou à un autre – assez longtemps pour que l'un d'eux puisse sortir l'arme de la penderie et la cacher à l'extérieur de la maison dans le but de la récupérer plus tard en toute discrétion.

Je chassai ces pensées de mon esprit. Dans l'immédiat, j'avais une autre priorité : me protéger du danger qui rôdait dehors.

Avec d'infinies précautions, j'ouvris la porte de service. Pas de bruit. Je me faufilai dehors, avant de refermer derrière moi. Puis, courbée en deux, je traversai la véranda qui courait également le long de la façade arrière de la maison, enjambai la rambarde et me laissai glisser jusqu'à terre.

J'avais l'impression d'avoir de nouveau huit ans et de jouer à cache-cache avec Jason.

Sauf que cette fois-ci, mon camarade de jeu était autrement plus menaçant.

Une pensée m'effleura, qui me glaça le sang.

Et si j'étais vraiment en train de jouer à cache-cache avec Jason ?

Je refoulai cette idée avec horreur et me dirigeai vers ma première étape, la vieille mangeoire que Granny avait transformée en bac à fleurs, située au milieu de la pelouse. La nuit était claire, le ciel empli d'étoiles. Il faisait chaud, mais l'air était saturé d'humidité.

Je m'élançai et atteignis mon but sans encombre. J'essuyai le voile de sueur qui coulait de mon front et courus ensuite vers ma deuxième étape, le mimosa de l'autre côté du jardin. Dans ma nervosité, je trébuchai sur une souche aux bords acérés. Je roulai sur le sol en retenant un gémissement. Des élancements douloureux traversaient ma jambe et ma hanche. Je maudis Jason, qui n'était jamais venu scier cette souche, comme Granny le lui avait pourtant si souvent demandé.

Je me relevais lorsque je perçus un mouvement sur ma droite. Un homme. Il se dirigeait vers moi. Je me ruai vers le couvert des arbres, mais mon poursuivant m'avait prise en chasse. Alors, retrouvant les réflexes de mon enfance, je me hissai sur la plus basse branche de l'arbre où Jason m'avait donné mes premières leçons d'escalade.

Si je survivais à cette nuit de cauchemar, je le paierais de quelques cicatrices et courbatures, mais je m'estimerais heureuse de m'en sortir à si bon compte !

Une fois à quelques mètres du sol, je m'immobilisai, tous mes sens aux aguets. J'avais envie de gémir de douleur, et mes poumons me brûlaient, mais je m'interdis de respirer bruyamment.

Refusant de songer que j'étais seule, armée en tout et pour tout d'une lampe de poche – j'avais perdu mon coupe-papier dans ma course effrénée pour atteindre le bois –, j'inspectai les alentours à la faible lueur qui tombait du ciel nocturne. Tout n'était que calme et silence. Avais-je rêvé ?

Après quelques minutes d'attente, je décidai de m'en aller. Mon poursuivant devait être loin, à présent. J'entamai ma descente... et me figeai, glacée de terreur.

Là, juste sous mes pieds, l'homme venait de passer sans un bruit. Il tenait une corde à la main. Dire que j'avais failli trahir ma présence ! Je tentai de voir son visage, en vain. Impossible de savoir à qui j'avais affaire.

Je le suivis des yeux jusqu'à ce qu'il disparaisse entre les arbres. Puis je laissai échapper le soupir que je retenais depuis d'interminables secondes. C'était le moment de partir.

Je me laissai glisser au bas de l'arbre et atterris sur le sol en douceur, puis je me mis à marcher à travers bois, en direction de la route. Avec un peu de chance, je pourrais héler une voiture. Puis je songeai que les automobilistes étaient rares, à cette heure tardive. Ne valait-il pas mieux que je m'en tienne à mon plan initial et que je me rende chez Bill ?

Je m'arrêtai, indécise. J'avais plus de chances d'appeler à l'aide en allant à Compton House, mais la perspective de traverser le cimetière par cette nuit de pleine lune m'épouvantait.

Soudain, mon regard fut attiré par une forme, à quelques pas de moi. Je m'approchai et vis qu'il s'agissait d'un chat sauvage, probablement celui dont le miaulement m'avait alertée. La pauvre bête gisait sur le flanc, égorgée, le poil souillé de sang. Je me relevai et fis quelques pas en chancelant, saisie d'un haut-le-cœur, avant de remarquer une seconde silhouette inanimée un peu plus loin.

Bubba.

Le vampire était étendu sur le sol, immobile. Était-il mort ou simplement inconscient ? Je penchais pour la seconde hypothèse, étant donné qu'aucun pieu ne traversait son cœur et que sa tête était toujours sur ses épaules.

Je reconstituai mentalement la scène. Quelqu'un avait administré un somnifère au chat avant de l'apporter à Bubba. Quelqu'un qui savait que celui-ci était mon garde du corps et qui connaissait son goût pour les animaux. Qui, parmi mon entourage, correspondait à ces deux critères ?

Un craquement derrière moi me fit sursauter. On venait.

En un éclair, je bondis derrière un fourré. Je regrettais plus que jamais de ne pas avoir le revolver sur moi. Puis je songeai que si je n'avais pas d'arme, je n'étais pas totalement démunie pour autant.

Les yeux fermés pour mieux me concentrer, je me mis à l'écoute des pensées qui passaient à ma portée.

Il était là ! Une bouffée de haine me parvint, âpre, implacable.

Je frissonnai. Allons, ce n'était pas le moment de me laisser impressionner ! Au prix d'un effort sur moi-même, je m'obligeai à rester réceptive aux images qui m'arrivaient à présent par vagues. Dawn, qui demandait qu'on la frappe, s'apercevait soudain qu'il ne s'agissait plus d'un jeu et écarquillait les yeux d'effroi... Maudette, nue, qui suppliait qu'on lui épargne une mort déjà certaine... Une inconnue, le corps couvert de bleus... Granny, oui, Granny, dans la cuisine de la maison, se battant avec bravoure...

Bon sang, à qui avais-je affaire ?

Le visage d'Arlène apparut ensuite... La prochaine victime de ce monstre ? Je vis ensuite des enfants. Lisa et Coby. Mais... ils étaient dans mon salon ? Et cette jeune femme derrière eux... Ce ne pouvait être moi ! Avec dégoût, je regardai la blonde lubrique à la gorge marquée de morsures, étendue sur le canapé dans une attitude suggestive...

Voilà comment l'assassin me voyait.

Voilà comment René Lenier me voyait.

À présent, je comprenais pourquoi je n'avais jamais réussi à lire correctement dans ses pensées. Il les dissimulait dans une partie de son esprit, bien séparée de sa conscience. Car il y avait en lui deux personnalités : docteur René et *Mister* Lenier...

M'interdisant de couper la connexion, je me focalisai sur les pensées qui émanaient de lui. Il venait d'apercevoir une silhouette derrière un arbre et se demandait s'il s'agissait d'une femme.

Il m'avait reconnue.

Sans plus réfléchir, je m'élançai en direction du cimetière. Je ne pouvais plus entendre les pensées de René ; toute mon attention était concentrée sur ma course – viser le plus court chemin, anticiper les obstacles, éviter la chute, regarder où je posais les pieds, et surtout, surtout, ne pas me retourner, sous peine de me transformer en statue de sel... ou de sang.

Lorsque je sortis du bois, j'étais en nage et je n'avais plus de souffle, mais j'avais réussi à mettre de la distance entre mon poursuivant et moi.

Je traversai en trombe la partie récente du cimetière, en direction de Compton House, plus au nord. Si je ne parvenais pas jusque-là, je pourrais toujours me cacher dans la partie ancienne du cimetière, plus riche en recoins.

Hélas, derrière moi, l'écho des pas de mon poursuivant se rapprochait de seconde en seconde. Tout en m'interdisant de tourner la tête, je redoublai de vitesse.

Je me trouvais à présent en vue des premières grandes tombes. Encore quelques pas et je pourrais me cacher, retrouver mon souffle, réfléchir à un plan pour échapper au fou sanguinaire lancé à mes trousses.

Estimant que j'avais mis suffisamment de distance entre lui et moi, je me glissai derrière une haute colonne de granit surmontée d'une croix. Là, je demeurai immobile, une main sur mes lèvres pour comprimer le bruit de ma respiration.

Je cherchai de nouveau à me connecter à l'esprit de René, mais ses pensées étaient si incohérentes que je ne parvins pas à les déchiffrer. Son cerveau malade n'émettait qu'une émotion : une rage meurtrière.

Mais non, il y avait autre chose. Un prénom, celui d'une femme chère à René. Sur une impulsion, je criai :

— Comment va Cindy ? Tu sais, René, ta petite sœur ?

— Traînée ! Tu vas payer pour toutes les autres ! vociféra-t-il.

Je sus à cet instant que Cindy avait été la première de ses victimes. Cindy, qui avait eu le tort d'entretenir une liaison avec un vampire. René l'avait étranglée avec les cordons de son tablier de serveuse, avant de faire disparaître son corps.

Je frémis d'horreur à la vision des images qui s'imposaient à moi. Le cadavre de Cindy, gisant sur le bitume d'un parking tel un pantin désarticulé. Un tablier roulé en boule et jeté dans une poubelle, au pied d'un bâtiment blanc – probablement l'hôpital de Monroe, à la cafétéria duquel Cindy travaillait. Le corps de la jeune femme transporté en hâte à l'arrière du pick-up, puis brûlé sur un bûcher improvisé, au milieu des bois. Les flammes qui commençaient à lécher ses cheveux blonds…

J'avais été comme happée par l'esprit de René. Il me fallut quelques secondes pour revenir à l'instant présent… et comprendre que le meurtrier venait de se jeter sur moi. Son poing s'abattit avec force sur mon visage, me faisant vaciller.

Instinctivement, je portai la main à mon nez. Il était inondé de sang. Cette brute de René l'avait sans doute cassé ! Galvanisée par la colère, je me redressai de toute ma taille et le frappai à mon tour. Hélas, je manquais d'expérience. Je ne fis que l'atteindre aux côtes.

Dans un grognement de surprise, René revint à l'assaut et m'assena un nouveau coup. Ma clavicule céda avec un craquement significatif, mais je parvins à rester debout. Jamais je n'aurais cru que j'étais si solide.

René semblait lui aussi étonné par ma résistance. Il ne s'était pas attendu à combattre. Grâce au sang que m'avait donné Bill, et peut-être aussi à celui de Grande Ombre, mes forces et mes réflexes étaient décuplés. Je songeai à Granny, qui s'était défendue comme une tigresse. Ce fumier allait voir de quel bois se chauffaient les femmes Stackhouse !

Je m'élançai vers lui et, le saisissant par les oreilles, tentai de cogner sa tête contre la colonne de granit. Il me prit les poignets pour me faire lâcher prise. Nous luttâmes quelques instants. Il eut le dessus, mais pour la première fois, il douta de l'issue de la bagarre.

Cela me rendit un peu de courage. Je voulus jeter mon assaillant à terre, mais il comprit mon intention et s'écarta vivement, me faisant perdre l'équilibre et m'envoyant rouler à terre.

L'occasion était trop belle ! Il se rua sur moi pour m'immobiliser. Par chance, il avait perdu sa corde dans la bataille, ce qui l'obligea à me lâcher partiellement. Me retenant d'une seule main, il tâtonna, de l'autre, à la recherche de son arme.

Ma main gauche était libre. Je palpai au hasard le torse et la taille de mon adversaire et sentis bientôt sous mes doigts une forme que je reconnus : un couteau à cran d'arrêt, glissé dans sa ceinture. Jason m'avait appris à me servir de ces armes-là. Je dépliai la lame, qui émit un léger déclic.

René comprit aussitôt. Je l'entendis penser : « J'aurais dû me débarrasser de ça », mais il était trop tard.

J'avais déjà enfoncé la lame dans son ventre.

Un hurlement de douleur déchira la nuit. Je vis René se relever, les mains sur sa blessure, sans parvenir à contenir le flot de sang qui en jaillissait.

J'en profitai pour me redresser, pressée de m'éloigner de ce monstre.

— Qu'est-ce que tu m'as fait ? J'ai mal ! gémit-il.

Il avait peur, à présent. La fin était proche, il le savait. Quant à moi, je n'éprouvais pas la moindre pitié. Je regardai René marcher vers moi d'un pas vacillant.

— Je vais te tuer, traînée ! Espèce de monstre !

— C'est toi, le monstre ! m'entendis-je siffler.

Je serrai mon arme dans ma main, prête à le frapper de nouveau. Lentement, telle une bête blessée, il entama un cercle autour de moi. Je l'observai, l'esprit soudé au sien. Il savait sa mort imminente. Il sentait déjà le froid le gagner. Sa volonté se dissolvait, ses pensées s'égaraient. Il se laissa tomber sur les genoux, sans force.

Je le regardai un instant, hébétée. Le combat était fini.

Je me détournai, le cœur au bord des lèvres, et pris le chemin de Compton House. Par miracle, mon double de la clé se trouvait encore au fond de ma poche. Proche de l'évanouissement, je l'insérai dans la serrure, traversai le salon, marchai jusqu'au téléphone. 911. Je devais appeler le 911. Voilà la seule pensée dont j'étais capable. Je composai le numéro des urgences et m'effondrai sur le parquet, sans connaissance.

Avant même d'ouvrir les yeux, je compris que je me trouvais dans une chambre d'hôpital. Une odeur d'éther et de draps propres flottait dans l'air… ainsi qu'un parfum d'après-rasage. Il y avait un homme à mon chevet.

Je soulevai les paupières avec peine.

Andy Bellefleur. Il avait l'air encore plus fatigué que la dernière fois que je l'avais vu. Cet homme ne dormait donc jamais ?

— Sookie ? Vous m'entendez ? demanda-t-il à mi-voix.

Je hochai faiblement la tête. Tout mon corps n'était que douleur.

— On l'a eu, dit-il.

Je refermai les yeux, tandis que l'inspecteur se lançait dans le récit de l'arrestation de René, dont je n'entendis que le début. Je m'étais déjà rendormie.

Il faisait grand jour lorsque je me réveillai de nouveau. J'avais un peu moins mal, et les idées un peu plus claires. Une silhouette en uniforme se leva d'une chaise installée près de mon lit.

— Où est Kenya ? demandai-je à l'agent Kevin Prior.

— Je l'ai envoyée déjeuner. Elle sera bientôt de retour.

Il marqua une pause.

— Vous êtes quelqu'un, vous, ajouta-t-il.

— Je ne sais pas...

— Vous avez été blessée.

— Ça, par contre, je le sais !

Il sourit.

— Et René ?

— Nous l'avons trouvé dans le cimetière. Vous l'avez sacrément amoché, mais il était encore conscient. Il a avoué avoir tenté de vous tuer.

— Tant mieux.

— Il avait l'air surpris de ne pas y être arrivé. Il a dit que vous n'étiez pas aussi docile que les autres et que vous étiez la seule, à part votre grand-mère, à vous être défendue.

Il se tut, visiblement gêné.

— Elle s'est battue jusqu'au bout, dis-je. Je suis fière d'elle.

— Et vous êtes sa digne petite-fille. Si les autres ne s'étaient pas inclinées devant la volonté de René, elles auraient eu une chance de sauver leur peau.

Kenya entra, une tasse de café à la main.

— Elle est réveillée, annonça Kevin.

— Tant mieux. Elle a pu raconter ce qui s'était passé ?

Kevin hocha la tête.

— Parfait, on appelle Bellefleur tout de suite.

Je fermai les yeux, vaincue par la fatigue. Quelques minutes plus tard, l'inspecteur nous rejoignit dans la chambre. Après avoir fait signe aux deux K de nous laisser, il s'assit à mon chevet et sortit un magnétophone miniature de sa poche.

— Maintenant, vous allez me raconter ce qui s'est passé, dit-il après m'avoir demandé l'autorisation de mettre l'appareil en marche. Prenez votre temps, parlez à voix basse. Vous avez été sérieusement blessée à la gorge.

Dans un murmure, je relatai les événements de la soirée et de la nuit, sans omettre un seul détail. Lorsque j'eus terminé, Andy me demanda si j'avais vu Bill récemment.

— Il est toujours à La Nouvelle-Orléans.

L'inspecteur s'apprêtait à me poser de nouvelles questions quand une jeune femme en blouse blanche entra dans la pièce. Après m'avoir examinée, elle le pria de me laisser me reposer.

— Comment vous sentez-vous ? me demanda le médecin, une fois qu'Andy fut sorti.

— Comme si j'avais été passée à la moulinette.

— Pas étonnant. Vous avez la clavicule fracturée, deux côtes brisées et le nez cassé, dit-elle en comptant sur ses doigts. Sans parler des nombreuses blessures à votre gorge et à votre visage.

Je ne devais plus avoir figure humaine !

— Je vous ai prescrit des antalgiques, mais n'hésitez pas à appeler l'infirmière si cela ne suffit pas.

Un visiteur frappa à la porte à cet instant.

— Je peux entrer ? demanda une voix qui ne m'était pas inconnue.

— Oui, j'ai terminé, dit le médecin. Mais pas plus de cinq minutes, Mlle Stackhouse a besoin de repos.

— Promis, doc !

JB du Rone entra dans la chambre, un bouquet de fleurs à la main. Il était toujours aussi beau garçon. Le médecin devait être de mon avis, car elle le dévisagea sans dissimuler son admiration.

— Comment vas-tu, Sookie ? demanda-t-il en déposant un baiser sur mon front, lorsque nous fûmes seuls.

— Je me suis sentie mieux.

— Si tu as besoin de quoi que ce soit, tu n'as qu'à demander. Des magazines ? Des biscuits ?

J'étais bien incapable de lire, et je ne savais pas quand je pourrais utiliser mes mâchoires de nouveau. Je secouai la tête et remerciai JB.

— Drôlement jolie, ta toubib, déclara-t-il d'un air connaisseur. Mariée ?

— Aucune idée.

— Les docteurs n'étaient pas aussi sexy quand j'étais gosse.

— Tu n'as pas vu de médecin depuis cette époque ?

— Pas besoin. Je suis solide comme un bœuf !

Et sans doute aussi intelligent, ne pus-je m'empêcher de songer. Mais il était si charmant ! Je tentai de lui sourire, en vain. La douleur s'était réveillée.

— Tu as l'air de souffrir, dit-il aussitôt. Ne bouge pas, j'appelle une infirmière.

JB s'éclipsa sur un dernier baiser.

— À un de ces jours, Sookie. Je file demander à ton médecin plus de détails sur ton traitement.

L'infirmière arriva ensuite pour injecter un analgésique dans ma perfusion. Je m'adossai à l'oreiller, de nouveau abattue par la fatigue. J'allais sombrer dans le sommeil lorsque la porte s'ouvrit. Jason entra dans la chambre d'un pas hésitant.

— Je viens de parler au médecin qui s'occupe de toi. Pas longtemps, elle n'avait rien de plus urgent que d'aller boire un café avec JB du Rone.

Je souris, amusée. Sacré JB ! Il resterait toujours le même.

Puis, après m'avoir examinée avec un mélange de pitié et d'effroi, Jason reprit :

— Ce salaud de René t'a drôlement esquintée.

Il tendit une main vers ma joue, qu'il effleura sans conviction, avant de laisser retomber son bras.

— Je te dois des remerciements, mais je suis furieux que tu aies pris ma place. C'est moi qui aurais dû régler son compte à cette ordure… Dire que je le prenais pour un ami !

Je comprenais les sentiments de mon frère. Il avait été trahi par un des hommes qu'il appréciait le plus. La déception devait être rude.

Arlène arriva à cet instant. Je ne reconnus pas immédiatement la mégère hirsute et débraillée qui venait d'apparaître dans ma chambre. Arlène, d'habitude si pomponnée ! Le plus choquant était son expression. Son visage était dur, ses yeux pleins de haine, ses poings fermés, comme prêts à frapper.

— Arlène ? coassai-je, soudain emplie de pitié.

Je vis ses traits s'adoucir, ses lèvres trembler, des larmes briller dans ses yeux cernés.

— Alors, c'est vrai... murmura-t-elle, hébétée. Moi qui étais venue te demander des comptes ! J'étais prête à te rouer de coups quand j'ai vu dans quel état était René. Et maintenant que je te vois...

Elle se laissa tomber à genoux à mon chevet en sanglotant.

— Oh, Sookie ! Pardon ! Pardon pour le mal qu'il t'a fait ! Si j'avais su... Si seulement j'avais pu imaginer...

J'étais émue par sa détresse, mais trop épuisée pour lui dire les mots de réconfort qu'elle attendait. J'implorai Jason du regard. Il comprit le message, car je le vis prendre Arlène par les épaules pour l'aider à se relever, puis la guider vers la porte.

Un peu plus tard, dans l'après-midi, je réussis à me lever pour aller à la salle de bains. Un exploit ! Je décidai de me regarder dans le petit miroir fixé au-dessus du lavabo, mais regrettai aussitôt ma curiosité. Mon teint était livide, mon nez avait doublé de volume, et mon œil gauche était si gonflé que je ne pouvais presque plus soulever la paupière.

Je me recouchai, désespérée. Il me faudrait une éternité pour me remettre de mes blessures ! Quand pourrais-je retourner au travail, oublier le cauchemar de ces dernières semaines ? Je fermai les yeux, épuisée. Je n'avais qu'une envie : dormir, pour que cette affreuse journée ne soit plus qu'un souvenir.

Malheureusement, on frappa de nouveau. J'envoyai mon nouveau visiteur au diable, mais ma voix ne dut pas porter bien loin, car la porte s'ouvrit sur une dame aux cheveux gris que je ne connaissais pas. L'inconnue, qui portait le tablier jaune des bénévoles chargées de veiller au confort des malades à l'hôpital, poussait un chariot couvert de bouquets et de paquets.

— Je vous apporte des fleurs ! déclara cette brave femme en souriant.

Je tentai de lui rendre son sourire, mais, à en juger par l'expression de commisération qui se peignit sur les traits de la dame en jaune, le résultat ne fut pas brillant.

— Voyons... ceci est pour vous, dit-elle en prenant sur son chariot une sorte de palmier miniature entouré d'un nœud rouge. Tenez, il y a une petite carte.

Elle posa la plante sur ma table de chevet, puis me donna une enveloppe.

— Il y a aussi ceci, reprit-elle.

En la voyant prendre un bouquet de fleurs dans les nuances rose dragée, je me dis qu'elle avait dû confondre mon étage avec la maternité de l'hôpital. Pourtant, la carte qui accompagnait le bouquet portait bien mon nom.

— Oh, il y en a encore ! s'exclama ma visiteuse.

Cette fois-ci, il s'agissait d'une composition florale dans les tons rouge sang. Nettement plus en accord avec mon état de santé, me dis-je en regardant ma bienfaitrice déposer ce troisième présent en compagnie des deux autres sur ma table de nuit, avant de s'éloigner sur un dernier regard apitoyé.

C'était une chance qu'il n'y en ait pas plus : ma table de nuit ressemblait déjà à une jungle, songeai-je en ouvrant la première enveloppe. Le palmier était un cadeau de Sam « et de tous tes collègues de *Chez Merlotte*, qui attendent ton retour avec impatience ». La carte était signée de l'écriture rapide de Sam.

Le bouquet rose bonbon venait de Sid Matt et Elva Deene Lancaster. Quant au troisième cadeau… Je regardai plus attentivement la fleur exotique qui constituait le centre de la composition. Je n'avais jamais vu cette plante-là, mais elle me mettait mal à l'aise, avec ses formes renflées qui évoquaient irrésistiblement… un sexe féminin.

Qui avait eu l'idée saugrenue de m'envoyer un cadeau de si mauvais goût ? Je décachetai l'enveloppe, intriguée. La carte disait simplement : « Bon vent à tous les deux. Éric. »

Comment savait-il que j'avais été hospitalisée ? Et pour quelle raison Bill, lui, ne semblait-il toujours pas en avoir été averti ? Lui était-il arrivé malheur ?

Sans réponse à ces questions, je sombrai dans un sommeil lourd, peuplé de visions terrifiantes. J'errais dans un cimetière sans fin, trébuchais sur des tombes, croisais les visages de ceux que j'avais enterrés – mes parents, Granny, Maudette Pickens, Dawn Green… Il me fallait trouver une certaine pierre tombale, seul moyen de me délivrer de tous les morts qui me poursuivaient à présent pour me demander des comptes en me suppliant de les rendre à la paix éternelle. En proie à une terreur croissante, je continuais à chercher la sépulture qui me délivrerait de mes tourments. Enfin, je trouvais l'inscription que j'espérais tant.

— Chérie, tu es sauve, dit une voix glaciale et familière.

Dans la pierre était gravé « William Erasmus Compton ». Une main froide caressa mon visage.

J'ouvris les yeux dans un sursaut.

— Tu es revenu ! dis-je en reconnaissant celui qui se penchait vers moi.

— Mon amour… murmura Bill en parcourant mon visage d'un regard navré. Ce monstre t'a fait trop de mal. Je vais le tuer !

— Pourquoi ne m'as-tu pas rappelée ? Tu n'as pas eu mon message ?

— Je voulais te dire de vive voix ce qui était arrivé.

Je regardai Bill avec plus d'attention. Il arborait l'air fier de celui qui a accompli une mission désespérée.

— Mais d'abord, reprit-il, je veux voir ce qu'il t'a fait.

Sans attendre mon autorisation, il souleva mon drap. Je frémis, gênée d'être ainsi l'objet de ses regards attentifs. Avec mes jambes couvertes de bleus et mon affreuse chemise de nuit d'hôpital, je devais offrir un triste spectacle.

— Je te ramène à la maison, déclara Bill d'un ton sans réplique.

— Impossible, murmurai-je.

D'un geste, je désignai la perfusion. Bill leva les yeux, examina la perche et la poche transparente qui y était fixée, puis son regard suivit le fil jusqu'au cathéter placé à la saignée de mon coude.

— Ce n'est pas un problème, dit-il.

Je secouai la tête avec véhémence. De quel droit Bill se permettait-il de jouer les médecins, à présent ? S'il avait été là quand j'avais besoin de lui, tout ceci ne serait pas arrivé !

— Tu ne veux pas que je prenne soin de toi ?
D'un nouveau signe de tête, je refusai.
— Laisse-moi au moins te donner de mon sang.
— Pas question ! dis-je d'une voix éraillée.
Une expression de cruelle déception crispa ses traits.
— Pourquoi ?
— Tout le monde a remarqué que j'avais commencé à changer, expliquai-je avec difficulté. Mes cheveux, mon teint… Je ne peux plus prendre de ton sang.
— Comme tu voudras.
— Tu sais ce qui m'est arrivé ?
— Bubba m'en a dit une partie, Sam une autre. Le reste, je l'ai lu dans les rapports de police.
— On t'a laissé y avoir accès ?
— Je n'ai pas demandé d'autorisation, dit-il, désinvolte.
Je désapprouvais ces méthodes, mais je n'avais pas assez d'énergie pour sermonner Bill.
— Maintenant, dis-moi ce qui s'est passé à La Nouvelle-Orléans.
— Oui, il est temps que je te mette au courant. Voyons, par où commencer ? D'abord, tu dois savoir que, contrairement à ce que les humains imaginent, les vampires ne vivent pas dans l'anarchie. Notre communauté est structurée par une organisation politique. Nos élus disposent d'une certaine protection. Je me suis donc dit que si l'on me confiait un mandat électoral, Éric aurait beaucoup plus de mal à s'immiscer dans mes affaires personnelles.
Malgré moi, je jetai un regard à l'affreuse composition florale. Je frissonnai.
— Et alors ?

— Alors, je me suis présenté aux élections, qui avaient lieu il y a quelques jours à La Nouvelle-Orléans.

Il marqua une pause, visiblement fier de lui.

— Tu as devant toi l'investigateur de la cinquième zone, déclara-t-il.

— Le quoi ?

— Je t'expliquerai.

— Comment as-tu été élu ? Tu n'es qu'un débutant en politique !

— Oh, j'ai pu m'appuyer sur un groupe de pression assez efficace, dit Bill modestement.

Je n'osai lui demander si le lobby en question avait assassiné ses concurrents ou offert aux électeurs des « boissons gratuites »...

— C'est merveilleux, dis-je avec toute l'admiration qu'il semblait attendre de moi. Si tu veux me faire plaisir, montre-toi magnanime.

Bill haussa les sourcils d'un air interrogateur.

— Épargne René. Il y a déjà eu assez de morts comme ça. Laisse la justice faire son travail. Si tu le tues, la chasse aux vampires reprendra de plus belle, et nous ne serons jamais en paix, toi et moi.

Bill me regarda longuement en silence. Puis il se pencha vers moi et me prit dans ses bras avec mille précautions. Je laissai échapper un soupir de bien-être. Que c'était bon de pouvoir le sentir de nouveau contre moi !

— Je te donne ma parole de ne pas le tuer, murmura-t-il alors à mon oreille.

Je frottai mon nez contre son épaule avec reconnaissance.

— Tu m'as tellement manqué !

— Toi aussi. Alors, fais-moi une promesse à ton tour.

— Je t'écoute.
— Guéris le plus vite possible, avec ou sans mon sang.
— Promis.
À cet instant, un chien passa son museau par la porte entrebâillée.
— Ouaf ! fit l'animal d'un ton étrangement amical, avant de s'éloigner.
— Tout va rentrer dans l'ordre, murmura Bill en me déposant sur le matelas avec tendresse. Je te le jure.
Je m'endormais déjà.
— Je t'aime, ajouta-t-il.
— Moi aussi.
Dans un demi-sommeil, je le vis ouvrir la fenêtre. Puis le vampire que j'aimais bondit avec légèreté sur le rebord, avant de s'envoler dans la nuit.

Série Sookie Stackhouse

Avant-goût du tome 2

Disparition à Dallas

1

Andy Bellefleur en tenait une bonne. Ce n'était pourtant pas son genre. Et je sais de quoi je parle : je connais tous les piliers de bar de Bon Temps par leur petit nom (après quelques années à travailler comme serveuse *Chez Merlotte*, plus besoin de faire les présentations). Mais Andy Bellefleur, honorable représentant des forces de l'ordre locales et Bontempois pure souche, ne s'était jamais mis dans un état pareil. *Chez Merlotte*, en tout cas. Et j'aurais bien voulu savoir ce qui nous valait cette petite entorse à la règle.

On n'était pas précisément intimes, Andy et moi, et je ne me voyais pas vraiment lui poser directement la question. Mais j'avais d'autres moyens de satisfaire ma curiosité. Pourquoi m'en priver ? Bon, en général, j'essaie au maximum de ne pas abuser de mon « handicap » ou de mon « don » (appelez ça comme vous voulez. Disons que j'ai une technique un peu spéciale pour découvrir certaines choses qui me concernent, moi ou ceux qui me sont proches). Cependant, parfois, la tentation est trop forte.

J'ai donc levé la barrière mentale qui me protège des pensées des gens. Je n'aurais pas dû.

Le matin même, Andy avait arrêté un violeur. Le type avait entraîné la fille de ses voisins dans les bois pour abuser d'elle. Une gamine de dix ans. La gosse se trouvait à l'hôpital, et le violeur à l'ombre. Mais le mal était fait. Ça m'a retournée. J'en avais presque les larmes aux yeux – j'avais eu affaire à un type de ce genre dans mon enfance, moi aussi.

Andy m'en est devenu plus sympathique, tout à coup.

— Andy Bellefleur, file-moi tes clés !

Il s'est tourné vers moi. À voir sa tête, il était clair qu'il ne comprenait pas un traître mot de ce que je lui disais. Au bout d'un moment (le temps que le sens de ma phrase pénètre son cerveau embrumé), Andy s'est mis à fouiller dans les poches de son pantalon et a fini par me tendre un gros trousseau de clés. J'ai poussé un énième whisky-Coca devant lui, en lui disant : « C'est pour moi », avant d'aller au bout du bar téléphoner à sa sœur pour la prévenir.

Les Bellefleur vivaient dans une vieille maison qui datait de la guerre de Sécession, dans la plus belle rue du quartier le plus chic de Bon Temps. Sur Magnolia Creek Road, toutes les maisons donnent sur la partie du parc qui est traversée par la rivière, avec, çà et là, quelques ponts plus ou moins décoratifs réservés aux piétons. La maison des Bellefleur n'était pas la seule de Magnolia Creek Road à dater du XIXe siècle, mais les autres n'étaient pas aussi décrépites. Le fait est que Portia, avec son salaire d'avocate, et Andy, qui ne devait pas gagner une fortune en tant que flic, n'avaient pas les moyens de la restaurer. Et cela faisait déjà un bon moment que le magot familial, qui aurait pu servir à entretenir une telle propriété, avait été dilapidé. Mais Caroline, leur grand-mère, refusait obstinément de vendre.

Portia a répondu à la deuxième sonnerie.

— Portia ? C'est Sookie Stackhouse.

J'étais obligée d'élever la voix pour couvrir le boucan du bar.

— Vous devez être à votre travail ?

— Oui. Andy est assis devant moi et il est rond comme une queue de pelle. J'ai pris ses clés. Vous pouvez venir le chercher ?

— Andy a trop bu ? Ça ne lui ressemble pas. J'arrive tout de suite. Je serai là dans dix minutes.

Et elle a raccroché.

— T'es une chic fille, Sookie, a lâché subitement Andy – comme quoi la vie est pleine de surprises !

Il venait de finir son verre. Je le lui ai enlevé, en espérant qu'il n'allait pas en commander un autre.

— Merci, Andy. Tu es plutôt un chic type, toi aussi.

— Il est où, ton… ton p'tit copain ?

—Ici, a répondu une voix glaciale.

J'ai souri à Bill par-dessus la tête dodelinante d'Andy (qui avait visiblement de plus en plus de mal à la porter). Brun aux yeux noirs, Bill Compton mesurait un mètre quatre-vingt-dix. Il avait la carrure et la musculature d'un type qui a des années de travail manuel derrière lui. Il avait d'abord aidé son père à la ferme, puis avait repris l'exploitation familiale, avant de partir pour la guerre. La guerre de Sécession, je veux dire.

—Hé ! B.V. !

Bill a levé la main pour saluer Ralph. Le mari de Charlsie Tooten l'appelait toujours «Bill le Vampire» (d'où «B.V.») sans que B.V. y trouve rien à redire.

—Bonsoir, monsieur le Vampire, a lancé en passant mon frère Jason.

Jason n'avait pas exactement accueilli Bill à bras ouverts dans la famille. Cependant, il avait complètement changé d'attitude à son égard, ces derniers temps. J'espérais que cela durerait.

—Bill, t'es pas si mal pour un suceur de sang, a déclaré Andy en faisant pivoter son tabouret pour regarder le « suceur de sang » en question.

J'ai révisé mon estimation à la hausse : Andy était encore plus soûl que je ne l'avais pensé. Il avait toujours eu du mal à avaler que le gouvernement ait accepté d'intégrer les vampires à la société américaine, et ce brusque revirement trahissait une alcoolémie qui aurait fait exploser le ballon, si ses propres services l'avaient interpellé pour l'obliger à souffler dedans.

—Merci, lui a répondu sèchement Bill. Tu n'es pas mal non plus pour un Bellefleur.

Il s'est penché pour m'embrasser. Ses lèvres étaient aussi froides que sa voix, mais je m'y étais habituée – tout comme je m'étais habituée à ne pas entendre de battements de cœur quand je posais la tête sur son torse.

—Bonsoir, mon amour, a-t-il murmuré.

J'ai fait glisser un verre de sang de synthèse – du B négatif *made in Japan* – le long du comptoir. Il l'a vidé d'un trait et s'est passé la langue sur les lèvres. Ses joues ont aussitôt repris des couleurs.

Je lui ai demandé ce qu'avait donné sa réunion (il avait passé la majeure partie de la nuit à Shreveport).

— Je te raconterai ça plus tard.

J'espérais que ses histoires de boulot seraient moins déprimantes que celles d'Andy.

— OK. Dis, j'aimerais bien que tu aides Portia à embarquer Andy dans sa voiture. Tiens ! La voilà, justement.

J'ai désigné la porte d'un signe de tête.

Pour une fois, Portia n'arborait pas l'uniforme tailleur-mocassins bleu marine-chemisier blanc qui constituait sa tenue de travail. Elle l'avait troqué contre un jean et un tee-shirt. Portia était aussi carrée que son frère. Encore une chance qu'elle ait les cheveux longs ! De beaux cheveux épais, avec de jolis reflets auburn. Le soin qu'elle apportait à sa coiffure prouvait qu'elle n'avait pas encore tout à fait renoncé à séduire, d'ailleurs. Elle a fendu la foule, se frayant un chemin à travers la clientèle plutôt agitée du bar d'un pas martial.

— Eh bien, pour être éméché, il est éméché ! a-t-elle dit en jaugeant son frère d'un œil réprobateur.

Elle ignorait ostensiblement Bill. Elle était toujours mal à l'aise en sa présence.

— Ça ne lui arrive pas souvent, a-t-elle poursuivi. Mais quand il décide de se soûler, il ne fait pas les choses à moitié !

— Portia, Bill peut vous aider à porter Andy jusqu'à votre voiture, si vous voulez.

C'était juste une proposition. Andy étant plus grand que Portia, elle n'était manifestement pas de taille à le transporter toute seule.

— Je pense pouvoir me débrouiller, m'a-t-elle répondu d'un ton ferme, en évitant toujours de regarder Bill, qui levait vers moi un regard interrogateur.

Je l'ai laissée passer un bras autour des épaules de son frère pour tenter de le faire descendre de son tabouret. Mais elle eut beau se démener, Andy resta juché sur son perchoir. Elle chercha Sam Merlotte des yeux. Pas très grand et du genre fil de fer, Sam n'en est pas moins étonnamment costaud pour son gabarit. Et je ne dis pas ça parce que c'est mon patron.

J'ai quand même préféré préciser à Portia que ce n'était pas la peine d'insister.

—Il y a une petite fête au country club, ce soir. Sam tient le bar. Vous feriez mieux de laisser Bill vous donner un coup de main.

—D'accord, a finalement dit l'avocate bon teint, les yeux rivés au contreplaqué du comptoir. Merci beaucoup.

En moins de trois secondes, Bill avait soulevé Andy et se dirigeait avec lui vers la sortie. À les voir traîner par terre comme ça, on aurait cru que les jambes d'Andy étaient en caoutchouc. Ralph Tooten s'est précipité pour ouvrir la porte, et Bill a pu transporter Andy jusqu'au parking d'une seule traite.

—Merci, Sookie. Sa note est réglée? m'a demandé Portia.

J'ai hoché la tête.

—Parfait.

Elle a plaqué ses mains sur le comptoir, comme pour donner le signal du départ, et a rejoint Bill devant la porte de *Chez Merlotte* (après avoir dû endurer, au passage, tout un tas de conseils bien intentionnés, généreusement prodigués par des mecs à peu près aussi lucides que son frère).

Voilà comment la vieille Buick de l'inspecteur Andy Bellefleur s'est retrouvée à stationner sur le parking de *Chez Merlotte* toute la nuit et une partie du lendemain. Par la suite, Andy devait jurer que le véhicule était vide quand il en était sorti pour entrer dans le bar. Il affirma aussi sous serment qu'il avait été tellement bouleversé par tout ce qui s'était passé au poste, ce matin-là, qu'il avait oublié de fermer la portière.

Pourtant, à un moment donné, entre 20 heures, quand Andy avait débarqué *Chez Merlotte*, et 10 heures le lendemain matin, lorsque j'y suis arrivée pour ouvrir le bar, la voiture d'Andy s'était trouvé un nouveau passager.

Un passager qui allait être à l'origine de bien des déboires pour le malheureux inspecteur Bellefleur.

Et pour cause : il était raide mort.

Je n'aurais pas dû être là. Comme j'étais de nuit, la veille, j'étais censée être encore de nuit le lendemain. Mais Bill voulait que je l'accompagne à Shreveport, et il m'avait demandé si je pouvais me faire remplacer. Sam n'avait pas dit non. Alors, j'avais appelé Arlène. Normalement, elle avait sa journée. Mais comme elle nous enviait toujours les gros pourboires qu'on se faisait la nuit, elle avait accepté de venir à 17 heures.

Logiquement, Andy aurait dû récupérer sa voiture avant d'aller travailler. Mais avec la gueule de bois carabinée qu'il se coltinait, il avait préféré se faire conduire directement au commissariat par sa sœur. Portia lui avait dit qu'elle passerait le chercher à midi. Ils iraient déjeuner ensemble *Chez Merlotte*. Comme ça, il pourrait reprendre sa voiture en même temps.

La Buick et son macabre passager avaient donc dû patienter beaucoup plus longtemps que prévu.

J'avais eu mes six heures de sommeil et j'étais en pleine forme. Ce n'est pas évident de sortir avec un vampire, quand, comme moi, on est plutôt du matin. Après la fermeture, j'étais rentrée à la maison avec Bill vers 1 heure. On avait pris ensemble un bon bain chaud (et fait quelques autres petites choses pas désagréables), mais j'avais tout de même réussi à me coucher un peu avant 3 heures. Il n'était pas loin de 9 heures quand je m'étais levée. Quant à Bill, ça faisait déjà un bon moment qu'il était retourné sous terre.

J'avais bu quelques verres d'eau et de jus d'orange, en ingurgitant des comprimés multivitaminés surdosés en fer : mon petit déjeuner habituel depuis que Bill était entré dans ma vie, apportant avec lui (en plus de pas mal d'amour, d'aventure et de passion) la menace permanente de l'anémie. Le temps s'était un peu rafraîchi (Dieu merci !) et j'étais assise sur la véranda, vêtue de mon gilet et de mon pantalon noirs de serveuse, que je mettais quand il ne faisait pas assez chaud pour enfiler un short. Ma chemisette blanche portait le nom du bar brodé sur le revers de la poche de poitrine.

Tout en parcourant le journal, je me disais que, déjà, la pelouse poussait au ralenti. Quelques feuilles commençaient à donner des signes de faiblesse.

L'été a toujours du mal à passer la main, en Louisiane. Même dans le Nord de l'État. On dirait que l'automne commence à contrecœur, comme s'il était prêt à baisser les bras au premier redoux pour laisser de nouveau place à la chaleur torride de juillet. Mais je l'avais à l'œil et, ce matin-là, j'avais repéré des preuves irréfutables de son arrivée.

Qui dit automne et hiver dit nuits plus longues et, par conséquent, plus de temps avec Bill. Plus d'heures de sommeil, aussi. J'étais donc de bonne humeur en allant au boulot. En voyant la Buick garée toute seule sur le parking, en face du bar, j'ai repensé à la cuite qu'Andy s'était prise la veille et je dois avouer que j'ai rigolé en pensant à l'état dans lequel il devait être, au réveil. Juste au moment où j'allais faire le tour pour me garer derrière le bâtiment, sur le parking réservé au personnel, j'ai remarqué que la porte de la Buick était entrebâillée, ce qui devait sûrement maintenir la lumière intérieure allumée. Andy risquait de se retrouver avec une batterie à plat, non ? Ça n'allait sans doute pas arranger son mal de tête s'il devait aller au bar appeler la dépanneuse pour faire remorquer sa voiture…

Je me suis donc garée le long de la Buick et je suis sortie rapidement, en laissant le moteur tourner (excès d'optimisme caractérisé de ma part, comme la suite devait le prouver). J'ai donné un coup de hanche pour fermer la portière de la Buick. Elle a résisté. Alors, j'ai poussé plus fort, en attendant le petit «clic» qui me permettrait de regagner ma voiture. Mais, cette fois encore, la portière a refusé de se fermer. Énervée, je l'ai ouverte pour voir ce qui bloquait. C'est alors qu'une odeur a envahi le parking, une odeur épouvantable. J'ai senti mon petit déjeuner me remonter dans la gorge. Je reconnaissais cette puanteur. J'ai jeté un coup d'œil à l'intérieur de la Buick en portant la main à ma bouche (ce qui ne changeait rien à l'odeur, d'ailleurs).

— Oh, la vache ! Oh, merde !

Lafayette, le cuisinier de *Chez Merlotte*, avait été jeté sur la banquette arrière. Il était nu comme un ver. C'était son pied, un pied aux ongles rouge écarlate, qui empêchait la portière de se fermer. Et c'était le cadavre de Lafayette qui empestait à une lieue à la ronde.

J'ai reculé précipitamment, sauté dans ma voiture et fait le tour du bar, la main scotchée au klaxon. Sam est sorti comme une fusée par la porte de service, un tablier autour des reins. J'ai coupé le moteur, et je suis sortie si vite de ma voiture que je ne m'en suis même pas rendu compte avant de réaliser que j'étais dans les bras de mon patron et que je me cramponnais à lui comme à une bouée de sauvetage.

— Qu'est-ce qui se passe ? a demandé la voix de Sam à mon oreille.

J'ai reculé d'un pas pour le regarder (pas besoin de pencher la tête en arrière, vu sa taille). Ses cheveux d'un beau blond cuivré brillaient au soleil. Ses yeux, aussi bleus qu'un ciel d'été, paraissaient étrangement sombres : l'appréhension dilatait ses pupilles.

J'ai lâché :

— C'est Lafayette.

Et je me suis mise à pleurer. C'était ridicule et ça ne servait à rien, mais je ne pouvais pas m'en empêcher.

— Il est… dans… dans la voiture d'Andy Bellefleur, ai-je chevroté bêtement. M… mort.

J'ai senti les bras de Sam se resserrer dans mon dos. Il m'a de nouveau attirée contre lui.

— Je suis désolé que tu aies vu ça, Sookie, m'a-t-il dit. On va appeler la police. Pauvre Lafayette !

Bon, tenir les fourneaux *Chez Merlotte* ne nécessite pas précisément des talents de cordon-bleu, vu qu'il n'y a que des hamburgers et du poulet-frites à la carte. Le personnel change donc très souvent.

Mais Lafayette était resté plus longtemps que les autres. Ça m'avait plutôt étonnée, d'ailleurs. Lafayette était homo – homo dans le genre plutôt voyant, avec maquillage et vernis à ongles. Dans le Nord de la Louisiane, les gens ne sont pas aussi tolérants qu'à La Nouvelle-Orléans, et j'imagine que Lafayette, gay, et noir par-dessus le marché, avait dû en souffrir doublement. Pourtant, en dépit (ou à cause) de ces difficultés, il avait toujours le sourire, et comme il avait oublié d'être bête, qu'il était bourré de malice et qu'il n'avait pas la langue dans sa poche, il ne ratait jamais l'occasion de raconter une blague ou de jouer des tours pendables pour épater la galerie. Sans compter qu'il était vraiment bon cuisinier. Il avait une sauce spéciale dont il nappait ses hamburgers, et les clients réclamaient régulièrement des «hamburgers Lafayette» comme on commande des tournedos Rossini.

— Il avait de la famille, ici ?

J'avais à peu près réussi à me calmer et à parler sans trémolos dans la voix.

Soudain gênés de nous sentir si proches, Sam et moi nous sommes brusquement séparés et nous sommes dirigés vers son bureau.

— Il avait un cousin, m'a répondu Sam, tout en appelant le 911. S'il vous plaît, pouvez-vous venir au bar *Chez Merlotte*, sur Hummingbird Road ? Il y a un cadavre dans une voiture sur le parking. Oui, juste devant le bar. Oh ! Et vous devriez prévenir Andy Bellefleur. C'est sa voiture.

Même de l'endroit où j'étais, j'ai entendu le type s'étrangler au bout du fil.

C'est à ce moment-là que Danielle et Holly, les serveuses du matin, ont poussé la porte de service en riant. Toutes deux divorcées et âgées d'environ vingt-cinq ans, Danielle Gray et Holly Cleary semblaient ravies de bosser *Chez Merlotte*. Elles étaient amies d'enfance et, tant qu'elles pouvaient travailler ensemble, je crois bien que n'importe quel boulot aurait fait l'affaire. Je ne les connaissais pas plus que ça. Pourtant, on avait à peu près le même âge, ça aurait pu nous rapprocher. Mais il était clair qu'elles tenaient à rester entre elles et n'avaient manifestement besoin de personne.

— Il y a quelque chose qui ne va pas? s'est inquiétée Danielle en voyant ma mine lugubre.

— Que fait la voiture d'Andy Bellefleur devant la porte ? a aussitôt enchaîné Holly.

Je me suis alors souvenue qu'elle était sortie avec Andy Bellefleur pendant un temps. Holly avait des cheveux blonds assez courts qui faisaient comme des pétales autour de son visage. Elle avait aussi l'une des plus belles peaux que j'aie jamais vues.

— Il a dormi dedans ?

Je lui ai répondu d'un ton imperturbable :

— Lui, non. Mais quelqu'un d'autre, oui.

— Qui ça?

— Lafayette.

— Andy a laissé un pédé black dormir dans sa voiture ?

Ça, c'était du Holly tout craché !

— Qu'est-ce qui lui est arrivé ? a demandé Danielle, la plus dégourdie des deux.

— On ne sait pas encore, lui a répondu Sam. La police arrive.

— Attends. Tu veux dire que… qu'il est… mort ? a repris Danielle en détachant chaque mot, avec une sorte de lenteur circonspecte.

— Oui. C'est très exactement ce qu'il veut dire, ai-je répondu.

— Bon. On est censés ouvrir dans une heure, a annoncé Holly, les mains sur les hanches. Comment va-t-on faire ? En supposant que la police nous autorise à ouvrir le bar, qui va cuisiner ? Les gens vont vouloir déjeuner.

— Tu as raison, il faut que je m'organise, a dit Sam. Même si, à mon avis, on est bons pour rester fermés jusqu'en fin d'après-midi.

Il nous a laissées dans le couloir et est retourné dans son bureau pour passer quelques coups de fil aux cuisiniers de sa connaissance.

C'était bizarre de continuer comme si de rien n'était, comme si Lafayette allait arriver d'une minute à l'autre, avec une nouvelle anecdote à nous raconter, ainsi qu'il l'avait fait quelques jours plus tôt, avec cette histoire de soirée à laquelle il était allé.

On n'a pas tardé à entendre les sirènes hurler dans la rue. Il y a eu des crissements de pneus sur le gravier du parking. On avait à peine eu le temps de placer les chaises, de dresser les tables et de préparer des couverts roulés dans des serviettes que la police était déjà là.

Chez Merlotte se trouve en dehors des limites de la ville proprement dite. C'était donc au shérif du comté, Bud Dearborn, de prendre l'affaire en main. Bud, qui avait été un grand ami de mon père, avait les cheveux gris, une tête de pékinois et les yeux d'un brun sombre. Quand il est apparu sur le seuil du bar, il portait de grosses bottes en caoutchouc et une casquette de base-ball – il devait travailler à la ferme quand on l'avait appelé. Il était accompagné d'Alcee Beck, le seul inspecteur noir de toute la police du comté. Alcee avait la peau si noire que par comparaison, sa chemise semblait d'une blancheur étincelante. Son nœud de cravate était impeccable et son costume paraissait sortir du pressing. Ses chaussures brillaient tellement qu'on aurait pu se voir dedans.

À eux deux, Bud et Alcee faisaient marcher la police du comté… ou, du moins, les plus importants rouages qui permettaient à la machine (administrative, judiciaire, financière, et j'en passe) de fonctionner. Mike Spencer, directeur des pompes funèbres et coroner du comté, avait le bras long, lui aussi, et la mainmise sur les affaires locales. C'était un bon copain de Bud. J'étais prête à parier qu'il était déjà sur le parking, en train de prononcer le décès du malheureux Lafayette.

—Qui a trouvé le corps? a demandé Bud.

—Moi, ai-je répondu.

Bud et Alcee ont légèrement dévié leur trajectoire dans ma direction.

—Est-ce qu'on peut t'emprunter ton bureau, Sam ? a repris Bud.

Sans attendre de réponse, il a désigné la pièce du menton pour m'inviter à y entrer.

— Bien sûr, a répondu sèchement mon patron, mis devant le fait accompli. Ça va aller, Sookie?

— Oui. Merci, Sam.

Je n'en étais pas très sûre, mais il n'y avait rien que Sam puisse changer à la situation sans risquer de s'attirer de sérieux ennuis, et cela n'aurait pas servi à grand-chose. Bud m'a fait signe de m'asseoir. J'ai refusé d'un signe de tête tandis qu'Alcee et lui s'installaient. Bud s'est bien sûr approprié le grand fauteuil de Sam, et Alcee a dû se contenter de la moins inconfortable des chaises, celle à laquelle il restait encore un bout de rembourrage au milieu.

— Dis-nous quand tu as vu Lafayette vivant pour la dernière fois, m'a ordonné Bud.

J'ai réfléchi.

— Il ne travaillait pas hier soir. C'est Antony qui était de service, Antony Bolivar.

— Qui est-ce ? a demandé Alcee en fronçant les sourcils. Ce nom-là ne me dit rien.

— C'est un copain de Bill. Il passait dans le coin et il avait besoin de boulot. Comme il avait de l'expérience…

Il avait bossé dans un petit resto pendant la crise de 1929.

— Tu veux dire que le cuistot de *Chez Merlotte* est un vampire ?

— Et alors ?

Je sentais déjà mes lèvres se serrer. Je savais que ma colère se voyait comme le nez au milieu de la figure. Je faisais de mon mieux pour ne pas lire dans leurs pensées. Je voulais m'efforcer de rester en dehors de tout ça. Mais c'était plus facile à dire qu'à faire : les pensées de Bud Dearborn étaient gérables, mais Alcee projetait ce qu'il avait dans la tête à des kilomètres. Un vrai phare ! En cet instant, il irradiait le dégoût et l'effroi.

Durant les mois qui avaient précédé ma rencontre avec Bill, avant que je ne me rende compte de l'importance qu'il accordait à mon handicap (ou à mon «don», comme il préférait le nommer), j'avais tout fait pour me prouver à moi-même, et aux autres, que je ne pouvais pas réellement lire dans les pensées. Mais depuis que Bill m'avait libérée de la prison dans laquelle je m'étais moi-même enfermée, je m'étais entraînée et j'avais tenté quelques petites expériences. Pour lui, j'avais mis des mots sur des choses que je ressentais depuis des années. Il en ressortait que certaines personnes, comme Alcee, envoyaient des messages clairs et puissants. En revanche, la plupart des gens étaient plutôt inconstants dans leurs « émissions », comme Bud Dearborn. Tout dépendait de la violence des émotions qu'ils ressentaient, de la clarté de leurs pensées et aussi du temps qu'il faisait, d'après ce que j'avais cru comprendre. Certains avaient un vrai bourbier sous le crâne : impossible de savoir ce qui leur passait par la tête. Je parvenais à discerner leur état d'esprit, à la rigueur, mais pas plus.

Bizarrement, si je touchais les gens pendant que j'essayais de lire dans leurs pensées, l'image devenait plus nette – un peu comme quand on se branche sur le câble au lieu d'avoir une antenne extérieure. Et j'avais découvert que si « j'envoyais » des images relaxantes à quelqu'un, je pouvais me faufiler dans son esprit comme une anguille.

Je ne voulais surtout pas me faufiler dans l'esprit d'Alcee Beck. Pourtant, malgré moi, je commençais à avoir une vision assez précise des réflexions qu'il était en train de se faire : les superstitions qui se réveillaient en lui en apprenant qu'un vampire travaillait chez Sam Merlotte ; la répulsion qu'il éprouvait en comprenant que c'était moi, la fille qui sortait avec un vampire ; sa profonde conviction qu'en affichant son homosexualité, Lafayette avait porté tort à toute la communauté noire... Alcee se disait aussi qu'il fallait avoir une sacrée dent contre Andy Bellefleur pour balancer le cadavre d'un homo noir dans sa voiture. Il se demandait si Lafayette avait le SIDA, si le virus pouvait contaminer la banquette et s'y installer à demeure d'une façon ou d'une autre. Il l'aurait revendue, cette bagnole, si ç'avait été la sienne.

Si j'avais touché Alcee, je suis sûre que j'aurais obtenu son numéro de téléphone et la taille de soutien-gorge de sa femme.

Bud Dearborn me regardait bizarrement.

— Vous m'avez parlé ?

— Ouais. Je t'ai demandé si tu avais vu Lafayette ici, dans la soirée. Est-ce qu'il est venu boire un verre ?

— Il n'est jamais venu au bar en tant que client.

D'ailleurs, en y réfléchissant bien, je n'avais jamais vu Lafayette boire un verre. Je me rendis compte aussi, pour la première fois, que si la clientèle était plutôt métissée à midi, le soir, les clients étaient presque exclusivement blancs.

— Où est-ce qu'il passait son temps libre, alors ?

— Je n'en ai pas la moindre idée.

Dans toutes les histoires qu'il nous racontait, Lafayette changeait toujours les noms des lieux et des gens pour protéger leur vie privée.

— Quand l'as-tu vu pour la dernière fois ?

— Dans la voiture d'Andy Bellefleur, mort.

Bud a levé les yeux au ciel.

— Vivant, Sookie ! Vivant !

— Mmm... il y a trois jours. Il était encore là quand j'ai pris mon service. On s'est dit bonjour. Oh! Et il m'a parlé d'une soirée...

J'ai essayé de me souvenir des mots exacts qu'il avait employés.

— Il m'a dit qu'il était allé dans une baraque où ça partouzait dans tous les coins.

À ce stade de mon récit, les deux flics ont ouvert de grands yeux.

— En tout cas, c'est ce qu'il a prétendu. Quant à savoir si c'est vrai...

Je revoyais encore l'expression de Lafayette quand il m'avait raconté ça, les mines d'oie blanche effarouchée qu'il avait prises en posant le doigt sur ses lèvres pour me faire comprendre que c'était top secret.

— Et tu ne t'es pas dit qu'on ne pouvait pas laisser faire des choses pareilles sans réagir ?

Bud Dearborn n'en croyait pas ses oreilles.

—C'était une soirée privée. En quoi est-ce que ça me concernait ?

Mais, à voir leur tête, il était clair qu'il était tout bonnement impossible que ce genre de soirée ait lieu à l'intérieur de leur circonscription. Ils me fusillaient tous les deux du regard.

Bud m'a demandé, les lèvres pincées :

—Lafayette a-t-il mentionné l'usage de drogues lors de cette... réunion ?

—Non. Je ne me souviens pas qu'il m'ait dit quoi que ce soit là-dessus.

—Et elle était organisée au domicile d'un Blanc ou d'un Noir, cette soirée?

—D'un Blanc.

J'ai aussitôt regretté de ne pas avoir joué les innocentes. Mais je me rappelais que Lafayette avait été très impressionné par cette maison, et pas parce qu'elle était immense et tape-à-l'œil. Pour quelle raison, alors ? Bah ! Qu'est-ce qui n'aurait pas impressionné un type qui était né et avait grandi dans la misère ? En tout cas, j'étais sûre qu'il avait parlé de Blancs, parce qu'il avait dit : « Et ces tableaux aux murs ! Tous, là, à te regarder, blancs comme des lys, avec leur sourire de crocodile. » Je n'ai pas estimé utile de rapporter ce commentaire aux flics (qui, pour leur part, n'ont pas jugé bon de pousser l'interrogatoire plus loin).

Après leur avoir expliqué pourquoi la voiture d'Andy se trouvait sur le parking, j'ai quitté le bureau de Sam et regagné mon poste derrière le comptoir. Je n'avais pas envie de voir ce qui se passait dehors et il n'y avait aucun client à servir en salle, puisque la police avait établi un périmètre de sécurité qui ceinturait tout le bâtiment.

Sam passait en revue les bouteilles derrière le bar, en les époussetant au passage, tandis que Holly et Danielle s'étaient installées à une table dans la zone fumeurs pour que Danielle puisse fumer une cigarette.

—Alors ? a demandé Sam.

—Rien de bien méchant. Ils n'ont pas eu l'air d'apprécier quand je leur ai dit qu'Antony travaillait ici et que Lafayette se vantait d'avoir été invité à cette fameuse soirée, l'autre jour. Tu sais, cette histoire de partouze.

Sam a hoché la tête.

—Il m'en a parlé aussi. Ça a dû le marquer. À condition que ça ait réellement eu lieu, évidemment…

—Tu crois que Lafayette a tout inventé ?

—Je ne pense pas qu'il y ait des masses de soirées multiraciales et bisexuelles à Bon Temps.

Je lui ai gentiment fait remarquer que c'était tout simplement parce que personne ne l'y avait jamais invité, tout en me demandant si je savais vraiment ce qui se passait dans notre bonne petite ville. Pourtant, si quelqu'un était bien placé pour le savoir, c'était moi : j'avais toutes les informations que je voulais à ma disposition. Je n'avais qu'à me baisser pour les ramasser – façon de parler.

Je me suis éclairci la gorge avant d'ajouter :

—Enfin, je suppose que mon invitation s'est perdue dans le courrier aussi.

—Tu penses que Lafayette serait venu ici hier soir pour nous reparler de cette soirée ?

J'ai haussé les épaules.

—Il pouvait tout aussi bien avoir rendez-vous sur le parking. *Chez Merlotte* est plutôt connu, dans le secteur. Est-ce qu'il avait touché sa paye ?

C'était la fin de la semaine, le moment où Sam nous remettait nos enveloppes, d'ordinaire.

—Non. Peut-être qu'il venait pour ça. Pourtant, je devais le payer le lendemain. C'est-à-dire aujourd'hui…

—Je me demande qui avait invité Lafayette à cette petite sauterie.

—Bonne question.

—Tu ne crois tout de même pas qu'il aurait été assez bête pour essayer de faire chanter quelqu'un, hein ?